KU-390-788

10|18
12, avenue d'Italie — Paris XIIIe

Sur l'auteur

Né en 1955 en Angleterre, Iain Pears vit à Oxford. Docteur en philosophie et historien d'art, il a travaillé pour l'agence Reuter jusqu'en 1990. Conseillé de la BBC et de Channel 4 pour plusieurs émissions consacrées à l'art, il est l'auteur de nombreux écrits sur ce sujet. Il s'est imposé sur la scène littéraire mondiale avec *Le Cercle de la Croix*, en 1998. Il avait auparavant signé une série de six romans policiers consacrés au monde de l'art, ouverte par *L'Affaire Raphaël* et *Le Comité Tiziano*.

L'AFFAIRE BERNINI

PAR

IAIN PEARS

Traduit de l'anglais
par Georges-Michel SAROTTE

10|18

« Grands Détectives »
dirigé par Jean-Claude Zylberstein

BELFOND

Du même auteur
aux Éditions 10/18

L'AFFAIRE RAPHAËL, n° 3365
LE COMITÉ TIZIANO, n° 3366
▶ L'AFFAIRE BERNINI, n° 3454

Titre original :
The Bernini Bust

ISBN 2-264-03280-4

À Ruth

Certains des bâtiments et des tableaux mentionnés dans ce livre existent, d'autres non, et tous les personnages sont imaginaires. S'il y a bien un service chargé du patrimoine artistique dans une caserne du centre de Rome, je l'ai fait arbitrairement dépendre de la police et non pas des carabiniers, afin de souligner que mon récit n'a rien à voir avec l'action de l'original.

1

Nonchalamment allongé sur un gros bloc de marbre de Carrare, une cigarette aux lèvres, Jonathan Argyll se dorait au soleil de ce milieu de matinée tout en réfléchissant à l'infinie diversité de la vie. Ce n'était pas un adorateur du dieu Soleil, tant s'en fallait ! En fait, il était très fier de son teint, jusque-là préservé des effets des rayons ultraviolets, mais – et tant pis pour les rides ! – il s'agissait d'un cas de force majeure. Considérant son paquet de cigarettes avec la même bienveillance qu'un vampire à qui l'on offre une gousse d'ail, ses collègues du moment étaient prêts à invoquer les innombrables lois du district de Los Angeles sur la pollution pour le contraindre à sortir dans le jardin lorsque ses nerfs avaient besoin d'être calmés et réconfortés.

Cela ne l'ennuyait pas vraiment, même s'il arrivait que toute cette ferveur morale régnant dans un espace aussi restreint le rendît claustrophobe. Comme il ne devait rester au musée Moresby que quelques jours, ses réserves de tolérance suffiraient jusqu'à son départ. À Rome il faut vivre comme les Romains, dit-on. Si son séjour se prolongeait, il en serait sans doute réduit à se réfugier dans les toilettes et à rejeter la fumée dans les bouches d'aération. Il était cependant capable de survivre.

C'est ainsi qu'on pouvait souvent le voir descendre le luxueux escalier lambrissé d'une boiserie d'acajou, passer les vastes portes de verre et de cuivre et déboucher dans la douceur du climat californien en ce début d'été. Puis il gagnait son bloc de marbre préféré où il effectuait plusieurs tâches à la fois : fumer sa cigarette, contempler le train du monde et cacher l'inscription annonçant aux passants – non que ceux-ci fussent très nombreux, les jambes jouant surtout le rôle d'appendices décoratifs dans cette région de l'univers – que le Musée des Beaux-Arts Arthur M. Moresby se trouvait dans le bâtiment situé derrière lui (ouvert de 9 h à 17 h en semaine et de 10 h à 16 h pendant le week-end).

Sous ses yeux s'étendait ce qu'il avait fini par considérer comme le paysage urbain quasi typique de Los Angeles. Une large pelouse entretenue à grands frais – vivifiée par de l'eau puisée à près de quinze cents kilomètres de là avant d'être vaporisée en fines gouttelettes – séparait de la rue le musée en béton blanc flanqué de son bâtiment administratif. Partout se dressaient des palmiers qui n'avaient, apparemment, rien d'autre à faire que de se balancer dans la brise. Les voitures se traînaient dans les deux sens sur la large avenue s'étirant devant lui. Depuis son poste d'observation privilégié, Argyll dominait la scène, et à part lui on ne voyait pas âme qui vive.

Non qu'il prêtât grande attention à la rue, au temps

qu'il faisait, ni même aux palmiers. Il était davantage préoccupé par la vie en général, qui commençait à lui peser. La réussite... Voilà ce que signifiait sa présence sur ce bloc de marbre, mais les conséquences s'avéraient d'un intérêt douteux. Il s'efforçait de voir le bon côté des choses : après tout, il venait de fourguer le Titien d'un client au musée qui se trouvait derrière lui pour une somme exorbitante, somme dont il recevrait (ou, plus exactement, son employeur) huit vingt-cinq pour cent. Bien mieux, il n'avait presque rien eu à faire pour gagner cette commission. Un dénommé Langton avait débarqué à Rome et annoncé qu'il était acheteur. Pas plus compliqué que ça. À l'évidence, le Moresby se jugeait un peu faible dans le domaine de la peinture vénitienne du XVIe et souhaitait acquérir un Titien afin de renforcer sa notoriété.

Réagissant au quart de tour, sans doute pour la première fois de sa carrière, Argyll demanda un montant grotesque dès le début de la négociation. À son grand étonnement, le Langton en question loucha, hocha la tête, puis répondit : « Très bien. À ce prix c'est donné. » Il possédait sans doute davantage d'argent que de bon sens, mais ce n'était pas Argyll qui allait s'en plaindre. Pas le moindre marchandage. Malgré sa satisfaction, il se sentait un tant soit peu frustré : les clients doivent marchander, c'est une question de politesse.

La vente se fit à une telle vitesse qu'il en eut le souffle coupé. Un contrat fut dressé en moins de deux jours. L'acheteur ne prit pas la peine de faire procéder à une expertise et aux tests habituels, de manifester les hésitations et atermoiements de rigueur. Cependant, le contrat de vente stipulait que le tableau serait livré au musée franc de port et qu'Argyll devrait assister à la procédure d'authentification aux côtés du personnel du musée – vérification de l'origine, tests scientifiques, etc. Si le musée n'était pas entièrement satisfait, Argyll serait obligé de reprendre l'objet. Et surtout, il était précisé que le règlement s'effectuerait à la réception, ou, plus exactement, après acceptation.

Il avait protesté par principe, invoquant vaguement le sens de l'honneur, la parole donnée entre gentlemen, etc. Rien n'y avait fait. Les termes n'étaient pas modifiables, ayant été établis par le propriétaire du musée qui, depuis quarante ans qu'il collectionnait les œuvres d'art, avait appris à se méfier comme de la peste des marchands de tableaux. En son for intérieur, Argyll le comprenait. La seule chose qui comptait, d'ailleurs, c'était d'empocher le chèque. En gros, il aurait revêtu le costume national grec et chanté des chansons de marins en public si nécessaire. Les affaires étaient dures pour les galeristes.

Quelques jours plus tôt, il avait provoqué l'inquiétude des représentants du musée en leur remettant le petit tableau enveloppé d'un sac de supermarché et qu'il avait fait voyager en bagage à main dans l'avion. On lui en retira la garde sans ménagement avant de placer le Titien dans une caisse en bois extrêmement lourde, doublée de velours, fabriquée spécialement pour l'occasion, caisse que l'on transporta dans une camionnette blindée de l'aéroport au musée, où une équipe de six personnes commença à l'analyser tandis que trois autres se mettaient en quête du meilleur emplacement pour l'exposer. Argyll fut très impressionné. À son avis, une seule personne armée d'un marteau et d'un clou aurait amplement suffi.

Mais ce furent les conséquences de la vente qui l'inquiétèrent et dissipèrent l'agréable et chaude sensation de bien-être qui aurait dû normalement l'envahir. S'il y avait pire qu'un patron mécontent c'était un patron heureux, semblait-il... Une fois de plus, il revint par la pensée sur l'intempestive générosité de sir Edward Byrnes, son employeur et le propriétaire de la galerie portant son nom, située dans Bond Street. Cependant, sachant qu'aucune décision satisfaisante n'était susceptible de découler d'une réflexion plus approfondie sur l'offre – ou plutôt l'ordre – de Byrnes de rentrer à Londres, après trois années passées en Italie, il ne fut pas vraiment déçu que le cours de ses pensées fût interrompu par l'arrivée d'un taxi, lequel, quittant lentement la rue, s'engagea dans l'allée recouverte de carreaux de faïence fabriqués sur mesures, avant de traverser le brouillard qui maintenait le gazon dans une forme superbe et de s'arrêter enfin devant l'entrée du musée.

Grand, mince à l'excès, l'homme qui émergea de la voiture produisait une impression jalousement entretenue de raffinement aristocratique agrémenté d'un soupçon d'esthétisme. La première qualité était évoquée par le costume épousant parfaitement la forme du corps et la chaîne traversant l'abdomen en diagonale, la seconde par la canne d'ébène à pommeau d'or tenue dans la main droite ainsi que la pochette couleur lilas.

Tandis que le taxi s'éloignait, le nouvel arrivant demeura immobile tout en jetant des regards impérieux autour de lui, comme s'il était un peu étonné de ne pas apercevoir le comité d'accueil au grand complet, qui pourtant devait bien se trouver quelque part... Il avait également l'air fort agacé. Argyll poussa un profond soupir. Sa journée était gâchée !

Trop tard pour s'échapper ! Ne sachant guère où se poser, le regard de l'homme s'arrêta sur Argyll qui vit s'épanouir le visage vieilli mais aux traits encore finement ciselés.

« Salut, Hector ! lança le jeune homme, faisant contre mauvaise fortune bon cœur, tout en se gardant de se lever de son bloc de marbre en signe de bienvenue. Si je m'attendais à vous rencontrer ici ! »

Hector de Suza, un Espagnol, négociant en œuvres d'art qui vivait à Rome depuis des temps immémoriaux, se dirigea vers le jeune Anglais et le salua d'un mouvement de canne bien rodé.

« En ce cas, j'ai un avantage sur vous, répondit-il d'une voix onctueuse. J'étais sûr de vous trouver là. Mais pas dans cette pose langoureuse, évidemment. Vous paraissez apprécier votre séjour en ces lieux... Je me trompe ? »

Du Hector tout craché. Larguez-le au pôle Nord et il se comportera comme s'il en était le propriétaire ! Argyll chercha une réplique cinglante adéquate, mais il avait l'esprit de l'escalier. Alors il bâilla, se redressa et écrasa sa cigarette à un endroit peu visible du bloc de marbre.

Par bonheur, sans attendre de réponse, de Suza promena de nouveau son regard sur le paysage, le sourcil droit délicatement levé pour indiquer un certain mépris envers l'urbanisme américain. Lorsque, enfin, il considéra le musée lui-même, l'Espagnol émit un sonore grognement en signe de rejet catégorique.

« C'est un musée, ça ? demanda-t-il, en plissant les yeux en direction du bâtiment sans grâce ni caractère qui s'élevait derrière l'épaule gauche d'Argyll.

— Oui, pour le moment. Il est prévu d'en construire un plus grand.

— Dites-moi, mon cher petit, est-il aussi médiocre qu'on le dit ? »

Argyll haussa les épaules.

« Ça dépend du sens que vous donnez au mot "médiocre". Quelqu'un de vraiment désintéressé dirait peut-être que c'est bourré de camelote. Mais, comme le musée vient de débourser une somme considérable pour acheter l'un de mes tableaux, je me sens moralement obligé de le défendre. À mon avis, cet argent aurait pu être mieux utilisé.

— C'est ce qui vient d'arriver, cher ami, répondit de Suza avec une suffisance tout à fait insupportable. Le musée vient d'acquérir douze des meilleures sculptures gréco-romaines qu'on trouve sur le marché.

— Fournies par vous-même, je suppose ? De quand datent-elles ? D'une cinquantaine d'années ? Ou bien les avez-vous fait sculpter sur mesures ? »

L'ironie d'Argyll était sans doute un peu lourde, mais de son point de vue parfaitement justifiée. Si de Suza n'était pas le plus grand filou en exercice sur le marché romain de l'art, sa malhonnêteté était en tout cas d'une constance quasiment sans égale. Non qu'il fût antipathique, loin de là. Bien sûr, d'aucuns étaient irrités par sa façon de frétiller dès qu'il apercevait un aristocrate, d'autres jugeaient agaçante sa galanterie exagérée envers les femmes (elle augmentait avec leur fortune). Dans l'ensemble, une fois qu'on s'était habitué à son arrogance, à son accent affecté et à son extraordinaire talent pour ne pas réussir à trouver son portefeuille au moment de payer l'addition au restaurant, il était d'un commerce fort agréable. Dans la mesure où ce genre de personnage vous amuse.

Le seul problème, c'était qu'il ne pouvait résister à la tentation de gagner de l'argent, et le naïf et innocent Argyll l'avait jadis appris à ses dépens. Rien de grave, à proprement parler : une petite histoire au sujet d'une figurine étrusque en bronze (datant du Vᵉ siècle av. J.-C.) moulée quelques semaines seulement avant qu'il persuade Argyll de l'acheter. Il est difficile d'oublier ce genre d'avanie. De Suza l'avait reprise – il n'en avait jamais fait autant vis-à-vis d'un vrai client –, s'était excusé et avait invité Argyll au restaurant pour se faire pardonner, mais celui-ci lui en voulait toujours un peu. Il est vrai que, cette fois encore, l'homme avait oublié son portefeuille.

D'où le scepticisme d'Argyll et le désir de De Suza de minimiser la question.

« Vous vendre des objets est une chose, en vendre au vieux Moresby en est une autre, répliqua-t-il avec désinvolture. Ça fait des lustres que j'essaye de le prendre dans mes filets. Maintenant que j'y suis enfin parvenu, je ne veux pas qu'il m'échappe. La marchandise expédiée au musée est tout à fait authentique. Et je préférerais que vous ne commenciez pas à répandre des rumeurs sur mon honnêteté. Surtout après le service que je vous ai rendu. »

Argyll le fixa d'un air dubitatif.

« Un service ? Lequel ?

— Vous vous êtes enfin débarrassé de ce Titien, n'est-ce pas ? Eh bien ! vous pouvez me remercier... Ce Langton m'a interrogé sur votre compte et j'ai chanté vos louanges. Évidemment, une recommandation de ma part possède un poids considérable dans les milieux des vrais connaisseurs. Je lui ai affirmé que votre Titien était superbe et que vous étiez d'une totale intégrité. Et vous voici ! » conclut de Suza en balayant le paysage d'un large mouvement de canne qui suggérait fortement que c'était lui qui venait de le faire surgir.

Si on ne pouvait guère dire qu'une recommandation venant de De Suza était un atout considérable, Argyll ne fit aucun commentaire. Cela expliquait, en partie tout au moins, pourquoi Langton s'était adressé à lui. Il s'était posé la question.

« Ainsi donc, poursuivit de Suza, votre carrière italienne repose désormais sur une assise plus solide. Vous me remercierez plus tard. »

Jamais de la vie ! pensa Argyll. En outre, sa carrière italienne semblait toucher à sa fin, et il en voulait un peu à de Suza de le lui avoir rappelé.

Comment refuser l'offre de Byrnes ? Si le marché de l'art ne s'était pas totalement effondré, il battait de l'aile, et même un personnage à la réputation aussi bien établie que Byrnes se voyait contraint de rentrer les cornes. Ayant besoin de ses meilleurs collaborateurs sur place pour le conseiller, soit Argyll, soit son homologue de Vienne allait devoir regagner Londres. La vente du Titien lui avait fait choisir Argyll. Une marque de confiance qui faisait chaud au cœur.

Mais – et ce « mais » pesait lourd – être obligé de quitter l'Italie ? Retourner en Angleterre ? La seule idée le déprimait.

Il ressassait ces sombres pensées. Et, pour la première fois depuis qu'ils se connaissaient, la volubilité de De Suza s'avérait utile, car elle lui permettait d'oublier ses soucis.

« Il s'agit d'une construction toute récente, n'est-ce pas ? disait-il, sans remarquer le manque d'attention d'Argyll. Je ne peux pas dire que je sois très impressionné.

— Vous n'êtes pas le seul. C'est ça l'ennui. Arthur Moresby a dépensé une véritable fortune pour ce piètre résultat.

— Le pauvre homme ! s'apitoya de Suza.

— En effet. Je suis certain qu'il souffre le martyre. Ces gens se disent que ce n'est pas aussi grandiose que le Getty. Ils sont sur le point de se lancer dans une guerre de construction sans merci. Savez-vous que le musée Getty est une reproduction de la villa dei Papyri à Herculanum ? »

De Suza opina du chef.

« Ils envisagent de construire une copie conforme du palais de Dioclétien à Split. À peu près de la taille du Pentagone, semble-t-il, mais plus cher. À ce qu'on dit, on pourra y faire entrer tout le Louvre et il restera encore de la place pour y organiser les jeux Olympiques. »

De Suza se frotta les mains.

« Et il faudra qu'ils le remplissent, mon cher enfant. C'est merveilleux ! Je suis arrivé à point nommé... Quand commencent les travaux ? »

Argyll chercha à calmer son enthousiasme.

« Ne vous emballez pas ! J'ai cru comprendre qu'il leur fallait encore amener Moresby à apposer sa signature sur le document. Et il n'est pas du genre à se laisser forcer la main. Cela dit, vous pouvez toujours rencontrer l'architecte. Il erre constamment sur les lieux en marmonnant entre ses dents, avec le regard fou d'un fanatique. C'est une sorte de gourou, l'apôtre de ce qu'il appelle le "retour postmoderne à la tradition classique". Ses toitures fuient. C'est un horrible charlatan. »

Argyll s'étant désormais fait à la compagnie de De Suza, ils avançaient côte à côte sur le gazon en direction des bâtiments, l'Espagnol devant aller se présenter à qui de droit. De toute évidence, il ne digérait toujours pas que personne ne l'ait accueilli à l'aéroport.

« Et vos objets inestimables ? s'enquit Argyll, sans prêter attention aux coups de sifflet ni aux cris d'un gardien qui leur enjoignait de ne pas marcher sur la pelouse. Où sont-ils ?

— À l'aéroport. Ils sont arrivés il y a deux jours,

paraît-il. Mais vous connaissez les douaniers ? Ils sont tous pareils, dans le monde entier. C'est à cause des autres objets que j'ai apportés.

— Quels objets ?

— Ceux de Langton. Il a acheté des tas de choses partout. Rien d'important, apparemment, mais il voulait en ramener quelques-uns ici. Alors il m'a demandé de me charger de l'expédition. Honoraires conséquents, là encore, et un client satisfait. On est vraiment ravi de faire plaisir à quelqu'un ayant accès à de telles sommes d'argent, vous n'êtes pas d'accord ? »

D'humeur toujours aussi exubérante, Hector continua de bavarder à bâtons rompus, sautant d'un sujet à l'autre avec l'agilité d'un cabri de montagne. Il se gargarisait des noms de clients importants – de la pure frime, Argyll le savait bien, la carrière d'Hector se caractérisant davantage par la forme que par le fond. Il cessa son babillage pour indiquer une petite silhouette émergeant du bâtiment des bureaux et qui se dirigeait vers eux.

« Tiens, tiens, cet endroit est donc bien habité ! s'exclama-t-il. Qui est cet étrange petit homme, là-bas ?

— C'est le directeur du musée. Samuel Thanet. Il n'est pas antipathique, mais du genre angoissé. Bonjour, monsieur Thanet, enchaîna-t-il, en passant à l'anglais lorsque le directeur s'approcha. Comment allez-vous ? En pleine forme ? »

C'est toujours une bonne idée d'être courtois envers un directeur de musée, surtout s'il gère un budget consacré aux nouvelles acquisitions qui dépasse la somme globale dont disposent tous les musées italiens. Sur ce point, en tout cas, Argyll et de Suza s'accordaient.

Certes, si le portrait que venait de brosser Argyll était fidèle, il était un tantinet injuste. Samuel Thanet paraissait préoccupé, car il avait effectivement beaucoup de soucis. L'administration d'un musée n'est pas une sinécure, mais, lorsqu'il est dirigé d'une façon quasi médiévale par un propriétaire habitué à ce qu'on satisfasse tous ses caprices comme s'il s'agissait de commandements divins, la vie peut devenir un vrai calvaire.

Non que Thanet possédât – même en vacances – le moindre point commun avec le Californien décontracté type. Loin de ressembler au grand gars svelte, bronzé, adepte du jogging qui, selon la vision du reste du monde, est censé vivre dans cette région, Thanet était un petit gros, amateur de costumes très austères, et dont l'effacement frôlait la névrose. Ce n'était pas lui qui aurait gaspillé son énergie sur un court de tennis ou une planche de surf. Il la répartissait équitablement entre la maîtrise de son angoisse et un dévouement presque fanatique à son musée.

Pour cette dernière occupation il avait besoin d'argent, et afin d'en obtenir il était obligé de lécher les bottes du propriétaire et bailleur de fonds du musée. Rien d'inhabituel à cela : n'importe quel directeur de musée est contraint de caresser quelqu'un dans le sens du poil, que ce soient les mécènes, les donateurs ou les membres du conseil d'administration. Ça fait partie du métier ; selon certains, c'en est même l'aspect le plus important. Et à l'intérieur du musée tout le monde doit flatter le directeur. Arrivé enfin au sommet de la pyramide, on est alors passé maître dans l'art de la flagornerie.

Cependant, même pour un courtisan chevronné, Arthur M. Moresby n'était pas facile à manier. Il ne suffisait pas de lui dire à quel point il était merveilleux, il le savait déjà : c'était une donnée de l'existence, comme le lever du soleil ou l'arrivée de la feuille d'impôts. La difficulté venait de ses caprices. D'abord, en homme d'affaires efficace, il aimait que la réalité lui soit présentée en termes de concepts de développement et de propositions de budgets. De plus, il souhaitait que son entourage soit composé d'hommes maigres, hargneux et affamés. Et quelle que fût l'ambition dont Thanet faisait preuve pour son musée, il était loin d'être maigre, et s'il pouvait à l'occasion se montrer hargneux, aucune chance d'avoir l'air affamé. C'est pourquoi il vivait dans l'angoisse, et la perspective d'une entrevue avec le grand homme lui ôtait le sommeil des semaines à l'avance.

« Pour le moment, hélas ! je dois gérer plusieurs crises à la fois », dit-il en guise de réponse, tout en éternuant violemment et en tirant prestement – mais trop tard – un mouchoir de sa poche. Il se moucha d'un air gêné. « Des allergies, s'excusa-t-il. Je souffre le martyre.

— Des crises ? Vraiment ? Je ne m'en suis pas du tout rendu compte. Au fait, puis-je vous présenter le señor de Suza ? Il vient d'arriver avec vos nouvelles sculptures. »

En entendant cette annonce, pourtant d'aspect plutôt anodin, Thanet, à l'évidence, ajouta mentalement une nouvelle crise à sa liste. Fronçant les sourcils avec force, il fixa de Suza d'un air fort inquiet.

« Quelles nouvelles sculptures ? » demanda-t-il.

La blessure d'amour-propre fut insupportable. Qu'on vous oublie ostensiblement était une chose, au moins cela indiquait qu'on était au courant de votre présence, mais que Thanet paraisse sincèrement ignorer son existence en était une autre. D'un ton sec et guindé, altéré seulement par l'insuffisance de son vocabulaire anglais, de Suza expliqua la raison de sa présence. Thanet parut encore plus agacé, même si le contenu du message semblait l'inquiéter davantage que le style du messager.

« Ce satané Langton, une fois de plus ! Il n'a absolument pas le droit de faire ainsi fi des procédures établies..., marmonna-t-il.

— Il est impossible que vous ne soyez pas au courant de ma venue..., déclara de Suza, mais Thanet lui coupa la parole.

— Qu'avez-vous apporté exactement ?

— Trois caisses de sculptures romaines choisies par moi-même, ainsi qu'une caisse de la part de M. Langton.

— Et qu'est-ce qu'il y a dans celle-ci ?

— Je n'en ai aucune idée. Vous ne le savez pas non plus, vous ?

— Si je le savais je ne poserais pas la question, non ? »

De Suza eut l'air perplexe. Il affirma n'avoir fait que se charger de l'expédition, et avoir cru qu'il s'agissait d'autres sculptures.

« J'ai l'impression de diriger une maison de fous,

avoua Thanet comme s'il pensait à haute voix, tout en secouant la tête d'un air incrédule.

— Est-ce que vous laissez vraiment vos agents acheter ce qui leur chante ? Et mon Titien ? Est-ce que Langton l'a également acheté par caprice ? »

Thanet se balança d'un pied sur l'autre, puis décida de passer aux aveux.

« C'est M. Moresby, je dois dire. Il décide souvent d'acheter des choses lui-même et donne l'ordre à des gens comme Langton de passer à l'action. Et ensuite ces objets débarquent ici. »

Ce qu'il sous-entendait, sans se résoudre à l'exprimer ouvertement, c'est que par le passé il avait trouvé quelque peu sujet à caution le jugement artistique de son employeur et bienfaiteur. Un nombre inquiétant de tableaux étaient accrochés dans le musée en partie parce que M. Moresby était persuadé de savoir repérer un chef-d'œuvre bizarrement négligé par les marchands, conservateurs et historiens de plusieurs dizaines de pays. Et aussi pour d'autres raisons. Thanet ne pouvait s'empêcher de frissonner chaque fois qu'il pensait à un tableau peint, presque à coup sûr, dans les années vingt, sans doute à Londres.

Mais quand il l'avait acheté, il y avait un an et demi, on avait convaincu M. Moresby que c'était un Frans Hals, et le tableau était toujours attribué à Frans Hals. Thanet ne pouvait y songer sans se remémorer la fois où, passant devant un petit groupe de visiteurs alors qu'il traversait la galerie, il avait entendu l'un d'entre eux ricaner en lisant l'inscription. Ni oublier l'horrible esclandre qui avait éclaté lorsqu'un jeune conservateur avait présenté la preuve qu'il s'agissait d'une croûte. Le Frans Hals était toujours là ; le jeune conservateur non.

« Dans un cas comme dans l'autre, reprit-il, en écartant ces souvenirs, je crains que les procédures habituelles n'aient pas été observées. Ce n'est pas une bonne chose, vous savez. Ce n'est pas professionnel. Je vais devoir en parler – une nouvelle fois – à M. Moresby lorsqu'il viendra ce soir. »

L'instinct commercial dressa métaphoriquement l'oreille en entendant cette déclaration. C'était la première allusion à une visite imminente de Moresby en personne, figure légendaire tout autant à cause de son immense fortune et de sa prodigalité comme collectionneur d'œuvres d'art que de son affreux caractère.

« On l'attend ici ? » s'exclamèrent Argyll et de Suza presque à l'unisson.

Thanet les fixa, devinant parfaitement les pensées qui leur traversaient l'esprit à toute vitesse.

« Oui. Il nous faut organiser une réception au pied levé. Vous êtes tous les deux invités, je suppose. Ça fera nombre. »

Cela manquait un peu d'élégance, mais l'homme était sous pression. Argyll fit semblant de ne pas avoir entendu.

« Panique dans les rangs, hein ? »

Thanet hocha la tête d'un air sombre.

« En effet, hélas ! Il adore nous prendre au dépourvu. Il paraît qu'il débarque à tous moments dans ses usines sans crier gare pour voir comment elles sont gérées.

Il met toujours quelqu'un à la porte, *pour encourager les autres** [1]. C'est pourquoi nous devons nous estimer heureux d'avoir été prévenus, même quelques heures auparavant. »

Il renifla une fois de plus, et les deux visiteurs firent un pas en arrière afin d'éviter d'être saisis dans la tourmente. Après avoir hésité un instant, Thanet décida de ne pas éternuer, se contentant d'essuyer ses yeux embués de larmes. Il poussa un soupir rauque, puis renâcla avec force. « J'ai horreur de cette époque de l'année », déclara-t-il sur le ton de la confidence.

« Ça pourrait être pire, reprit-il, on va juste lui offrir une réception avant de lui faire faire le tour du propriétaire. Et je crois qu'on annoncera quelque chose d'important afin de justifier tous nos efforts. »

Il se rengorgea, de l'air de celui qui possède un réjouissant secret.

« Je serai ravi d'y assister, merci beaucoup », dit Argyll.

Non qu'il raffolât des réceptions, mais, si la salle allait être bourrée de milliardaires, il n'avait pas le droit de rater celle-ci. Il se contenterait même d'un simple multimillionnaire. Inutile de jouer les difficiles.

Il s'apprêtait à poser de discrètes questions sur la liste des invités lorsqu'il fut interrompu par un léger reniflement d'inquiétude émis par Thanet, lequel ressortit

---

1. Les mots en italique suivis d'un astérisque sont en français dans le texte original. *(N.d.T.)*

brusquement son mouchoir, comme si, en fait, il cherchait à s'en servir pour cacher son visage.

La source de son inquiétude était une petite femme châtain dont l'impeccable élégance n'était gâchée que par un visage à l'expression âpre et butée. Plus toute jeune, elle luttait contre les outrages du temps à l'aide de tous les moyens scientifiques que peut acheter l'argent. Descendue d'une énorme voiture, elle se dirigeait maintenant vers eux.

« Dieux du ciel ! s'exclama Thanet en se retournant pour faire face au danger.

— Samuel Thanet ! J'ai deux mots à vous dire ! » s'écria-t-elle en traversant la pelouse tout en foudroyant du regard le malheureux jardinier qui s'était lancé dans de nouvelles protestations. Puis son œil parcourut la compagnie présente avec toute la douceur d'un jet d'eau propulsé par un tuyau d'arrosage sous pression. « À quelle chicane avez-vous eu recours cette fois-ci ?

— Oh ! madame Moresby... », gémit Thanet d'un ton désespéré. Ce fut la seule présentation à laquelle eurent droit les deux hommes.

« Oh ! madame Moresby, répéta-t-elle avec sarcasme. Cessez de geindre ! Ce que je veux savoir, c'est... (elle s'interrompit un instant pour produire un effet dramatique)... ce que vous manigancez maintenant. »

Thanet la dévisagea, éberlué.

« Comment ? fit-il, je ne sais pas ce que...

— Vous savez très bien de quoi il retourne. Vous avez encore embobiné mon mari. »

Peu enclin à demeurer hors de la conversation en

présence de belles femmes richissimes, de Suza vit sa chance.

« Que signifie "embobiner" ? » s'enquit-il en souriant d'une manière qui, croyait-il fermement, faisait vibrer les cœurs.

Mme Moresby l'ajouta à sa liste des créatures à toiser avec un souverain mépris.

« "Em-bo-bi-ner", expliqua-t-elle, lentement mais sans aménité. Verbe du premier groupe. Escroquer. Tromper. Rouler dans la farine d'adorables vieillards sans malice. En d'autres termes, ça veut dire acheter des œuvres d'art volées ou acquises par d'autres moyens illicites afin de se faire mousser. Voilà le sens d'"embobiner". Et ce répugnant petit gros, ajouta-t-elle en montrant Thanet du doigt au cas où il pouvait y avoir un doute, est l'embobineur en chef. Pigé ? »

De Suza hocha lentement la tête, n'ayant pas compris un traître mot de ce qu'elle avait raconté.

« Oui, tout à fait, merci », répondit-il de sa manière, selon lui, la plus séduisante. Méthode infaillible, en général. C'était le socle sur lequel il avait bâti une réputation ancienne et méritée d'homme au charme irrésistible. La magie n'opéra pas le moins du monde sur Anne Moresby.

« Très bien, rétorqua-t-elle. Maintenant mêlez-vous de vos affaires ! »

De Suza se redressa de toute sa hauteur en protestant avec dignité :

« Madame, je vous en prie...

— Oh ! la ferme ! »

Lui coupant sans pitié la parole, elle dirigea toute son attention sur Thanet.

« Votre ambition intéressée pour ce musée ne connaît plus de bornes. Je vous préviens, si vous continuez à manipuler mon mari, vous allez le payer très cher quand il viendra ce soir. À bon entendeur, salut ! » Elle pointa son doigt sur la poitrine du directeur pour souligner sa mise en garde.

Puis elle pivota sur ses talons et retraversa la pelouse. Sans même dire au revoir. À l'arrière-plan, le jardinier leva les bras en un geste de désespoir et, dès que la voiture ressortit dans la rue, il s'approcha afin d'évaluer les dégâts.

Thanet la regarda s'éloigner sans réagir. Il paraissait même content.

« Grands dieux ! À quoi tout ça rimait-il ? » demanda Argyll, interloqué.

Thanet secoua la tête pour indiquer qu'il refusait de faire des confidences.

« Ah ! c'est une longue histoire... Mme Moresby aime jouer le rôle de la bonne épouse qui protège son mari du monde extérieur. Tout en s'occupant de ses propres intérêts par la même occasion. Je crains fort qu'elle n'aime se servir de moi pour répéter son rôle. Ça indique sûrement que, ce soir, M. Moresby va faire une annonce importante. »

Sans doute eût-il fallu savoir lire entre les lignes, car Argyll ne parvint pas à en apprendre davantage. Thanet évita de répondre à d'autres questions. Il se répandit en excuses à propos de la façon peu orthodoxe dont de Suza avait été reçu, puis repartit avec force reniflements en direction de la splendeur solitaire de son bureau situé dans le bâtiment administratif. Les deux Européens le regardèrent s'éloigner en silence.

« Je ne peux pas dire que j'envie son poste, finit par dire Argyll.

— Je ne sais pas. Quels que soient ses défauts, il paraît que Moresby paye bien. Vous allez à la réception ce soir ? »

Argyll acquiesça.

« C'est bien mon intention. »

L'Espagnol fit un geste désinvolte de la main.

« Fort bien. L'endroit regorgera sans doute de richards en mal d'émotions artistiques. Tous friands d'œuvres d'art authentiques importées directement d'Europe. Ça pourrait faire votre carrière si vous saviez enjôler les clients éventuels. Et la mienne, après tout. Si j'arrive à déverser mon stock aux pieds de certains d'entre eux, je pourrai jouir d'une retraite heureuse. J'espère seulement que cette affreuse bonne femme ne sera pas là.

— L'ennui, c'est que je ne suis jamais très brillant dans les soirées…

— Allons, allons ! Vous êtes le seul négociant en œuvres d'art de ma connaissance qui soit gêné de vendre quelque chose à un client. Il vous faut surmonter votre insupportable réserve, vous savez. C'est la marque d'un gentleman anglais, certes, mais aux États-Unis, c'est rédhibitoire. La "stratégie de vente agressive", voilà ce qui est nécessaire dans ce pays, mon garçon. Le mors aux dents, le vent en poupe, la balle au bond...

— Pour que je me casse la figure ?

— Pour gagner du fric. »

Argyll eut l'air choqué.

« Je suis extrêmement surpris de vous entendre employer des expressions aussi crûment matérialistes... Un esthète comme vous !

— Même les esthètes doivent se nourrir. En fait, nous sommes si difficiles que nous dépensons des fortunes en nourriture. Voilà pourquoi ça coûte si cher de nous avoir comme amis. Allons ! c'est la chance de votre vie...

— Mais je viens de vendre un Titien... », protesta Argyll qui avait le sentiment qu'on mettait un peu en doute sa compétence professionnelle.

De Suza ne parut pas convaincu.

« Il y a loin de la... », commença-t-il en guise d'encouragement, mais Argyll lui jeta un regard noir. Il n'avait vraiment pas besoin d'un souci supplémentaire en ce moment. « Après tout, vous n'avez pas encore touché votre chèque.

— Je ne l'ai même pas encore reçu.

— Vous voyez bien ! Le nombre de ratés possibles est stupéfiant. Prenez Moresby, par exemple, je me rappelle que juste après la guerre... »

Argyll refusa d'entendre la suite.

« Ce Titien est vendu et bien vendu, affirma-t-il avec force. Ne vous amusez pas à mettre des idées dans la tête des gens...

— Oh ! très bien, dit de Suza, agacé d'être

interrompu en pleine anecdote. Si vous vous abstenez, vous aussi, à propos de mes sculptures. Je voulais dire simplement que le bon marchand ne laisse jamais passer une occasion. Pensez à quel point vos actions vont monter auprès de Byrnes si vous casez quelque chose de plus pendant votre séjour en ces lieux.

— Mes actions sont déjà fort bien orientées, merci, répliqua Argyll en se rengorgeant. On m'a demandé de rentrer à Londres. De devenir associé, peut-être. »

De Suza fut dûment admiratif. D'autant qu'Argyll évita de signaler qu'il s'agissait plus d'un ordre que d'une requête et que c'était davantage la conséquence d'une compression de personnel que d'une promotion.

« Vous quittez Rome ? Je croyais que vous en aviez fait votre résidence permanente. »

C'était là le hic, en effet. Lui aussi avait cru que ce serait désormais son lieu de résidence. Mais il semblait que, contrairement aux apparences, il n'y possédait pas d'attaches solides. Pas quand on les mettait à l'épreuve.

Il haussa tristement les épaules. Pas plus que Thanet il n'était d'humeur à se confier. Dépourvu de la moindre sensibilité, de Suza imagina que seul l'argent motivait Argyll.

2

Malgré ses réticences Argyll fut très impressionné par la soirée, d'autant plus qu'elle avait été improvisée. Même si Moresby était un employeur détestable, il était clair qu'en matière de réceptions il ne lésinait pas. Et quelles que fussent les insuffisances du bâtiment lui-même, il était non moins évident que le hall d'entrée était un lieu idéal pour les grandes fêtes. Au centre, on avait dressé une immense table couverte de glace, d'une véritable marée de crustacés et de toutes sortes de zakouski. Un orchestre de jazz s'échinait dans un coin, un quintette d'instruments à cordes dans un autre, afin de souligner que le musée s'était donné pour mission de réconcilier les deux cultures, classique et populaire. Mais personne ne prêtait attention ni à l'un ni à l'autre. Côté boissons, sans être généreuse l'offre était correcte, si on savait se débrouiller.

En revanche, il n'y avait guère profusion de milliardaires salivant devant le stock de marchandises – restreint mais choisi – que pouvait proposer Argyll.

Peut-être ne savait-il pas les repérer ? Après tout, il n'est pas facile d'aborder quelqu'un pour le prier de vous laisser jeter un bref coup d'œil à son compte en banque ; certaines personnes semblent d'ailleurs posséder un sixième sens en ce domaine. Edward Byrnes, par exemple, se dirigeait instinctivement vers ceux qui étaient pleins aux as ; Argyll n'avait jamais compris comment il s'y prenait. Il n'avait jamais appris non plus à orienter avec doigté la conversation vers, disons, la question des paysages français du XIXe. Et il se trouve que, justement, vous en possédez un d'excellente facture...

Les rares fois où Argyll s'était personnellement aventuré sur ce terrain semé d'embûches, il s'était aperçu qu'il était en train d'essayer de vendre des tableaux de genre flamands à des garçons de café. Et, quand il réussissait à entrer en discussion avec un client potentiel, il finissait par lui expliquer en détail que ses tableaux n'étaient pas si extraordinaires et par lui recommander un objet qui se trouvait entre les mains d'un concurrent.

C'est ce qui se passa ce soir-là. Presque inconsciemment il s'arrangea pour suggérer qu'il jugeait vaguement répugnante l'idée de vendre quoi que ce soit. Tandis qu'Argyll avait la nette impression qu'Hector de Suza se débarrassait de ses faux auprès de toutes les femmes riches de la région, ce fut à peine si lui-même parvint à faire savoir qu'il avait quelque chose à vendre. Sa seule réelle conversation fut celle qu'il eut avec l'architecte, homme extravagant et décontracté à la fois ayant une tendance marquée à l'embonpoint de l'âge mûr, qui lui infligea un cours sur la synthèse de l'utilitarisme moderniste et de l'esthétique classique telle qu'elle s'exprimait dans son *œuvre**. Autrement dit, il parla de lui-même sans discontinuer pendant vingt minutes. Son appartenance à la catégorie de ceux qui ne cessent de regarder par-dessus votre épaule droite dans l'espoir d'apercevoir quelqu'un de plus intéressant n'ajouta guère à son charme.

La conversation ne fut pas totalement dénuée d'intérêt, cependant : dans un accès d'autosatisfaction, l'architecte confia à Argyll qu'il s'agissait d'une soirée très importante pour lui. Le vieux Moresby s'était finalement engagé à faire construire le Grand Musée (que tout le personnel appelait le GM) et qu'il allait annoncer la nouvelle le soir même. D'où le vent de panique, la visite impromptue, le vague air de suffisance de Thanet destiné à dissimuler sa profonde inquiétude, et de là, probablement, l'attaque préventive d'Anne Moresby quelques heures auparavant.

« Le plus grand projet de construction d'un musée privé depuis des décennies, dit-il avec une fierté compréhensible. Ça va coûter les yeux de la tête.

— C'est-à-dire ? demanda Argyll qui adorait entendre les gens délirer.

— Rien que la structure coûtera environ trois cents millions.

— De dollars ? siffla Argyll, sidéré par la seule évocation d'une telle somme.

— Bien sûr. Que croyiez-vous ? De lires ?

— Grands dieux ! Il doit être cinglé. »

L'architecte eut l'air froissé qu'on puisse s'étonner que lui soit confié autant d'argent.

« Les musées sont les temples de l'âge moderne, psalmodia-t-il d'une voix sonore. Ce sont des sanctuaires qui abritent ce qui est beau et vaut la peine d'être préservé dans notre culture. »

Argyll fixa sur lui un regard intrigué, cherchant à deviner s'il plaisantait. Il aboutit à la conclusion déprimante que l'homme était sérieux.

« C'est un peu cher, malgré tout.

— La qualité se paye, insista l'architecte.

— C'est de vous que vous parlez ?

— Bien sûr. Je suis, et de loin, l'architecte le plus important de ma génération. De tous les temps, peut-être, ajouta-t-il modestement.

— Mais il ne peut pas utiliser son argent pour quelque chose qui le mérite davantage ? »

Pour la première fois, apparemment, l'espace d'un instant, l'architecte envisagea cette possibilité.

« Non, répondit-il enfin d'un ton catégorique. S'il abandonnait l'idée du musée, tout irait à son horrible fils. Ou à son horrible femme. S'ils n'étaient pas aussi affreux tous les deux, je doute que ce projet ait jamais pu être mis en œuvre. »

Mais, ayant aperçu à l'autre bout de la pièce quelqu'un de plus important, l'architecte s'éclipsa prestement. Vexé qu'on lui fausse compagnie mais soulagé de se retrouver seul, Argyll se précipita vers le bar afin de se requinquer.

Cela ne marchait pas fort et le serveur ne semblait pas

avoir grand-chose à faire. Un client au moins cependant – lequel plut à Argyll dès qu'il le vit pointer un doigt tremblant vers le whisky – paraissait faire de son mieux pour que le malheureux barman ne se sente pas inutile.

« Merveilleux ! s'exclama l'inconnu, un homme blond d'une bonne trentaine d'années portant les cheveux longs à l'ancienne mode. J'ai bien cru que j'étais le seul ici à boire autre chose que du Perrier. Qu'est-ce que vous prenez ? »

Puisque tout était gratuit, il ne s'agissait pas d'un geste vraiment généreux, mais l'entrée en matière était bonne. Argyll reprit la même chose et, le dos à la table, côte à côte comme de bons compagnons, ils contemplèrent le spectacle du monde.

« Qui êtes-vous ? » Argyll se présenta. « Je me disais bien que c'était la première fois que je vous voyais dans les parages, fit l'homme. Vous êtes ici pour refiler des faux et de la camelote à mon vieux ? »

Argyll fut tout autant troublé qu'intrigué. C'était donc là, par conséquent, Arthur M. Moresby III, connu sous le nom de Jack, bien qu'Argyll ne sût pas pourquoi. Il posa la question. Jack Moresby se rembrunit.

« Pour me distinguer de mon père. Mon deuxième prénom, je l'avoue à regret, est Melissat.

— Melissa ?

— Melissat, avec un "t". C'est le nom de jeune fille de ma mère. Mon père considérait que le fait d'être son fils me donnait trop de privilèges, alors il m'a collé un handicap. Il s'imaginait, voyez-vous, que me faire casser la gueule à la récréation parce que j'avais un nom de fille m'endurcirait.

— Grands dieux !

— Oui. Je refuse qu'on m'appelle Arthur car je ne veux pas qu'on me confonde avec lui, et comme je bois un demi-litre de whisky par jour, je ne peux accepter, bien sûr, qu'on m'appelle Melissat. Jack fait plus écrivain, à mon avis.

— Vous écrivez des livres ?

— C'est ce que je viens de dire, non ? »

Il ne s'embarrassait pas de périphrases, frisant même l'impolitesse. Argyll commençait à comprendre pourquoi les architectes et consorts ne le portaient pas dans leur cœur. Pour changer de sujet Argyll lui assura qu'il n'écoulait pas de faux. Il était là pour livrer un joli tableau, de petites dimensions, certes, mais authentique et de très grande valeur.

Jack n'était pas convaincu mais parut vouloir lui laisser le bénéfice du doute. Argyll lui demanda s'il passait beaucoup de temps au musée. Jack faillit s'étrangler avec son whisky et déclara qu'en général il évitait ce lieu comme la peste.

« Regardez-moi cette bande ! s'écria-t-il, en faisant un grand geste pour englober toute la salle. Avez-vous déjà vu un tel ramassis de salopards réunis en un seul lieu ? Hein ? Qu'en dites-vous ? »

En droit, on appelle ça une question tendancieuse et il fallait peser ses mots avant d'y répondre. En outre, comme Argyll pouvait le lui certifier, dans son métier une salle pleine de salopards était monnaie courante. À qui d'autre était-il censé vendre ses tableaux ?

Jack concéda ce point et se fit resservir à boire. Argyll lui tendit une coupe pleine de cacahuètes pour le remercier. Jack secoua la tête. Il n'en mangeait jamais. Le sel lui faisait gonfler les chevilles. Les cacahuètes montèrent dans l'estime d'Argyll. Quels salopards, en particulier, Jack avait-il en tête ? lui demanda-t-il en expliquant que, venant de débarquer dans le pays, il n'avait pas encore vraiment appris à les repérer.

Moresby junior lui fit faire une brève visite guidée. Étrangement, c'était un guide fort compétent, si l'on considère qu'il évitait autant que possible, selon lui, la famille et ses associés.

Il désigna ostensiblement du doigt Samuel Thanet, le directeur, qui depuis le début avait circulé dans toute la salle pour s'entretenir avec chacun des invités. Pour les réceptions il avait mis au point une technique bien précise : pas plus d'une minute de conversation par personne. Certains sont passés maîtres dans cet art, mais ce n'était pas le cas de Thanet. Il réussissait à donner l'impression d'accomplir une corvée. Rien d'étonnant à cela, selon Jack. Thanet ne s'intéressait guère aux gens, n'ayant qu'une obsession : passer à la postérité en tant que fondateur du plus grand musée privé d'Amérique du Nord. Grâce à l'argent des autres, évidemment. Effacé, sournois, nerveux, mais extrêmement pernicieux. Un homme qui ne portait jamais de coups bas ; du moment qu'il pouvait faire faire le boulot par quelqu'un d'autre.

« Regardez-le donc ! Tout en émoi dans son beau

costume de tweed et guettant l'arrivée de mon père pour lui lécher les bottes. »

Le portrait semblait un peu injuste. Si Argyll était tout disposé à reconnaître l'aspect effacé et nerveux, pour le moment il n'avait rien vu qui puisse faire taxer le directeur de malfaisance. D'un autre côté, il était prêt à admettre qu'il ne le connaissait guère. De toute façon, si Moresby s'apprêtait à débourser trois cents millions de dollars pour faire construire un nouveau musée, c'est que la méthode portait ses fruits.

Jack ne parut pas très impressionné.

« On voit bien que vous ne connaissez pas mon père... Je croirai à l'existence de ce nouveau musée quand je serai invité à l'inauguration. »

Il en eut assez d'oberver le directeur et passa au suivant.

« James Langton, annonça-t-il en désignant l'homme de près de soixante ans vêtu de lin blanc qui, à la grande joie d'Argyll, avait adoré le Titien. Une ordure anglaise. »

Argyll haussa le sourcil.

« Oh ! pardon ! Mais vous savez ce que je veux dire. Condescendant, méprisant, ironique, sarcastique, malhonnête. Ce ne sont pas là des traits de caractère typiquement anglais ?

— Pas vraiment, répondit Argyll tandis qu'une armée de siens compatriotes correspondant à cette description envahissait son esprit.

— C'est pourtant mon avis. Il était sangsue en chef, avant l'arrivée de Thanet. Entre-temps c'est devenu un parasite international. Paris, Rome, Londres, New York, comme on dit sur les flacons de parfum. Il sillonne la planète pour dénicher les faux les plus outrageusement coûteux afin d'alimenter la collection de mon père, moyennant une commission substantielle. »

Ces propos blessèrent Argyll qui mentionna de nouveau son Titien. Il finissait par avoir un complexe à ce sujet.

« Personne n'est à l'abri d'une erreur, répliqua Jack, imperturbable. Même un personnage aussi génial ne peut pas être gagnant à chaque coup. Il lui arrive de se tromper de temps en temps et d'acheter quelque chose d'authentique. »

Il visa la cible suivante.

« Maman chérie, poursuivit-il, en indiquant la petite femme très chic qu'Argyll avait rencontrée un peu plus tôt et qui était là depuis une vingtaine de minutes. En réalité, c'est ma marâtre, mais elle ne tient pas à ce titre. Elle ne pense qu'au fric. Elle en fait un travail à plein temps. Elle parle avec un vague accent du Sud, quoiqu'elle soit originaire du Nebraska. Vous savez où se trouve le Nebraska ? »

Argyll avoua son ignorance. Jack hocha la tête comme si ça lui donnait raison.

« Vous n'êtes pas le seul. Elle a touché le gros lot en se mariant avec le paternel. Elle ne va pas le lâcher jusqu'à ce qu'il crève et qu'elle puisse mettre la main sur le magot. Sauf si le musée la devance. »

Il la regarda, sembla-t-il, avec indulgence, puis, la chassant bruquement de son esprit, il passa au suivant.

« David Barclay, expliqua-t-il, désignant un homme hypersoigné en train de parler à Anne Moresby. Sa signature apparaîtra sur votre chèque – si vous le recevez… Il est à la fois l'avocat de mon père et son factotum, détaché en permanence de quelque cabinet juridique. C'est l'*éminence grise** de la famille. Un beau p'tit gars, vous ne trouvez pas ? Du genre qui fait sa gym avant de se rendre au bureau. Il porte sur lui tant de vêtements de grandes marques qu'il ressemble à un condensé des pages de publicité de *Vogue*. Trempez-le dans une fosse septique et la merde deviendra à la mode. Mon vieux, continua-t-il en chuchotant très fort tout en envoyant à Argyll un relent de whisky en pleine figure, est une proie facile pour les jeunes loups brillants et fonceurs. C'est pourquoi je le déçois tellement. Il ne sait pas résister à quelqu'un comme Barclay. Ni ma bien-aimée marâtre d'ailleurs.

— Pardon ? fit Argyll, un peu surpris.

— Le petit David est lié à ma famille de manière fort intime, répondit Jack d'une voix de plus en plus forte. Il prête ses services, juridiques ou de toute autre nature, avec la même compétence. »

Il ricana. Argyll regarda l'avocat avec un intérêt accru. Il s'étonna que ce dernier conserve son poste.

« La discrétion est une qualité merveilleuse. L'ennui c'est sa fragilité. Même le secret le mieux gardé risque tôt ou tard de s'éventer. Avec un petit coup de pouce, en tout cas. C'est pourquoi je suis là, en fait, ajouta Jack mystérieusement. J'adore les feux d'artifice, et celui de ce soir s'annonce éclatant.

— Vraiment ? insista Argyll, en songeant à la possibilité que la soirée se révèle plus drôle qu'il ne l'avait imaginé. Vous ne semblez pas accorder grand crédit à la lucidité de votre père en ce qui concerne l'analyse des caractères.

— Moi ? Le fils reconnaissant qui ne respecterait pas l'un des hommes les plus riches du monde ? J'ai une extrême admiration pour sa lucidité. Après tout, il a immédiatement vu que j'étais un raté, un bon à rien alcoolique et paresseux. Et je peux vous assurer qu'il ne s'est pas trompé. Là-dessus, je ne l'ai jamais déçu. »

Aucun doute, Jack était désormais sur le point de s'épancher. Argyll n'avait surtout pas envie d'écouter un récit détaillé des relations père-fils, aussi intercepta-t-il le regard de De Suza au moment où l'Espagnol passait d'un pas léger à côté de lui. Il avait à peine terminé les présentations que l'on entendit Samuel Thanet essayer d'attirer l'attention de l'assemblée. Le silence s'établit peu à peu et la voix haut perchée et flûtée du directeur s'éleva. Il commença par dire que, comme chacun le savait, cette réception était donnée en l'honneur de la venue au musée de M. Moresby.

La nouvelle fut saluée par un silence respectueux, tandis que le personnel réfléchissait à ses péchés, comme si Thanet s'était dressé pour annoncer le second avènement. Il avait fait un discours plutôt sirupeux, pensa Argyll, un peu trop mielleux, du ton révérencieux sur lequel il évoquait le Grand Homme. Si ledit Grand Homme avait été présent, c'eût été à la rigueur compréhensible. Mais Moresby n'était même pas encore arrivé.

Dire du bien des gens derrière leur dos, c'est en faire trop.

À part les lourdes allusions à propos de l'annonce que s'apprêtait à faire Moresby, le discours n'apporta pas grand-chose, si ce n'est la révélation d'un petit secret concernant le contenu de la caisse que de Suza avait transportée pour le compte de Langton. En fait, Argyll avait été trop occupé à peser les conséquences de son retour à Londres pour consacrer beaucoup de temps à la question, mais il fut tout ouïe lorsque Thanet déclara devoir faire une communication préliminaire ayant trait à la dernière acquisition du musée.

Selon lui, il était sans nul doute de notoriété publique que la stratégie de croissance du Moresby – quelle expression détestable au sujet d'un musée, se dit Argyll, sans s'y arrêter trop longtemps – était de viser certains champs spécifiques de l'art occidental afin d'en devenir l'un des leaders mondiaux. L'impressionnisme, le néoclassicisme, le baroque venaient en priorité, et de grands progrès avaient déjà été accomplis dans ces domaines.

Argyll se balança d'un pied sur l'autre puis se pencha vers de Suza.

« Alors pourquoi diable achètent-ils douze sculptures romaines inestimables ? » demanda-t-il d'un ton moqueur. De Suza lui lança un regard noir.

« Alors pourquoi diable achètent-ils un Titien ? » rétorqua-t-il.

Puis l'Espagnol leva la main pour lui intimer le silence. Thanet abordait enfin la partie intéressante. Ils avaient notamment décidé de s'intéresser davantage à la sculpture baroque, et il était fier d'annoncer que, en accord avec la tradition d'excellence qui caractérisait le Moresby – de Suza salua ces propos d'un petit gloussement –, leur dernière acquisition dans ce domaine était une pièce à nulle autre pareille. Bien que la caisse se trouvât toujours dans son bureau, il était heureux de révéler que le musée allait prochainement exposer un chef-d'œuvre de ce grand maître du baroque romain, Gian Lorenzo Bernini, dit le Cavalier Bernin. Le musée était désormais en possession du buste longtemps perdu du pape Pie V.

Se tenant tous les deux à côté de De Suza, verre en main, Argyll et Jack purent entendre l'Espagnol prendre une vive inspiration et émettre un sonore raclement de gorge en avalant de travers son martini américain. Ils furent également témoins de la rapide évolution de son expression faciale – surprise, inquiétude, puis colère – tandis qu'il digérait la nouvelle.

« Ne vous en faites pas, lui dit Jack en lui donnant de petites tapes dans le dos, cet endroit produit cet effet sur tout le monde.

— Qu'avez-vous donc ? s'enquit Argyll. Vous êtes jaloux ? »

De Suza avala son verre d'un trait.

« Pas exactement. Une défaillance cardiaque, sans plus. Je vous prie de m'excuser un instant. »

Et, là-dessus, il se précipita vers Samuel Thanet. La curiosité d'Argyll était si piquée qu'il suivit de Suza aussi discrètement que possible afin d'apprendre de quoi il retournait. C'était sérieux, à l'évidence, quoique de Suza semblât le plus loquace des deux. S'il était clair qu'il était furieux, il réussissait quand même à maîtriser sa voix pour ne pas gâcher la fête.

Argyll ne comprit pas tout, mais au moment où il s'approchait il capta les mots « inquiétant » et « alarmant ». Apparemment, de Suza exigeait de parler à M. Moresby.

Une grande partie des propos lui échappa, surtout ceux de Thanet, qui cherchait à calmer son interlocuteur. À portée de voix lui aussi, Jack Moresby secouait la tête, l'air béat.

« Bon sang ! tous ces gens... Comment pouvez-vous les supporter ? s'exclama-t-il. Merde, j'en ai marre. Je rentre. J'habite tout près. Vous voulez venir boire un verre un de ces jours ? »

Il donna son adresse à Argyll et se dirigea tranquillement vers la sortie pour retrouver l'air pur d'une soirée de Santa Monica.

Pendant ce temps, sous l'effet de cette agression soudaine, Thanet se balançait d'avant en arrière sur ses talons, mais il tenait bon. Au début il sembla s'efforcer de rassurer l'Espagnol courroucé, puis comme les coups de boutoir ne cessaient pas il eut recours à la technique éprouvée du bétonnage. Il n'était pour rien dans l'acquisition du buste, et de Suza le savait pertinemment.

Hector n'était pas convaincu mais ne pouvait rien faire. Il battit en retraite dignement tout en marmonnant entre ses dents, l'air furibond. Il va sans dire qu'Argyll était très intrigué par cet esclandre, néanmoins il savait que tôt ou tard ce bavard de De Suza lui raconterait tout.

Hector était incapable de tenir sa langue ; sa réputation à ce sujet était légendaire.

« Qu'est-ce que vous regardez ? demanda l'Espagnol en italien d'un ton fort sec lorsqu'il regagna le bar.

— Rien du tout. Je me demandais seulement ce qui vous tracassait à ce point.

— Quelque chose de très grave.

— Alors, c'est quoi ? » souffla Argyll.

De Suza resta silencieux.

« Vous vous êtes encore livré à de la contrebande, pas vrai ? » demanda Argyll à mi-voix.

Il était presque de notoriété publique que de Suza augmentait ses revenus en faisant passer clandestinement la frontière italienne à des œuvres d'art avant que les autorités n'aient eu le temps de refuser les licences d'exportation. À n'en pas douter, celles-ci auraient empêché l'exportation d'un Bernini. Si ces autorités découvraient qu'une telle sculpture avait été expédiée *illégalement* à l'étranger, cela déclencherait un immense scandale.

« Ne soyez pas grotesque ! » rétorqua de Suza avec humeur, sans pour autant opposer un démenti formel, ce qui conforta Argyll dans l'idée qu'il était sur la bonne piste.

Argyll ravala ses propos et fit un « ah bon ! » compréhensif mais totalement hypocrite.

« Je n'aimerais pas être à votre place si vous tombez sous la griffe des gens des *Belle Arte*. Vous passeriez un mauvais quart d'heure, ajouta-t-il sans pouvoir refréner un sourire. (De Suza lui lança un regard peu amène.) C'est un délit grave, la contrebande…

— Ce n'est pas ça qui m'inquiète.

— Allons ! Hector, dites-moi tout… »

Mais il n'y eut pas moyen de le persuader. Pris de panique, de Suza avait décidé d'en dire le moins possible. On pouvait le comprendre, pensait Argyll. Annonce faite en public et, plus grave, en présence de journalistes. Si Thanet avait porté un toast en l'honneur de l'Espagnol afin de le remercier d'avoir fait passer pour lui le buste en fraude cela n'aurait pas été plus gênant. Il suffisait désormais d'une petite rumeur, d'une petite enquête, et Hector risquait de se retrouver dans un beau pétrin en Italie. S'il déclarait devant un tribunal qu'il ne connaissait pas le contenu de la caisse, le juge accueillerait ses déclarations par des éclats de rire. Argyll lui-même avait du mal à croire à cette version des faits.

« Hum !… murmura-t-il d'un air pensif. Vous n'avez plus qu'à espérer que personne ne s'y intéresse de trop près. Tout ce que je peux dire, c'est que vous avez beaucoup de chance que Flavia ne soit pas là. Elle aurait votre peau. »

Il n'aurait pas dû dire ça. Tout l'après-midi il avait énormément pensé à Flavia di Stefano ; toute la semaine, en fait, et il venait seulement de parvenir à songer à autre chose. Si, la main sur le cœur, il avait révélé ce qui le retenait surtout à Rome, il aurait été obligé de reconnaître que, quelle que fût la splendeur de l'architecture, des œuvres d'art, des rues, de la cuisine, du temps et des habitants, ce qu'il préférait avant tout, c'était Flavia di Stefano, son amie de longue date, enquêteuse de la brigade chargée de la répression du vol d'objets d'art dans la *polizia* italienne, et depuis longtemps ennemie farouche de ceux qui font passer en fraude à l'étranger le patrimoine de son pays.

Flavia, hélas ! ne le payait pas de retour. C'était une merveilleuse camarade, une amie idéale, mais, bien qu'Argyll eût déployé beaucoup d'efforts pour la persuader d'aller un peu plus loin, le résultat n'avait pas du tout été à la hauteur. Il en avait par-dessus la tête. Voilà pourquoi il pouvait se résoudre à rentrer en Angleterre.

Que faire d'autre ? Un soir, alors qu'ils sortaient du cinéma, il avait évoqué l'offre de Byrnes... Avait-elle réagi par un « Oh ! ne t'en va pas ! Je t'en prie, reste » ? Il se serait même contenté pour le moment d'un « Tu me manqueras ! » Rien de tout ça... Elle avait simplement répondu que, si sa carrière y trouvait son compte, il fallait bien sûr qu'il y aille. Puis elle avait changé de sujet. Et, de plus, depuis cette soirée il l'avait à peine vue.

« Pardon ? fit-il en émergeant de sa rêverie pour s'apercevoir que de Suza n'avait pas cessé de parler.

— Je disais que, lorsque j'aurai tout réglé avec Moresby, même votre Flavia ne trouvera aucun intérêt à ma personne.

— Si vous y parvenez. En outre, elle n'est pas ma Flavia.

— Je vous ai déjà dit que c'était possible. C'est facile à prouver.

— Qu'est-ce qui est facile à prouver ? demanda Argyll, intrigué. (À l'évidence, il avait perdu beaucoup plus de la conversation de De Suza qu'il ne l'avait cru.)

— Si vous ne voulez pas écouter, je refuse de répéter, répliqua de Suza avec colère. C'est la deuxième fois aujourd'hui que vous traitez par le mépris ce que je raconte. De plus, vu la façon dont l'assemblée commence à faire montre d'allégeance, je devine que Moresby arrive et il faut que je m'entretienne avec lui de toute urgence. Je vous ferai un compte rendu plus tard, si vous êtes capable de me prêter attention un moment. »

Argyll suivit le flot des invités se dirigeant vers la porte principale, d'où l'on jouissait d'un assez bon point de vue. De Suza avait raison. Moresby arrivait avec toute la pompe d'un potentat du Moyen Âge en visite dans une province mineure. C'était d'ailleurs le cas. Comparé à l'immense diversité de ses intérêts – Argyll se rappelait vaguement que ceux-ci allaient du pétrole à l'électronique, de l'armement sous toutes ses formes aux services financiers, en plus de presque tout ce qui se trouvait entre ces différentes activités –, le musée n'était guère qu'une opération subsidiaire. Sauf, bien sûr, si Thanet parvenait à forcer le vieil avare à desserrer les cordons de sa bourse et à la laisser ouverte assez longtemps pour qu'il puisse construire son musée.

C'était un étrange spectacle, mi-fascinant, mi-ridicule. La voiture était l'une de ces limousines étirées, longue de plus de dix mètres, équipée à l'arrière d'un petit radiotélescope, toute en vitres teintées très sombres et chromes étincelants. Comme elle approchait de l'entrée, une cohorte d'employés du musée en émoi se précipitèrent pour se disputer l'honneur d'ouvrir la portière. C'est alors que l'un des hommes les plus riches de la côte ouest émergea dans la lumière du soleil couchant sous le regard ébloui de tous les spectateurs.

Argyll estima qu'il n'y avait pas de quoi être ébloui. Sous l'angle de la pure esthétique, Arthur M. Moresby II n'avait rien d'extraordinaire. C'était un homme minuscule qui jetait des regards de myope à travers les épais verres de ses lunettes rondes, vêtu d'un costume beaucoup trop chaud pour la saison, lequel, en vérité, n'améliorait guère son apparence physique. Presque complètement chauve, il avait les lèvres minces, le teint brouillé, les oreilles terminées en haut par des pointes très aiguës, les pieds un peu tournés en dedans. Pour tout dire, il ressemblait assez à un nain de jardin malfaisant. En se mettant à la place d'Anne Moresby, Argyll commençait à comprendre l'attrait que pouvait exercer sur elle le coquet David Barclay, cette gravure de mode.

Sans son compte en banque, on aurait eu du mal à imaginer pourquoi quiconque eût été aux petits soins pour lui. Cependant, se dit Argyll en l'examinant de plus près, sa réaction était peut-être injuste. L'homme inspirait un certain respect. De ce visage vide de toute expression émanait malgré tout un virulent mépris envers les hordes zélées qui s'empressaient autour de lui. Quels que fussent ses innombrables défauts, Arthur M. Moresby II savait parfaitement pourquoi on se bousculait pour l'accueillir : ça n'avait rien à voir avec son adorable caractère, ni avec son physique de jeune premier. Dès qu'il eut disparu à l'intérieur du musée pour passer aux affaires sérieuses, l'excitation retomba.

3

C'est avec un profond embarras qu'Argyll repensa plus tard aux deux heures qui suivirent ces événements. C'était bien sa chance ! Chaque fois que survenait quelque chose d'intéressant, il avait déjà quitté les lieux. La raison de son absence était fort simple : il avait faim, et quelles que soient les vertus des huîtres, on ne peut pas dire qu'elles calent l'estomac. Pas comme un hamburger avec des frites, en tout cas. C'est pourquoi, après quelques minutes d'hésitation, il avait décidé que s'attarder davantage dans l'espoir de serrer la main d'Arthur Moresby était une façon indigne d'occuper une soirée et il s'était mis en quête d'un restaurant à peu près potable, où il avait broyé du noir pendant une heure, voire plus.

En fait, il regrettait de ne pas être allé se soûler toute la nuit en compagnie de Jack Moresby. Et aussi d'avoir promis à de Suza de prendre le petit déjeuner avec lui. Après avoir passé une bonne partie de l'après-midi à porter ses bagages, à l'aider à s'installer dans l'hôtel où lui-même était descendu et à l'écouter pendant la réception au musée, il en avait assez de cet homme. Sans compter la perspective d'avoir à régler l'addition du petit déjeuner.

Et il regrettait le choix du restaurant. Le service y était d'une lenteur désespérante. Si la serveuse (prénommée Nancy, comme elle le lui précisa) ne ménagea pas sa peine, insistant pour qu'il mange de bon appétit, il s'agissait à l'évidence d'un de ces endroits où le cuisinier commence par moudre lui-même sa farine complète. Il aurait mieux fait de s'abstenir, hélas ! le résultat n'étant vraiment pas à la hauteur.

Il était presque onze heures quand Argyll reprit le chemin de son hôtel après avoir eu tout le loisir de s'apitoyer sur son propre sort pendant ces deux heures de solitude. À part ça, ce furent deux heures totalement mornes, sauf lorsqu'il faillit se faire renverser par un vieux fourgon sur lequel étaient peintes des raies mauves. C'était sa faute : il avait traversé la large avenue devant le Moresby de la façon désinvolte que l'on adopte pour affronter la circulation romaine, mais il s'était aperçu que, bien qu'ils roulent en général plus lentement, les automobilistes californiens ne possèdent pas l'adresse de leurs homologues italiens. Un automobiliste romain fait onduler votre pantalon dans le vent en vous frôlant les jambes puis disparaît à l'horizon en donnant un coup de klaxon de triomphe, laissant dans son sillage plus de peur que de mal. Le conducteur de ce véhicule-là avait des tendances nettement criminelles ou alors il s'agissait d'un vrai chauffard. Il déboula à fond de train, aperçut Argyll, klaxonna, fit une embardée à la toute dernière seconde et faillit, par la même occasion, envoyer Argyll dans l'autre monde.

Parvenu sur le trottoir d'en face et une fois que son cœur – dopé par la peur et la brillante course vers le salut – se fut rasséréné, Argyll jugea que l'incident s'intégrait parfaitement dans le cours de sa vie actuelle.

Tandis qu'il regagnait son hôtel, le cœur lourd, ses pensées vagabondaient, ponctuées par intermittence de tristes soupirs. Perdu dans ses rêveries, il avait déjà presque dépassé le musée quand il finit par se rendre compte que les choses avaient sensiblement changé depuis son départ en quête de nourriture. Les projecteurs illuminaient toujours le bâtiment avec une discrétion ostentatoire, des voitures étaient garées partout. Mais le nombre de personnes occupées à piétiner la pelouse et à la transformer en terrain vague avait énormément grandi. Argyll était à peu près certain que, au moment où il l'avait quitté, le musée n'était pas cerné par une quinzaine de voitures de police, quatre ambulances et quantité d'hélicoptères.

Bizarre, se dit-il. Poussé par l'idée peu réjouissante que, vu sa chance, un malheur avait dû arriver à son Titien, il fit demi-tour et prit la direction de l'allée centrale.

« Désolé. Personne ne passe. Jusqu'à demain matin. » C'est ce que lui lança un policier à la stature impressionnante qui barrait le passage sans discussion possible. Même si l'homme n'avait pas été bardé d'armes lourdes, Argyll n'aurait pas songé un instant à le contredire. D'un autre côté, le spectacle ayant piqué sa curiosité, il annonça d'une voix assurée que le directeur du musée l'avait mandé d'urgence. Samuel Thanet. Le directeur... vous savez qui sait, n'est-ce pas ?

Le policier ne le connaissait pas, mais il s'amadoua quelque peu.

« Un petit gros ? Qui se tord les doigts ? »

Argyll opina du chef. C'était Thanet tout craché.

« Il vient d'entrer dans le bâtiment administratif avec l'inspecteur Morelli, dit le policier d'une voix hésitante.

— C'est précisément l'endroit où il m'a prié de le rejoindre », affirma Argyll avec un aplomb dont il fut plutôt fier. En général, il ne savait pas mentir. Même les petits bobards lui donnaient du fil à retordre. Avec un grand sourire il demanda fort poliment qu'on le laissât passer. Il fut si convaincant que quelques secondes plus tard il escaladait les marches et se dirigeait vers l'endroit d'où montait une vague rumeur.

Elle émanait du bureau de Samuel Thanet, décoré avec un soin et un chic bureaucratiques très classe : quelles que fussent, côté façades, les faiblesses de l'architecte, il s'était donné beaucoup de mal pour aménager l'espace intérieur. C'était une pièce un peu trop anonyme au goût d'Argyll – qui préférait un lieu plus intime où régnât un certain désordre –, empreinte d'un luxe discret, cependant. Murs tout blancs, canapé crème, tapis de haute laine beige, fauteuils tubulaires modernes capitonnés en cuir blanc, bureau de bois noir. Violemment éclairées, les lignes et les arabesques de deux peintures modernes, en provenance du musée, fournissaient la seule note de couleur de la pièce.

À part le sang, bien sûr, qui avait coulé à flots. Mais il s'agissait, à l'évidence, d'un ajout tout récent et non pas d'une partie intégrante de la conception initiale de la décoration.

Et sur le tapis gisait le corps inerte de Samuel Thanet. Dès le seuil, Argyll fut frappé de stupeur.

« Assassiné ? » s'écria-t-il, terrifié, sans pouvoir arracher son regard de la forme immobile.

Un homme à l'air fatigué, peu soigné, vêtu avec un laisser-aller inimaginable dans la police italienne, même chez les carabiniers, le dévisagea, se demandant un instant qui pouvait bien être cet intrus. Puis il poussa un grognement de mépris.

« Il n'a pas été assassiné, bien sûr que non ! lança-t-il sèchement. Il s'est évanoui, c'est tout. Il est entré, a jeté un seul coup d'œil à ça et est tombé à la renverse. Il va bientôt reprendre ses esprits. »

« Ça » désignait un monticule de forme humaine, soigneusement recouvert d'un drap blanc dont une partie était cramoisie. Argyll fixa son regard dessus, et ressentit un début de nausée.

« Mais qui êtes-vous ? » enchaîna l'homme, apparemment l'inspecteur Morelli, avec une brusquerie assez compréhensible.

Argyll le lui expliqua.

« Vous travaillez au musée ? »

Argyll redonna des explications.

« Vous n'êtes pas employé au musée ? » continua l'inspecteur qui approchait inexorablement de la vérité.

Argyll reconnut que cette déduction résumait la situation à merveille.

« Alors, sortez !

— Mais que se passe-t-il ? » insista Argyll, sa curiosité naturelle étant plus forte que tout.

Pour unique réponse, l'inspecteur se pencha et, relevant le drap blanc d'un geste rapide et désinvolte, dévoila la forme allongée sur le sol. Argyll contempla le corps ainsi révélé, fronçant le nez de dégoût. Pas moyen de ne pas reconnaître ces oreilles-là : quand on les avait vues une fois, on ne les oubliait jamais.

Le décès subit et tout à fait imprévisible d'Arthur M. Moresby, président des Industries Moresby (entre autres), avait été indubitablement causé par une balle de pistolet tirée dans la tête à bout portant, comme, sans s'embarrasser de fioritures, le dirait le langage officiel. Le spectacle n'était guère ragoûtant, et Argyll fut ravi que, l'inspecteur l'ayant à nouveau recouverte, la chose redevienne une simple forme plus ou moins neutre sous un drap.

Morelli était de mauvaise humeur. On venait de lui refuser une promotion et il sentait qu'il couvait un rhume. Après dix-huit heures de service ininterrompu, il avait envie de se raser, de se doucher, de faire un repas convenable et de se reposer un brin. Pour couronner le tout, il souffrait d'une inflammation chronique des gencives et la perspective d'aller chez le dentiste le terrorisait. Ce n'était pas la douleur qu'il redoutait, ça il était capable d'y faire face, mais la note. Comme son dentiste le lui répétait à l'envi, le traitement des gencives n'est pas donné. Vu qu'il collectionnait les voitures anciennes, il fallait aussi que ça rapporte. Alors l'inspecteur Morelli se demandait si ses gencives étaient vraiment en très mauvais état ou si son dentiste avait seulement besoin de changer le carburateur de sa Bugatti année 1928.

« Vous avez besoin d'aide ? » demanda Argyll, pour se montrer serviable.

Il n'y avait aucun mal à offrir ses services.

L'inspecteur le toisa.

« De votre part ? Ne prenez pas cette peine...

— Ce serait avec plaisir, sincèrement », insista le jeune homme, tout sourires.

Morelli était en train d'expliquer que, s'étant passé des services de Jonathan Argyll pendant plus d'un demi-siècle, la section criminelle de la police de Los Angeles pourrait sans doute continuer de se débrouiller toute seule encore un peu, lorsqu'un gémissement de douleur s'éleva de l'autre corps allongé sur le sol. Thanet s'était effondré juste devant la porte sans se soucier le moins du monde d'obstruer le passage, créant un important embouteillage. Le gémissement avait été provoqué par le coup que lui avait accidentellement infligé dans les côtes la grosse chaussure d'un policier.

« Ah ! c'est notre Belle au bois dormant ! fit Morelli avant de s'adresser à Argyll. Vous voulez vraiment vous rendre utile ? Faites-lui reprendre conscience et emmenez-le. Et profitez-en pour débarrasser le plancher vous aussi ! »

Argyll s'exécuta. Il se pencha au-dessus du directeur et l'aida avec difficulté à se remettre sur pied. Le soutenant tant bien que mal, il informa Morelli qu'ils se trouveraient à côté, si on avait besoin d'eux. Puis il conduisit Thanet le long du couloir, l'installa sur un divan, s'activa en tout sens, chercha vainement à ouvrir une fenêtre, mais réussit à lui fournir un verre d'eau.

Pendant un certain temps, Thanet ne brilla pas par sa conversation. Durant plusieurs minutes il fixa Argyll d'un œil hagard avant de recouvrer la parole.

« Que s'est-il passé ? » demanda-t-il, avec un manque d'originalité frappant.

Argyll haussa les épaules.

« J'espérais que vous me le diriez. Vous étiez sur place. Moi je ne suis qu'un badaud curieux.

— Non, non ! s'exclama-t-il. Pas du tout… Je n'ai été informé que lorsque Barclay est revenu au musée à toute vitesse en demandant qu'on appelle la police. Il y avait eu un accident, disait-il.

— Il n'est pas très futé s'il a cru qu'il s'agissait d'un accident, fit remarquer Argyll.

— Je pense qu'il craignait d'en dire trop devant les journalistes présents. Il y en a toujours. On ne peut rien leur cacher, vous savez.

— C'est lui qui a trouvé le corps ?

— M. Moresby a annoncé qu'il allait utiliser mon bureau pour s'entretenir avec de Suza…

— Pourquoi ?

— Pourquoi quoi ?

— Il pouvait s'entretenir avec lui n'importe où, non ? »

Agacé par l'importance que le jeune Anglais accordait aux incohérences de son récit, Thanet fronça les sourcils.

« De Suza voulait lui parler de ce buste qui se trouve dans mon bureau. Enfin, un peu plus tard… »

Argyll ouvrit la bouche pour lui demander de préciser ce qu'il entendait par « un peu plus tard ». Cette obsession du détail était une manie qu'il avait prise à Flavia au cours des années. Mais, craignant de déconcerter Thanet, il se tut.

« … un peu plus tard, donc, M. Moresby a utilisé le téléphone intérieur pour prier Barclay de venir le rejoindre. C'est ce qu'il a fait… et voilà ce qu'il a découvert. Alors on a appelé la police. »

Argyll souhaitait poser une kyrielle de questions, mais il commit la grave erreur de faire une courte pause pour les classer par ordre d'importance. Quel était le sujet de l'entretien avec de Suza ? Quelle heure était-il ? Etc. Thanet mit alors à profit la pause pour suivre le fil de ses propres pensées.

Celles-ci lui semblèrent presque totalement égoïstes, même si, vu les circonstances, on ne pouvait lui en vouloir. Samuel Thanet n'avait jamais aimé Moresby. Il n'était pas le seul. Si son assassinat était, certes, une chose horrible, aux yeux de Thanet, ce qui l'était davantage c'est que cela se fût passé dans son bureau et dans son musée. Pis encore, le meurtre avait eu lieu avant que Moresby ait pu faire son annonce à propos du Grand Musée. Tous les documents relatifs à sa construction avaient-ils été signés ? Tant qu'il ne s'en serait pas assuré, il allait se faire un sang d'encre.

« Je suppose que tous les contrats ont été dressés et signés à l'avance, dit-il. Mais ça n'aurait pas pu plus mal tomber.

— Vous voulez dire que Moresby a été trucidé juste avant qu'il s'engage publiquement en faveur de ce projet ? Ça ne vous semble pas bizarre ? »

Thanet fixa sur lui un regard vide. À l'évidence, pour le moment tout lui semblait bizarre. Il n'eut pas le temps de répondre, car la porte s'ouvrit, livrant passage à l'inspecteur Morelli qui se massait les gencives d'un air pensif, les cheveux encore plus en bataille qu'auparavant.

« La caisse dans votre bureau, demanda-t-il d'un ton brusque, c'est quoi ? »

Thanet garda le silence quelques instants afin de se concentrer.

« La caisse ?

— Une grosse caisse en bois.

— Ah ! ça... C'est le Bernini. On ne l'a pas encore ouverte.

— Si, elle est ouverte. Mais vide. Un Bernini, qu'est-ce que c'est, au juste ? »

Thanet remua les lèvres un moment sans parvenir à prononcer une seule parole, puis il bondit hors de la pièce. Les deux autres eurent du mal à le suivre... Lorsqu'ils arrivèrent dans son bureau, il était penché au-dessus de la grosse caisse, et fouillait comme un fou dans les matériaux d'emballage.

« Je vous l'avais bien dit », fit Morelli.

Thanet refit surface, blême, le visage décomposé, ses maigres cheveux constellés de petits bouts de plastique de bourrage.

« C'est affreux, affreux ! Le buste a disparu. Quatre millions de dollars ! Et il n'était pas assuré. »

Morelli et Argyll pensèrent au même moment que Thanet était plus bouleversé par la disparition du Bernini que par le décès de Moresby.

Argyll signala qu'il y avait une certaine négligence à ne pas l'avoir assuré.

« L'assurance ne prend effet que demain matin, au moment où nous allions le placer dans le musée. La compagnie refuse de couvrir ce qui se trouve dans le bâtiment administratif. À son avis, il n'est pas assez bien gardé. Langton l'avait fait mettre ici en attendant, pour que Moresby puisse le voir s'il le désirait. Nous voulions lui éviter d'avoir à descendre à l'entrepôt.

— Où se trouve Hector de Suza ? » demanda Argyll, qui était entre-temps parvenu à la conclusion que c'était la question fondamentale.

Thanet sembla pris de court.

« Aucune idée », répondit-il, en jetant des regards autour de la pièce comme s'il espérait voir l'Espagnol surgir d'un placard.

Il y eut un bref intermède, pendant qu'Argyll, sur une question de l'inspecteur, lui expliquait qui était de Suza.

« C'est le señor de Suza qui a apporté le buste d'Europe. Quelque chose le tracassait et il voulait en parler à Moresby. Ils sont venus dans le bureau de

Thanet pour en discuter. Un peu plus tard, Barclay a découvert le corps, et il est probable que le buste avait déjà disparu. »

Morelli hocha la tête d'une façon qui dénotait tout autant la compréhension que l'irritation.

« Et comment se fait-il que vous n'ayez pas encore mentionné ce de Suza ? » demanda-t-il à Thanet.

Il s'agissait de toute évidence d'une question rhétorique car il n'attendit pas la réponse. Il décrocha le téléphone et donna l'ordre de retrouver de Suza le plus vite possible.

« Si vous voulez mon avis..., commença Argyll, sûr que Morelli souhaiterait profiter de son expérience.

— Je ne vous le demande pas, fit remarquer l'inspecteur d'un ton affable.

— Oui, mais...

— Sortez ! fit-il en désignant courtoisement la porte comme s'il craignait qu'il y eût la moindre confusion sur la direction de l'escalier.

— Tout ce que je veux dire...

— Sortez ! répéta l'inspecteur. Je vous interrogerai plus tard pour voir si vous êtes en possession d'éléments à verser au dossier. Pour le moment, allez-vous-en ! »

Argyll était mécontent. Il adorait élaborer des théories, auxquelles la police romaine était en général réceptive. Disons, Flavia de temps en temps. Il apparaissait clairement que les méthodes de la police de Los Angeles étaient moins subtiles. Il jeta un coup d'œil à Morelli et, comprenant qu'il parlait sérieusement, quitta les lieux à contrecœur.

Morelli poussa un profond soupir de soulagement et fronça les sourcils à l'adresse d'un collègue qui rigolait en douce de ses efforts pour reprendre la situation en main.

« Bon ! fit-il. Repartons du tout début. Reprenons l'affaire à zéro... Pouvez-vous identifier cet homme ? » demanda-t-il d'un ton officiel.

Thanet chancela de nouveau, mais réussit à demeurer à la verticale. Il s'agissait, affirma-t-il, d'Arthur M. Moresby II.

« Vous en êtes absolument certain ? »

Il en était absolument certain.

Morelli fut extrêmement impressionné. La partie nord de Los Angeles, sans être le champ de bataille qu'offraient d'autres quartiers de la ville, avait sans aucun doute plus que sa part de chaos. Cela n'arrivait pas tous les jours, cependant, que les victimes soient d'illustrissimes personnages. Il était rare qu'un membre de la haute société se fasse éventrer. Les metteurs en scène, magnats de la télévision, auteurs célèbres, mannequins et autres représentants de l'industrie locale se montraient en général très doués pour se maintenir en vie.

Cela le rendait aussi plutôt nerveux. Il ne se rappelait plus les chiffres, mais il était prêt à parier que le pourcentage des affaires de meurtre dont il s'était occupé qui s'étaient terminées par l'arrestation du coupable était plutôt faible. D'ordinaire, bien que ce fût ennuyeux de ne pas passer les menottes aux poignets de l'assassin, cela n'entraînait pas de conséquences graves. On – c'est-à-dire ses supérieurs – comprenait qu'une condamnation était improbable et Morelli ne subissait pas le moindre reproche. Il arrêtait assez de monde pour s'être forgé une solide réputation de bon professionnel. Faire de son mieux suffisait. Il aurait plus de chance la prochaine fois.

Mais il avait déjà la forte intuition que, cette fois-ci, une foule de gens allait l'observer de très près. Dans le cas présent, faire de son mieux ne suffirait pas.

« Et votre système d'alarme ? reprit-il. Vous avez bien un système d'alarme, n'est-ce pas ? »

Thanet persifla :

« Oh oui ! Cet endroit est aussi protégé que Fort Knox !

— Est-il possible, par conséquent, de vérifier si une autre porte que l'entrée principale a été utilisée ?

— Sans aucun doute. En théorie, l'assassin doit avoir été filmé dans le couloir. Quoique, personnellement, j'en doute. »

Thanet expliqua que leur système de surveillance extraordinairement complexe comprenait des caméras cachées dans chaque salle du musée. Même si le bâtiment administratif était moins bien pourvu, on se serait quand même presque cru dans une prison de haute sécurité. La petite troupe se rendit donc au poste central de surveillance, un local situé au deuxième étage, bourré d'appareils électroniques, en quantité suffisante pour équiper un petit studio de cinéma. Pendant qu'ils les examinaient sans trop savoir par quel bout commencer, un homme grand, à moitié chauve, à la fin de la trentaine, fit son entrée, tout excité.

« Qui êtes-vous ? » demanda Morelli.

L'homme se présenta comme étant Robert Streeter, chef de la sécurité. Sa curiosité se mua vite en inquiétude quand on l'informa sans ménagement que son système tant vanté, sur lequel reposait et la sécurité du musée et le montant de son salaire, n'avait pas pour le moment impressionné la police.

« En d'autres termes, lui signala l'inspecteur, votre système, c'est du pipeau. Si ce Barclay n'avait pas découvert le corps, on n'aurait appris ce qui s'était passé que bien plus tard. Alors à quoi sert-il, nom de Dieu ? »

Cette défaillance troubla aussi Streeter, peut-être davantage que l'inspecteur. Après tout, sa place risquait d'être en jeu. D'abord recruté en tant que consultant, au moment où le musée était en pleine expansion, afin de donner des conseils sur la protection des collections, il s'était vite rendu compte que travailler comme consultant n'était qu'une manière distinguée d'être au chômage, et à l'époque les revenus de Streeter étaient un tantinet irréguliers. Il saisit donc l'occasion qui se présentait. Et rédigea un rapport méprisant, sinon accablant. Le musée, conclut-il, était aussi protégé qu'une maison de poupée. Non seulement il proposa une époustouflante série de dispositifs électroniques, mais, de plus, il accompagna son rapport d'un organigramme complexe représentant les structures de responsabilité et les réseaux intégrés de réactions rapides afin de démontrer comment, en cas d'effraction, le délit pourrait être évité et le danger neutralisé.

Tout ça était du chinois pour le personnel du musée, qui s'empressa de décider qu'un réseau intégré de réactions rapides était une nécessité absolue si l'on voulait se trouver à la pointe du progrès dans le domaine de la gestion des musées. En outre, l'homme était recommandé par Moresby. Un camarade d'université de sa femme ou quelque chose comme ça… C'est pourquoi on choisit la seule solution possible : l'élaboration d'un énorme budget et la création d'un nouveau service de sécurité, la double direction étant offerte à Streeter. Lequel commença par utiliser l'intégralité de l'enveloppe pour engager des secrétaires, des attachés de direction ainsi que des agents de liaison chargés des campagnes de financement en vue d'accroître le budget du service. Il avait désormais douze personnes sous ses ordres, plus six autres affectées à la surveillance du musée et assez de gadgets électroniques pour rendre jalouse la CIA. Depuis peu il insistait afin que ce soit lui qui décide de l'endroit où seraient accrochés les tableaux, pour des raisons de sécurité. Il avait même rouvert son cabinet d'expert-conseil sur une base plus solide et sillonnait le pays pour donner des conférences grassement payées sur « La sécurité des musées à l'époque moderne ». Passant moins de temps à Los Angeles, il réclamait donc un adjoint auquel confier la gestion quotidienne du service.

Certains collègues n'approuvaient pas ce qu'ils considéraient comme les tendances impérialistes de Streeter et, devinant qu'un pouvoir concurrent était en train de prendre de l'importance, Thanet était l'un d'entre eux. On n'avait aucunement besoin de Streeter, suggérait-il, ni de la considérable bureaucratie qu'il avait suscitée.

Il va sans dire que Streeter avait contesté ce point de vue avec force, et depuis lors les deux hommes étaient en froid. On s'attendait à une confrontation ouverte d'un jour à l'autre. Les récents événements allaient démontrer ou bien l'inutilité totale des systèmes de sécurité (ce serait la victoire de Thanet), ou bien la nécessité de redoubler d'efforts pour faire du musée un croisement entre le Stalag Luft VI et une fabrique d'appareils électroniques (la victoire revenant alors à Streeter). Ou encore, bien sûr, le musée risquait de s'effondrer complètement et, dans ce cas, ils se retrouveraient l'un et l'autre à la soupe populaire.

Passant tout de suite à l'offensive, le chef de la sécurité se fit un malin plaisir de souligner qu'en réalité il n'avait jamais vraiment obtenu le matériel réclamé.

« À l'époque, j'avais signalé qu'en matière de sécurité il est dangereux de mégoter. Pour une couverture maximum...

— Je vous en prie. Nous ne sommes pas là pour ça, l'interrompit Morelli tout en massant ses gencives enflammées, trop fatigué pour se laisser embarquer dans des querelles domestiques. Montrez-nous uniquement ce que vous avez et non ce que vous souhaitiez avoir. »

Pas avant la visite guidée. Selon l'exposé détaillé de Streeter, chaque salle du musée était couverte par un système de caméras dont l'objectif balayait un minimum de quatre-vingt-deux pour cent de la surface à la minute. De plus, les caméras se dirigeaient automatiquement vers des points névralgiques lorsque des rayons lumineux étaient interceptés ou des plaques sensibles activées. Le système des cartes d'accès permettait d'enregistrer automatiquement les entrées et les sorties de tous les employés du musée et reliait leur code personnel au réseau du téléphone, de telle sorte que l'administration savait d'où et quand ils appelaient. D'autres détecteurs repéraient les cartes quand les employés se déplaçaient d'une pièce à l'autre, suivant ainsi leurs mouvements. Enfin, dans chaque salle du musée des micros captaient les conversations, au cas où des visiteurs auraient projeté d'effectuer une effraction. Bien entendu, toutes les salles étaient équipées de détecteurs de fumée et de métaux, ainsi que de détecteurs d'explosifs.

« Bon sang ! s'exclama un Morelli stupéfait au moment où cette explication parvint enfin à son terme. Vous êtes déjà tout prêts pour le Jugement dernier. Vous paraissez plus décidé à surveiller le personnel que tout le reste.

— Riez donc ! rétorqua Streeter, piqué. Mais c'est parce qu'on a fait fi de plusieurs de mes recommandations que notre employeur a été assassiné. Et maintenant mon système va vous apprendre qui a commis le crime. »

Même Thanet pensa que, contrairement à son habitude, Streeter manquait de conviction en faisant cette déclaration. Morelli n'y prit pas garde, trop occupé à regarder l'homme activer les manettes sur le pupitre central d'un incroyable système de surveillance.

« Évidemment, le bâtiment administratif est moins étroitement surveillé, mais nous disposons d'une couverture visuelle adéquate. J'ai sorti les données sur cette console de visualisation, dit-il en tendant le doigt.

— Ça signifie que l'image va apparaître sur cet écran de télévision », expliqua courtoisement Thanet.

Streeter le foudroya du regard, puis se détourna d'un air dédaigneux pour observer l'écran, lequel demeura obstinément vide.

« Ah ! » fit-il.

Le directeur et l'inspecteur le fixèrent d'un œil interrogateur tandis qu'il se précipitait sur le pupitre et manipulait à nouveau boutons et manettes.

« Merde ! lança-t-il.

— Ne dites rien ! Laissez-moi deviner... Vous avez oublié de mettre une pellicule ?

— Sûrement pas ! répliqua Streeter sans cesser de s'activer comme un fou. Ça ne marche pas avec des pellicules. Il semble qu'une unité d'enregistrement visuel n'ait pas fonctionné normalement.

— La caméra est en panne », souffla Thanet d'une voix sonore.

Streeter rembobina une vidéo tout en expliquant que l'image devait venir d'une caméra qui se trouvait dans le couloir menant au bureau de Thanet. Mais, une fois de plus, rien n'apparut sur l'écran. Des vérifications minutieuses révélèrent que la caméra avait cessé de fonctionner un peu après vingt heures trente. Une enquête postérieure montra que ce problème de haute technologie avait pour cause l'application sur l'objectif d'un petit sandwich au pâté.

Morelli, qui ne faisait absolument aucune confiance aux gadgets, ne fut pas du tout surpris. Il aurait été davantage – agréablement, il l'avouait – étonné si la vidéo avait montré quelque voyou en train de dévaler l'escalier tout en essuyant du sang sur ses mains avec un mouchoir. Quinze années passées dans la police lui avaient appris que la vie vous réserve rarement d'aussi charmantes surprises. Heureusement, on pouvait toujours se rabattre sur les bonnes vieilles méthodes policières.

« Qui est le coupable ? demanda l'inspecteur à Thanet, qui parut sidéré par la question.

— Je n'en ai pas la moindre idée, répondit le directeur après avoir réfléchi quelques instants.

— Alors, que s'est-il passé ?

— Je n'en sais rien. »

La procédure habituelle ne s'étant pas révélée efficace sur-le-champ, Morelli se tut et médita un court moment.

« Racontez-moi ce qui s'est passé lors de la découverte du corps », reprit-il, pensant peut-être que c'était par là qu'il fallait commencer.

Interrompu de temps en temps par Streeter, Thanet fit son récit. Moresby était arrivé à la soirée, avait circulé un certain temps parmi les invités, avant d'être abordé par Hector de Suza, lequel avait insisté pour avoir un entretien avec lui.

Streeter ajouta que de Suza paraissait agité et avait exigé que l'entretien eût lieu en privé.

« Quelles ont été ses paroles exactes ?

— Ah ! là, vous me prenez au dépourvu ! Il s'est dirigé d'un pas ferme vers M. Moresby et lui a lancé quelque chose comme : "Je crois comprendre que vous avez votre Bernini." Alors M. Moresby a hoché la tête et a répondu : “Enfin !” Et de Suza lui a demandé s’il en était certain. Et Moresby a dit qu’il – c’est-à-dire de Suza – allait devoir lui fournir pas mal d’explications.

— À quel sujet ? »

Streeter haussa les épaules, tout de suite imité par Thanet. « Aucune idée. Je vous répète seulement ce que j’ai entendu.

— Quelle heure était-il ?

— Je n’en suis pas absolument sûr. Un peu après neuf heures, je dirais. »

Morelli se tourna vers Thanet.

« Savez-vous de quoi il pouvait être question ? »

Thanet secoua la tête.

« Pas la moindre idée. J’avais moi-même eu une discussion avec de Suza un peu plus tôt. Quelque chose le tracassait à propos du buste, mais il a refusé de me dire de quoi il retournait. Il m’a seulement indiqué qu’il voulait de toute urgence avoir un entretien privé avec Moresby à ce sujet. Peut-être était-ce un problème à propos du prix…

— Drôle de moment pour se raviser. »

Thanet haussa les épaules. Avec les négociants en objets d’art on ne savait jamais.

« Vous n’aviez pas fait installer un micro dans le bureau du directeur, par hasard ? » demanda Morelli.

Streeter eut l’air un instant stupéfié avant de prendre une mine outragée.

« Non ! fit-il sèchement. J’avais jadis suggéré que les bureaux soient surveillés plus étroitement, mais M. Thanet, ici présent, m’a annoncé qu’il me traînerait devant la Cour suprême pour m'en empêcher si nécessaire.

— C'était un projet monstrueux, illégal et anticonstitutionnel, protesta Thanet. Comment peut-on perdre de vue les valeurs fondamentales de la civilisation et...

— Oh ! taisez-vous, l'un et l'autre ! s'écria Morelli. Ça ne m'intéresse pas. Est-ce que vous ne pouvez pas vous en tenir au meurtre d'Arthur Moresby ? »

Comme cela leur était à l'évidence impossible, il leur dit qu'il recueillerait leur déposition officielle plus tard et demanda à un jeune policier de les faire sortir. Ensuite, après avoir pris plusieurs profondes inspirations pour se calmer, il se passa les mains dans les cheveux et envisagea les diverses étapes de son enquête : entretien avec la presse à organiser ; liste de noms à dresser ; dépositions à écouter ; cadavre à évacuer, de Suza à faire rechercher séance tenante. De longues heures de travail en perspective. Et il n'en avait guère le courage. Alors il s'installa pour regarder la vidéo de la réception dans l'espoir d'y déceler de vraies pistes.

Ce ne fut pas le cas. Les experts qui analysèrent plus tard la vidéo ne furent pas davantage éclairés. La grille des interactions multiples, selon la terminologie de ces professionnels, révéla que Thanet entretenait une liaison avec sa secrétaire, que pas moins de vingt-sept pour cent des invités étaient repartis avec au moins une pièce d'argenterie dans la poche, que Jack Moresby buvait trop, que David Barclay, l'avocat, et Hector de Suza, le négociant en œuvres d'art, passaient tous les deux un temps incroyable à se regarder dans la glace et que

Jonathan Argyll avait été un peu perdu et mal à l'aise pendant la plus grande partie de la soirée. Ils remarquèrent également que Mme Moresby était arrivée en compagnie de David Barclay et qu'elle n'avait pas adressé une seule fois la parole à son mari tout le temps qu'il avait été présent à la réception. Enfin, ils eurent la déception de découvrir que les petits sandwichs au pâté avaient eu un énorme succès mais qu'aucun invité n'avait été filmé en train d'en dissimuler un sur lui pour en faire un usage illicite.

Ils virent aussi Moresby bavarder avec de Suza et quitter la réception avec l'Espagnol à 21 h 7, puis Barclay être appelé au téléphone, parler dans l'appareil, avant de sortir du bâtiment à 21 h 58. Le corps fut découvert quelques instants plus tard et Barclay était revenu pour téléphoner à la police à 22 h 6. Ensuite, les invités s'attardèrent quelque temps sans rien faire de particulier, à l'exception de Langton qui téléphona à 22 h 11 et à nouveau à 22 h 16. Rien n'était plus facile à expliquer, déclara-t-il plus tard : il téléphonait à Jack Moresby et puis à Anne Moresby pour les mettre au courant du drame. Apparemment, ce fut la seule personne qui songea à les avertir. Tous les autres étaient trop occupés à paniquer.

À part cela, les experts dressèrent une liste des personnes qui, à divers moments de la soirée, avaient conversé avec Moresby. Étonnamment, elle ne fut pas très longue ; presque tout le monde l'avait salué d'une façon ou d'une autre, mais il avait répondu de manière si glaciale que rares avaient été ceux qui avaient eu le courage de poursuivre le dialogue plus longtemps. Si la réception avait été donnée en son honneur, Arthur Moresby ne paraissait pas être d'humeur à faire la fête.

En d'autres termes, les dizaines d'heures d'expertise professionnelle, ainsi que toutes les techniques hypermodernes d'investigation socioscientifique utilisées pour analyser la bande ne produisirent pas le moindre résultat. Et depuis le tout début Morelli savait que c'était inutile.

Jonathan Argyll se retournait dans son lit, ressassant les récents événements de manière quasi obsessionnelle. Il avait vendu un Titien ; on ne l'avait pas encore payé ; il fallait qu'il retourne à Londres ; le futur acheteur venait d'être assassiné ; la facture n'allait pas être réglée ; il allait perdre son boulot ; il avait failli être renversé par un fourgon ; le hamburger au fromage se battait violemment avec son estomac ; il voyait assez bien Hector de Suza dans le rôle de l'esthète armé d'un pistolet ; l'Espagnol avait fait sortir un buste d'Italie en contrebande.

Et personne avec qui parler de tout ça… Une brève conversation avec de Suza lui-même aurait pu le soulager suffisamment pour lui permettre de dormir un peu, mais ce satané Hector n'était plus dans les parages. Pas dans sa chambre, en tout cas ; il y avait des policiers partout. Apparemment Hector lui-même, après être revenu à l'hôtel, était ressorti juste après avoir reçu un coup de téléphone. La clé se trouvait à la réception. Peut-être reviendrait-il pour le petit déjeuner, sauf si la police lui mettait la main au collet avant, et dans ce cas il risquait d'être occupé ailleurs.

Argyll se retourna dans son lit une énième fois, puis regarda la pendule d'un œil vif, bien qu'il eût vainement tenté de persuader ses yeux qu'ils avaient besoin de repos.

Quatre heures du matin. Cela faisait donc trois heures et demie qu'il était couché, sans pouvoir trouver le sommeil, ruminant sans répit les mêmes pensées.

Il alluma la lumière, hésita et prit enfin la décision envisagée dès l'instant où il était rentré dans sa chambre d'hôtel : il fallait qu'il parle à quelqu'un. Il décrocha le téléphone.

4

Tandis qu'en pleine nuit Argyll ne parvenait pas à fermer l'œil, assise à son bureau, au QG romain de la brigade chargée de la protection du patrimoine, au beau milieu de la journée, Flavia di Stefano somnolait à moitié. Comme lui, cependant, elle ne se trouvait pas au meilleur de sa forme, et ses collègues commençaient à s'en rendre compte.

D'ordinaire, elle était toujours d'excellente humeur. Gaie, charmante, détendue. La personne idéale pour passer une heure à bavarder en buvant un espresso lorsqu'il y avait une accalmie dans le travail. Au cours des quatre années où elle avait été enquêteuse pour Taddeo Bottando, elle s'était gagné une réputation de gentillesse à toute épreuve. Bref, tout le monde l'adorait.

Mais ce n'était pas le cas en ce moment. Depuis quelques semaines, elle se montrait grincheuse, peu coopérative et terriblement casse-pieds. Un tout jeune débutant boutonneux avait littéralement failli se faire arracher les yeux pour une erreur minime, erreur qui en temps normal n'aurait entraîné rien de plus grave qu'une patiente explication sur la façon de faire les choses correctement. Un collègue ayant proposé un échange d'horaire de service afin de prendre un long week-end avait reçu comme réponse d'annuler le week-end. Noyé sous une masse de documents, suite à une descente de police dans une galerie d'art, un autre collègue fut invité à se débrouiller tout seul lorsqu'il demanda de l'aide.

Cela lui ressemblait si peu que le général Bottando s'enhardit même à poser de discrètes questions sur sa santé, suggérant qu'elle était peut-être un peu surmenée. Il fut fraîchement reçu lui aussi et on lui conseilla, en gros, de s'occuper de ses affaires. Heureusement, c'était un homme tolérant, et il était plus inquiet qu'irrité. Mais il se surprenait à l'observer avec de plus en plus d'attention. Dirigeant un service où régnait une bonne entente, se plaisait-il à penser, il était très préoccupé par l'effet que Flavia commençait à produire sur le moral des troupes.

Malgré tout, Flavia ne relâchait pas ses efforts pour le service : elle recevait les fiches, les annotait, les réexpédiait. Personne ne pouvait trouver à redire à son efficacité ou au temps qu'elle passait à la tâche. Simplement, elle n'était plus drôle. Sa mauvaise humeur semblait être devenue un trait de caractère permanent et avait presque atteint son comble lorsque, à dix-sept heures trente, le téléphone sonna.

« Di Stefano », lança-t-elle d'un ton sec, comme si l'appareil était un ennemi personnel.

À l'autre bout du fil, la voix résonnait avec une force

qui laissait penser que son correspondant était en train de hurler. C'était bien le cas, Argyll n'ayant toujours pas vraiment accepté le fait que la clarté d'une communication téléphonique était inversement proportionnelle à la distance. Sa voix était aujourd'hui d'une limpidité cristalline alors qu'une communication d'un bout à l'autre de Rome était souvent inaudible.

« Merveilleux ! Tu es là ! Écoute, il se passe quelque chose d'affreux.

— Qu'est-ce que tu veux ? » demanda-t-elle quand elle eut compris qui c'était. C'est typique de lui, se dit-elle, on ne le voit pas pendant des semaines, mais lorsqu'il a besoin de quelque chose…

« Écoute, répéta-t-il, Moresby a été assassiné.

— Qui ?

— Moresby. L'homme qui a acheté mon tableau.

— Et alors ?

— Je croyais que ça t'intéresserait.

— Eh bien, non !

— Et un Bernini a été volé. Il est sorti d'Italie en contrebande. »

Ça, évidemment, c'était davantage du ressort de Flavia : depuis un certain nombre d'années, la majeure partie de son temps avait été consacrée à la répression de la contrebande des œuvres d'art et à la récupération d'au moins quelques-unes d'entre elles. D'ordinaire, quelle que fût son humeur, elle aurait saisi stylo et papier et écouté avec attention. Cependant…

« Dans ce cas, c'est trop tard pour faire quelque chose,

non ? lança-t-elle. Pourquoi m'appelles-tu ? Tu ne sais pas que j'ai du travail ? »

Il y eut une pause de deux dollars cinquante-huit cents, puis la voix, un peu vexée, revint de Californie et tenta un nouvel essai.

« Bien sûr que si. Tu es toujours débordée ces jours-ci. Mais j'ai cru que tu aimerais être tenue au courant.

— Je ne vois pas en quoi ça me regarde. C'est une affaire américaine. Je n'ai pas eu vent d'une demande de coopération officielle auprès de nos services. Sauf si tu es entré dans la police du coin...

— Oh ! je t'en prie, Flavia. Tu adores les crimes, les vols, les histoires de contrebande et les trucs de ce genre. Je t'appelle rien que pour te tenir informée. Tu pourrais au moins donner l'impression que ça t'intéresse. »

En vérité, ça l'intéressait, mais elle n'avait pas la moindre intention de le laisser voir. Cela faisait deux ans qu'elle et Argyll étaient des amis très proches. Il y avait longtemps qu'elle avait renoncé à l'idée que les choses pourraient aller plus loin. Jusqu'à leur rencontre elle avait eu tendance à se considérer comme la sorte de femme qui, sans être irrésistible – elle n'était pas assez vaniteuse pour croire cela – était, dans l'ensemble, d'un physique plutôt agréable. Mais Argyll ne s'en était pas aperçu. Il était sympathique, amical et il était évident qu'il aimait aller à la campagne, au restaurant et au musée en sa compagnie, mais ça s'arrêtait là. Elle avait fait des ouvertures, au cas où elle ne lui aurait pas été indifférente ; il n'avait pas réagi. Il restait là, l'air gauche, les bras ballants.

À la longue elle s'était habituée à cette attitude et avait accepté le jeune homme comme simple camarade. Ce qui lui avait finalement fait perdre patience c'était le ton joyeux sur lequel il lui avait annoncé son départ d'Italie. Une carrière en perspective... et le voilà parti ! Sans autre forme de procès.

Et elle dans tout ça ? avait-elle eu envie de demander. Il allait tout bonnement partir et l'oublier ? Un point, c'est tout ? Avec qui était-elle censée aller dîner au restaurant ?

Si c'était ce qu'il voulait, qu'il s'en aille, ça lui était parfaitement égal. Elle lui répondit donc, d'une voix glaciale et vibrante de colère, que si c'était bon pour sa carrière il fallait qu'il retourne en Angleterre. Le plus tôt serait le mieux, en fait. Puis elle s'était remise au boulot.

Et maintenant il resurgissait avec de nouveaux problèmes.

« Ça ne m'intéresse pas, dit-elle sèchement. Même si toutes les œuvres du Musée national sont éparpillées sur toute la rive du Pacifique, et je n'ai pas de temps à perdre à te parler... monsieur l'Anglais. »

Elle raccrocha, puis marmonna entre ses dents, tout en essayant en vain de se souvenir de ce qu'elle était en train de faire lorsqu'il avait appelé.

« C'était Jonathan Argyll, je suppose, dit une voix profonde et rassurante, en provenance de l'entrée située derrière son dos, au moment où, une liasse de feuillets à la main, le général Bottando pénétrait dans la pièce. Qu'est-ce qu'il fabrique en ce moment ? Je me suis laissé dire qu'il se trouvait en Amérique.

— En effet, répondit-elle en se tournant vers lui, tout en espérant qu'il n'avait saisi que des bribes de la conversation. Il vient de m'appeler pour m'annoncer un meurtre.

— Vraiment ? Qui est la victime ? »

Flavia le lui apprit et Bottando poussa un sifflement de surprise.

« Grands dieux ! Ça ne m'étonne pas qu'il ait appelé. C'est incroyable !

— Fascinant ! renchérit-elle sans s'attarder. Puis-je vous être utile, ou s'agit-il seulement d'une visite de courtoisie ? »

Bottando soupira et fixa sur elle un regard triste. À son avis, ce qui n'allait pas sautait aux yeux, mais ce n'était vraiment pas à lui de le dire. Et, même s'il avait tenté de lui prodiguer ses conseils, il n'avait guère de chances d'être bien reçu. Sur ce point elle était susceptible et n'éprouvait aucun respect pour la sagesse des anciens.

« J'ai un petit boulot pour vous, répondit-il, en se cantonnant à leurs relations professionnelles. Je crains que ça ne requière tact et délicatesse. » Il la regarda d'un air dubitatif avant de poursuivre. « Vous vous rappelez le cocktail que nous avons eu ici il y a quelques semaines ? »

Il s'agissait d'une petite fête donnée pour le cinquante-neuvième anniversaire de Bottando. La date et l'âge étaient soigneusement gardés secrets, mais on avait déniché l'information en fouinant avec dextérité dans le fichier du personnel. Tous les employés du service s'étaient cotisés pour organiser une surprise-partie dans son bureau. Ils lui avaient offert une gravure de Piranèse ainsi qu'une grosse plante en remplacement de celle qui était morte parce qu'il oubliait toujours de l'arroser.

« Eh bien ! la plante, poursuivit-il avec une certaine nervosité, quelqu'un l'a arrosée pour me montrer comment il fallait s'y prendre et de l'eau a coulé sur le bureau, alors j'ai attrapé une feuille de papier pour l'essuyer... »

Flavia hochait la tête impatiemment. Il arrivait au général de divaguer.

La mine contrite, il lui tendit un document taché, chiffonné et presque illisible.

« Elle est restée sous le pot tout ce temps, expliqua-t-il. Il s'agit d'un rapport des carabiniers sur un cambriolage à Bracciano. On aurait dû s'en occuper il y a des semaines. Vous savez ce qu'ils diront s'ils apprennent la vérité... Est-ce que vous pourriez aller voir de quoi il s'agit ?

— Tout de suite ? demanda-t-elle en jetant un coup d'œil à sa montre.

— Si c'était possible. La foutue victime est conservateur d'un musée, je ne sais trop lequel. Il a de l'entregent. C'est le genre à faire des histoires. Je sais bien qu'il est tard... »

Prenant un air de martyre, elle se leva et fourra le rapport dans son sac.

« Bon, d'accord ! il se trouve que je n'ai justement rien d'autre à faire... Quelle adresse ? »

Ostensiblement agacée par la négligence de son patron, elle sortit du bureau en claquant les talons.

La famille Alberghi habitait un château – petit mais authentique – jouissant d'une jolie vue sur le lac. Le site s'est depuis peu détérioré. Le lac étant l'étendue d'eau pure la plus proche de Rome, l'endroit est envahi de Romains fuyant la chaleur, la poussière et la pollution de la capitale. Alors ils viennent jouir de la chaleur, de la poussière et de la pollution de Bracciano. Ça les change, mais ça signifie également que l'eau n'est plus tout à fait aussi pure qu'elle l'était naguère. Les résidants ayant acheté leurs maisons autrefois n'apprécient pas les nuisances créées par des milliers de citadins bruyants, tandis que ces derniers sont accueillis à bras ouverts par ceux qui font une petite fortune grâce à eux.

La famille Alberghi appartenait sans conteste à la première catégorie. Fondamentalement médiéval d'aspect, leur château était doté de nombreux éléments de confort moderne ajoutés au XVIe siècle, de fenêtres, par exemple. Les propriétaires n'étaient pas du genre à courir vendre du Coca-Cola ou du pop-corn aux touristes. Le château était d'ailleurs plutôt bien isolé. Sur la route, sa présence n'était révélée que par les panneaux mettant en garde contre les chiens très méchants et enjoignant aux intrus de déguerpir, vu qu'ils étaient en train de pénétrer dans une propriété privée.

Si à l'entrée l'accueil n'était guère encourageant, celui du propriétaire était encore moins chaleureux. La porte tarda à s'ouvrir et il fallut attendre plus longtemps encore pour que l'hôte des lieux fasse son apparition. Le type même du châtelain qui possédait encore des serviteurs et qui serait mort d'inanition s'il avait dû se passer des services d'un cuisinier. Flavia présenta sa carte à la vieille femme qui ouvrit la porte, puis attendit le résultat.

« Ah ! c'est pas trop tôt ! »

La voix du châtelain se fit entendre avant même qu'il apparaisse. Peu après, elle le vit descendre l'escalier en boitant, au comble de l'indignation.

« Moi, je trouve ça plutôt scandaleux ! »

Flavia le fixa d'un air sévère. Cela lui parut la meilleure façon de réagir. Il s'agissait, en gros, de lui donner l'impression que les torts étaient partagés et qu'il devait s'estimer heureux qu'on lui prêtât la moindre attention.

« Plaît-il ? fit-elle.

— Ça fait quatre semaines ! rétorqua-t-il, en la fusillant du regard. Qu'en dites-vous ? Moi, je trouve ça révoltant.

— Plaît-il ? répéta-t-elle d'un ton glacial.

— Le cambriolage, femme, le cambriolage ! Dieu du ciel ! la maison grouille de cambrioleurs et que fait la police ? Rien. Absolument rien ! Pouvez-vous imaginer ce que ma chère épouse… »

Flavia leva la main.

« D'accord, d'accord. Mais maintenant je suis là. Alors, si on passait aux choses sérieuses ? J'ai cru comprendre que vous étiez censé dresser une liste de tous les objets volés. Vous l'avez fait ? »

Continuant à marmonner entre ses dents tout en se

frottant rageusement la moustache, il la précéda sans empressement à l'intérieur de la maison.

« C'est sans doute une perte de temps, gémit-il pendant qu'ils traversaient un vestibule poussiéreux et pénétraient dans un bureau lambrissé. Je ne vois pas comment, à présent, vous pourriez récupérer quoi que ce soit. »

D'un geste brusque, il souleva le rabat d'un secrétaire se trouvant dans un coin de la pièce et prit une feuille de papier.

« Voilà, dit-il. Peux pas faire mieux. »

Flavia parcourut la liste et secoua la tête d'un air désespéré. Les chances de retrouver quelque chose étaient toujours minces, même lorsqu'on possédait une description détaillée et des photos des objets. Le cambrioleur le plus demeuré qui fût savait qu'il était impératif de faire sans tarder passer la frontière aux marchandises volées.

En l'occurrence le voleur aurait pu éviter de se donner cette peine. La liste était aussi utile qu'un sachet de bonbons vide. Par contre, on pourrait y avoir recours pour excuser le retard du service. Si les biens d'Alberghi ne refaisaient jamais surface, personne ne pourrait mettre en cause l'équipe de Bottando.

« Un paysage ancien. Un pot en argent, un buste ancien, deux ou trois portraits, lut-elle. Vous n'avez pas réussi à être plus précis ? »

Pour la première fois elle mit le châtelain sur la défensive, sa manière de triturer sa moustache n'était plus un signe d'agressivité mais de nervosité.

« N'ai pas pu faire mieux.

— Mais cette liste est complètement inutile... Qu'est-ce que vous voulez qu'on fasse maintenant ? Qu'on se balade dans toute l'Europe et qu'on examine chaque portrait dans l'espoir que l'un d'entre eux vous appartienne ? Vous êtes censé être un expert en matière d'art, enfin !

— Moi ? demanda-t-il avec dédain. J'y connais rien ! »

Vu les circonstances, Flavia jugea la note de fierté dans la voix du châtelain quelque peu déplacée. Une vague connaissance artistique aurait de beaucoup accru ses chances de récupérer ses biens de famille. De fait, en y regardant de plus près, l'homme n'avait pas l'air d'un conservateur de musée.

« Je croyais que vous travailliez dans un musée ?

— Certainement pas ! Ça, c'était mon oncle, Enrico. Il est mort l'année dernière. Moi je m'appelle Alberto. Je suis militaire, annonça-t-il, le menton dressé et en bombant le torse comme pour joindre le geste à la parole.

— Existe-t-il une liste officielle, un inventaire ou quelque chose d'approchant ? N'importe quoi serait plus utile que ce truc-là.

— Crois pas, hélas. L'oncle gardait tout dans sa tête. »

Il se donna de petits coups sur la tempe au cas où Flavia n'aurait pas su où se trouvait la cervelle de l'oncle.

« Il n'a jamais eu le temps de dresser une liste. C'est dommage, mais c'est comme ça. Il allait le faire... (Il baissa la voix comme s'il révélait un secret de famille.)

Les derniers temps, il était un peu, vous savez…, reprit-il sur le ton de la confidence.

— Quoi ?

— Gaga. La bonne vieille caboche… Plus ce qu'elle était… Vous savez… »

Il se tapota la tête à nouveau, d'un air un rien chagrin cette fois-ci. Puis il s'égaya un peu.

« Quatre-vingt-neuf ans. Une longue vie. Faut pas se plaindre. J'espère durer autant, hein ? hein ? »

Flavia tomba d'accord, tout en se disant en son for intérieur que plus vite ce vieil imbécile casserait sa pipe mieux ça vaudrait. Elle demanda ensuite s'il avait des polices d'assurance qui pourraient les aider un brin.

Le colonel Alberghi secoua la tête une fois encore.

« Aucune. Ça, je le sais parce que j'ai fouillé dans ses papiers après sa mort et je les ai examinés une seconde fois après la venue de ce type.

— Quel type ?

— Un type est venu demander si je voulais vendre quelque chose. Quel foutu culot ! L'ai envoyé paître, pouvez me croire…

— Un instant… Vous n'avez pas mentionné ce fait aux carabiniers.

— N'ont pas demandé.

— Qui était cet homme ?

— Je vous l'ai dit, il est venu frapper à ma porte. L'ai envoyé sur les roses.

— Est-ce qu'il a visité la maison ?

— Cette foutue idiote de servante l'a fait entrer dans cette pièce pour m'attendre.

— Comment était-il physiquement ?

— L'ai pas vu. La domestique m'a téléphoné et je lui ai dit de le flanquer dehors. S'est pas donné pour battu malgré tout.

— Que voulez-vous dire ?

— A téléphoné deux jours plus tard. Lui ai dit que je n'avais pas la moindre idée de ce que mon oncle avait possédé, mais que ce que je savais c'est que je refusais, que je n'avais pas besoin de vendre quoi que ce soit.

— Je suppose qu'il est vain d'espérer que vous avez relevé son nom ?

— Non. Désolé. »

Étrangement, Flavia s'en serait doutée.

« Et qu'est-ce qui a été volé dans cette pièce-ci ?

— Ah ! laissez-moi réfléchir…

— Un tableau, souffla-t-elle, en montrant une marque plus claire sur les lambris qui avait dû jadis être recouverte par quelque chose.

— Oui, oui. Peut-être. Un portrait ? Son arrière-grand-père ? Ou son père ? Ou peut-être était-ce mon arrière-grand-mère ? Vous savez, je n'y ai jamais beaucoup prêté attention. »

La précision était inutile.

« Et ce socle vide, là ?

— Ah oui ! Un buste. Un gros bidule affreux, vraiment. J'allais le remplacer par une plante.

— Pourriez-vous le décrire, par le plus grand des hasards ?

— Je viens de le faire. Si je le voyais, je le reconnaîtrais. »

C'est pas demain la veille, estima Flavia.

« Je vais, par conséquent, envoyer un avis de recherche pour un gros bidule affreux, de sexe indéterminé, déclara-t-elle, ironique. Puis-je voir la domestique en question ?

— Pour quelle raison ?

— Il est fréquent que les cambrioleurs préparent le terrain avant de passer à l'acte. Se faire passer pour un négociant en objets d'art est une bonne méthode.

— Vous voulez dire qu'il était venu repérer les lieux ? Quel toupet ! s'écria Alberghi, en se gonflant d'indignation. Je vais appeler tout de suite cette domestique. Qui sait ? Pas impossible qu'elle ait fait partie du gang. »

Flavia s'efforça de le détourner de l'idée qui semblait s'ébaucher dans son esprit, celle d'un complot international de cambrioleurs, en lui faisant remarquer que l'effraction – une fenêtre brisée à l'aide d'une simple brique à un moment où la maison était vide – n'avait guère besoin d'une complicité interne pour être menée à bien. Et la domestique, une femme d'au moins quatre-vingts ans, pratiquement courbée en deux par l'arthrite, ne ressemblait pas à la poule habituelle des gangsters. Dès qu'elle avait posé le regard sur la vieille toupie, Flavia avait su qu'elle allait s'avérer être myope comme une taupe. Ce n'était pas son jour…

Un homme assez jeune, expliqua la domestique – ça ne commençait pas trop mal –, avant de désigner le colonel, lequel approchait de la soixantaine, et d'ajouter que le visiteur devait sans doute avoir l'âge du maître.

Il s'agissait d'une fine tactique, cependant, car Alberghi fut tout à fait ravi.

Après un long et patient interrogatoire, Flavia conclut que le supposé négociant en œuvres d'art avait entre trente et soixante ans, qu'il était de taille moyenne et que, si la mémoire de la vieille femme était bonne, il ne possédait aucun signe distinctif.

« Et les cheveux ? s'enquit Flavia.

— C'est exact, dit la vieille, il en avait.

— Je veux dire : de quelle couleur étaient-ils ? »

Elle secoua la tête. Elle n'en avait aucune idée.

Parfait ! Flavia referma son carnet d'un coup sec, le fourra dans son sac et annonça qu'elle allait prendre congé.

« Franchement, colonel, je crois que vous pouvez dire adieu à vos objets. Nous récupérons des trucs de temps en temps, et lorsque nous aurons cette chance, nous vous passerons un coup de fil. À part ça, je peux vous conseiller de garder un œil sur les catalogues des ventes aux enchères, dans l'espoir d'y reconnaître un objet vous ayant appartenu. Dans ce cas, tenez-nous au courant. »

Dans un accès soudain de galanterie militaire, le colonel passa vivement devant elle afin de lui ouvrir la porte. L'élégance du geste fut gâtée par de bruyants jappements suivis de grands jurons de troupier au moment où un minuscule toutou entra en courant et faillit faire tomber le châtelain à la renverse. C'était là, apparemment, l'un des chiens très méchants annoncés à la grille.

« Faites-moi sortir d'ici cette sale bête ! ordonna-t-il à la domestique. Et, au fait, c'est lequel, celui-là ? »

Avec une agilité remarquable, la vieille servante se jeta sur le chien, le saisit dans ses bras et le serra contre son sein avec tendresse.

« Allons, allons ! lui dit-elle en lui tapotant la tête. Celui-ci, c'est Brunelleschi, monsieur. C'est celui qui a une tache blanche et une taie sur les yeux.

— Ce sont d'horribles petits roquets ! s'exclama le colonel en lorgnant l'animal comme s'il se demandait ce qu'il donnerait en ragoût.

— Il a l'air très gentil, dit Flavia tout en notant que l'ouïe et la vue de la vieille femme n'étaient pas si mauvaises que ça. Quel drôle de nom, malgré tout.

— Ils appartenaient à mon oncle, commenta-t-il avec tristesse. Autrement, je m'en serais débarrassé. C'était le genre artiste, comme vous savez... C'est pourquoi il a affublé ses chiens de noms idiots. L'autre s'appelle Bernini. »

« Ah ! très bien ! » fit Bottando lorsque Flavia revint au bureau un peu après vingt et une heures.

Elle avait l'intention de jeter ses notes sur sa table de travail en attendant de les taper le lendemain matin, puis de rentrer chez elle prendre un long bain et de s'apitoyer sur son sort toute la soirée en se morfondant devant la télévision. Vu la nullité des programmes, c'était là la manière la plus efficace de perdre son temps.

« J'espérais que vous repasseriez par le bureau. J'ai quelque chose pour vous. »

Elle le regarda avec une prudente méfiance. Il avait son air d'aimable bienveillance qui annonçait généralement une tâche dont elle se serait bien passée.

« Et de quoi s'agit-il ?

— Eh bien, j'ai pensé à vous. À cause de votre ami Argyll. C'est la personne idéale, me suis-je dit. »

À ce moment-là il n'existait pas de façon plus sûre d'irriter Flavia que de lui dire qu'on pensait à elle à cause de Jonathan Argyll... Elle renifla fortement et se remit à arranger des papiers sur son bureau, tout en essayant d'oublier la présence de Bottando.

« Ce meurtre et ce vol... À Los Angeles... Ça fait pas mal de vagues, vous savez. On en a même parlé au journal télévisé. Vous l'avez vu ? »

Flavia fit remarquer qu'elle venait de perdre plusieurs heures à parler à des militaires tarés, en pleine cambrousse, et non pas à se tourner les pouces au bureau. Bottando écarta l'objection.

« Tout à fait. Le problème, c'est que la police de là-bas nous a appelés. Un certain Morelli. Parle l'italien, à ma grande surprise. Tant mieux ! Autrement j'aurais eu énormément de mal à le comprendre...

— Et alors ?

— Ils veulent qu'on arrête leur suspect numéro un, un dénommé de Suza. Vous le connaissez ? »

Aussi calmement que possible, elle répondit que non.

« Ça m'étonne. Il opère depuis des années. Un vieil imposteur atroce. Quoi qu'il en soit, il semble qu'il se soit disputé avec Moresby à propos d'un Bernini que de Suza a fait sortir du pays en contrebande. Moresby est mort, le Bernini a disparu et les policiers de là-bas imaginent que de Suza est rentré en Italie par le premier avion. L'avion en question atterrit à Rome dans une heure environ et ils veulent qu'on mette la main au collet de De Suza et qu'on le leur réexpédie...

— Ce n'est pas de notre ressort, coupa Flavia. Pourquoi ne pas refiler ça aux carabiniers ?

— À cause de la paperasse. Lorsque tous les services des relations internationales auront fini d'organiser cette mission, l'avion aura été vendu au prix de la ferraille. C'est pourquoi votre ami nous a recommandés. Excellente idée. Il a réagi au quart de tour. Pourriez-vous, euh...

— Sauter le dîner et passer la nuit à faire le pied de grue à Fiumicino ? Non, merci. »

Bottando fronça les sourcils d'un air sévère.

« Je ne sais vraiment pas quelle mouche vous a piquée ces jours-ci ! Qu'est-ce qui se passe, nom d'une pipe ? Ça ne vous ressemble pas, ce mauvais caractère et cette attitude égoïste. Il fut un temps où vous me suppliiez de vous donner ce genre de mission. Si vous insistez, vous pouvez redevenir simple enquêteuse. À plein temps. Je vais charger un vrai policier de cette tâche-ci. »

Flavia s'assit sur le bureau et fixa Bottando d'un air contrit.

« Pardonnez-moi. Je sais que je n'ai pas été facile ces derniers temps. En ce moment rien ne me passionne vraiment. Je vais aller à l'aéroport pour vous. Il est possible qu'arrêter quelqu'un me remonte le moral.

— C'est de vacances que vous avez besoin », affirma avec force le général.

C'était pour lui la panacée et il en prenait lui-même chaque fois qu'il le pouvait décemment.

« Un changement d'air et d'ambiance. »

Elle secoua la tête. Elle ne désirait surtout pas prendre de congé en ce moment.

Bottando la regarda d'un œil apitoyé, puis il lui donna de petites tapes sur l'épaule.

« Ne vous en faites pas, déclara-t-il, ça ne va pas durer. »

Elle leva les yeux vers lui.

« Qu'est-ce qui ne va pas durer ? »

Il haussa légèrement les épaules et esquissa un geste désinvolte de la main.

« Ce qui vous met de si méchante humeur, quoi que ce soit. Bon ! même s'il est fort agréable de bavarder… »

Il jeta un coup d'œil significatif à sa montre.

Elle se leva d'un air las et se passa la main dans les cheveux.

« D'accord. Et qu'est-ce que j'en fais une fois que je lui ai mis la main dessus ?

— Remettez-le à la police de l'aéroport. On le retiendra jusqu'à ce que tous les papiers soient en ordre. J'ai tout organisé. Votre rôle consistera uniquement à l'identifier et à vous occuper des formalités. Tout devrait se dérouler quasiment sans encombre. »

Le pronostic de Bottando était presque entièrement erroné, mais pour des raisons indépendantes de sa volonté. Le trajet jusqu'à l'aéroport ne se passa pas sans encombre à cause d'un immense embouteillage sur le tronçon de l'autoroute menant de la ville à l'étendue de marais asséché qui s'efforce de faire fonction d'aéroport international. C'est un emplacement idiot pour un aéroport, mais, selon la rumeur, un accord avait été passé avec le Vatican, qui possédait tout ce terrain inutilisé ainsi qu'un ami au service de l'urbanisme.

Flavia arriva au terminal à vingt-deux heures, se gara dans une zone où le stationnement était formellement interdit – elle eut de la chance qu'il reste une place, mais il était tard –, puis partit d'un bon pas à la recherche du poste de police. Les policiers prirent position et attendirent jusqu'à ce que quelqu'un, ayant eu la brillante idée de vérifier le panneau d'affichage, découvre que l'avion aurait un retard d'une demi-heure à cause d'une escale à Madrid plus longue que prévue.

Madrid ? s'étonna-t-elle. Personne ne lui avait parlé de Madrid. La journée avait mal commencé, cela avait ensuite été de mal en pis, et il semblait désormais qu'elle se terminerait en beauté.

Il ne lui restait plus qu'à attendre, tout en sachant pertinemment – son sixième sens le lui annonçait – qu'elle perdait son temps.

En effet. L'avion atterrit enfin à 22 h 45, le premier passager du vol apparut à 23 h 15 et le dernier émergea à 23 h 55.

Pas d'Hector de Suza à l'horizon. Elle avait sacrifié sa

soirée sans le moindre résultat sauf une faim de loup et une humeur exécrable.

En outre, elle savait très bien qu'elle ne pouvait pas simplement rentrer chez elle et oublier la mésaventure. Le protocole international oblige à faire semblant d'être coopératif, surtout lorsque vous avez peut-être, pour une raison ou une autre, fait rater l'opération.

Elle retourna donc une nouvelle fois au bureau et s'installa devant le téléphone. Appels à la compagnie aérienne, à l'aéroport de Rome, à celui de Madrid. On allait la rappeler, lui dit-on ; elle devait par conséquent attendre. Elle ne pouvait même pas sortir pour aller chercher un sandwich ; non pas qu'il y eût beaucoup d'endroits ouverts à cette heure-là.

Le dernier appel arriva à près de trois heures du matin. L'aéroport de Madrid, après celui de Rome, ainsi que la compagnie aérienne confirmèrent ce qu'elle avait parfaitement deviné. Pas de De Suza. Il n'avait pas débarqué à Madrid, ni à Rome ; apparemment, il n'avait jamais embarqué.

Un dernier appel, et elle en aurait terminé. Heureusement – et c'était la seule bonne chose qui lui soit arrivée de toute la journée, mais était-ce parce qu'on était déjà le lendemain, en fait ? – l'inspecteur Morelli se trouvait à son bureau. Bottando avait dit qu'il parlait l'italien, et c'était vrai, en un sens. Néanmoins l'anglais de Flavia était meilleur que l'italien de Morelli.

« Ah oui ! fit-il. Ouais, disons qu'on s'en doutait, ajouta-t-il laconiquement lorsqu'elle lui fit part de son échec. On a effectué des vérifications ici. Il a réservé par téléphone une place sur ce vol, a quitté son hôtel, mais ne s'est jamais manifesté à l'aéroport. Désolé si on vous a fait perdre votre temps. »

Deux heures plus tôt Flavia aurait pu se lancer dans un remarquable discours à propos de la nécessité d'une coopération internationale fondée sur le respect mutuel et conclure en entonnant un hymne à la simple courtoisie entre les êtres, valeur toujours sûre. Mais trop fatiguée pour faire l'effort, elle se contenta de répondre que ce n'était pas grave, qu'il n'y avait pas de mal, qu'il ne devait pas s'en faire.

« J'allais appeler, reprit-il. J'aurais dû le faire, d'ailleurs. Mais vous ne pouvez pas vous rendre compte de ce qui se passe ici. Un vrai cirque ! Je n'ai jamais vu autant de caméras, d'appareils photos et de journalistes, même pour le Super Bowl. Et, en plus, cet Anglais qui a failli se tuer…

— Quoi ? s'écria-t-elle, soudain inquiète. Quel Anglais ?

— Un dénommé Jonathan Argyll. La personne qui m'a mis en contact avec votre Bottando. Vous le connaissez ? Il a loué une vieille bagnole, est parti avec et a eu un accident. On n'a pas idée de louer ce genre de tacot. Ils économisent sur l'entretien, vous savez. C'est comme ça qu'ils pratiquent des prix très bas. À mon avis…

— Mais qu'est-ce qui s'est passé ?

— Hein ? Oh ! c'est assez simple. Il a brûlé un feu et s'est encastré dans une boutique de mode. Il a commis de beaux dégâts…

— Mais comment va-t-il, lui ? cria-t-elle, tout en sentant son cœur battre la chamade tandis qu'elle tentait d'interrompre le flot d'inepties débitées par l'inspecteur. Il est indemne ?

— Oui, bien sûr. Il va s'en tirer. Il est un peu mal en point. Contusionné. Une jambe cassée. J'ai appelé l'hôpital. Le médecin dit qu'il dort comme un chérubin.

— Mais qu'est-ce qui s'est passé, au juste ?

— Je n'en sais rien. Il a failli se faire écraser hier soir également. Il semble un peu prédisposé aux accidents. »

Sur ce point-là, Flavia était d'accord. Jonathan était tout à fait le genre de personne qui défonce une boutique de mode huppée, se fait renverser par une voiture, tombe dans un canal, ou quelque chose d'approchant. C'était une habitude chez lui. Elle demanda à Morelli le numéro de l'hôpital et raccrocha. Puis, les yeux fixés sur le téléphone, elle ne bougea pas de son siège pendant une demi-heure, frappée par l'intensité de l'inquiétude qu'avait provoquée en elle cette nouvelle et du soulagement ressenti lorsque Morelli lui avait appris que Jonathan était toujours en vie.

Et, de plus, tout était la faute de Jonathan. Cela, en tout cas, c'était prévisible.

5

L'accident de voiture d'Argyll n'avait peut-être pas surpris Flavia, mais lui si. Comme la plupart des gens, il avait une vision de lui-même qui différait sensiblement de celles des autres. Alors que, dans ses bons jours, Flavia le considérait comme un chic type ayant tendance à se prendre les pieds dans ses lacets de souliers, lui préférait une image un rien plus délicate et raffinée selon laquelle le faux pas était l'exception plutôt que la règle. Il était toujours déconcerté et assez vexé lorsqu'elle pouffait de rire s'il lui arrivait – rarement, bien sûr – de heurter une borne sur la voie publique.

Jusqu'au moment de l'accident, sa journée s'était assez bien déroulée, quoique le manque de sommeil l'eût rendu un peu moins frais et dispos que d'habitude. Grâce à son insomnie, cependant, il avait eu l'occasion de rencontrer à nouveau l'inspecteur Morelli. Lorsque l'Américain arriva très tôt le lendemain matin et tambourina contre la porte de la chambre contiguë, Argyll était déjà sur pied.

« Ah ! c'est vous ! fit-il en passant la tête dans l'embrasure de la porte. Je croyais que c'était peut-être Hector. J'étais censé prendre le petit déjeuner avec lui. Je meurs d'envie de savoir ce qu'il a bien pu fabriquer.

— Pas possible ! Vous n'êtes sans doute pas le seul... »

Morelli regardait la porte de De Suza comme s'il espérait la voir s'ouvrir soudain et découvrir que l'Espagnol n'avait jamais quitté sa chambre. Il finit par renoncer, se frotta les yeux et bâilla.

« Vous avez l'air vanné, dit Argyll avec compassion. Venez donc prendre un café. Ça pourra vous soutenir pendant deux heures de plus. »

Ayant lui-même très peu dormi, même si c'était pour des raisons différentes, Morelli accepta avec gratitude, ravi de s'asseoir un moment. Ce serait également l'occasion de recueillir des ragots sur le musée, et puisque, de toute façon, il lui faudrait tôt ou tard interroger Argyll, autant faire d'une pierre deux coups. Ce genre de renseignements pourrait toujours servir.

Argyll raconta sa soirée, sans oublier de mentionner la qualité de son cheeseburger et comment il avait été à deux doigts de passer de vie à trépas ; en échange, Morelli le mit en garde contre les dangers encourus lorsqu'on traverse en dehors des passages pour piétons. Puis le jeune Anglais lui fit part des menus potins glanés depuis le début de son court séjour en ces lieux. Leur intérêt était minime : autant qu'il pouvait en juger, tous les employés du musée se détestaient...

« Ça va ? Vous avez l'air d'avoir mal… », demanda-t-il soudain, en fixant sur l'inspecteur un regard inquiet.

Morelli cessa un instant de se masser les gencives et leva les yeux.

« J'ai une gingivite, expliqua-t-il.

— Qu'est-ce que c'est que ça ?

— Les gencives. Une inflammation.

— Oh ! là, là ! Ça, c'est moche… », compatit Argyll. Il se considérait comme une sorte d'expert en la matière, ayant passé une bonne partie de sa vie assis dans des fauteuils de dentistes pendant que ces derniers examinaient l'intérieur de sa bouche en secouant la tête d'un air désespéré.

« Des clous de girofle, ajouta-t-il.

— Hein ?

— Des clous de girofle. Et du cognac. Vous en faites une macération et vous vous frottez les gencives avec. C'est très efficace. C'est une recette de ma mère.

— Ça marche vraiment ?

— Aucune idée. Mais le cognac, ça a bon goût.

— Je n'ai pas de clous de girofle sur moi, soupira Morelli, tout en tapotant ses poches pour s'en assurer.

— Ne vous en faites pas. Laissez-moi m'en occuper, dit Argyll d'un air guilleret. Buvez tranquillement votre café. Je reviens dans une minute. »

Cela lui prit dix minutes, en réalité. Il descendit à la réception, puis réfléchit que, quel que fût son respect de l'idéal du service à l'ancienne, les chances qu'un hôtel américain garde une réserve de clous de girofle étaient minces.

Il se rappela alors qu'Hector de Suza avait la réputation dans toute l'Italie centrale d'être un hypocondriaque quasi professionnel. Certes, Argyll ne l'avait jamais entendu se plaindre des gencives, mais ça ne prouvait rien. En outre, il n'y avait personne derrière le comptoir, et la clé de la chambre d'Hector, suspendue à son petit crochet, avait un air fort tentant...

Lorsqu'il regagna sa chambre, il trouva Morelli en train d'utiliser le téléphone sans vergogne. Se rendait-il compte du prix exorbitant des communications téléphoniques dans les hôtels ?

« Vous avez fouillé la chambre de De Suza ? demanda-t-il d'un ton nettement critique.

— Non. Mais, quand j'ai envoyé des collègues le chercher, je suis sûr qu'ils y ont jeté un coup d'œil. Ils n'ont sans doute pas procédé à une fouille en règle. Ce sera l'étape suivante. Pourquoi ?

— Tout est sens dessus dessous. On dirait qu'une bombe a explosé dedans. »

Ces propos n'émurent pas Morelli.

« Comment le savez-vous ? »

Argyll expliqua le raisonnement qui l'avait conduit à la pharmacie de voyage de De Suza.

Morelli pâlit légèrement.

« Vous avez pénétré par effraction dans la chambre d'un suspect ? demanda-t-il, sidéré, imaginant les conséquences déplaisantes qui pouvaient s'ensuivre.

— Sûrement pas ! s'écria Argyll avec force. J'ai utilisé une clé. Je l'ai prise à la réception. Il n'y avait personne, et je n'ai pas pensé que quelqu'un pourrait s'en formaliser. De toute façon, ce qui compte c'est... »

Morelli leva les mains en fermant les yeux.

« Je vous en prie ! protesta-t-il, d'un ton véritablement angoissé. N'en dites pas plus ! Il s'agit sans doute d'un délit très grave. Et surtout, si la chambre contient des preuves utiles, vous venez de les dénaturer. Est-ce que vous songez à ce que l'avocat de la défense ferait ... »

Argyll interrompit l'inspecteur, l'air très vexé :

« Je voulais seulement apporter mon concours. Mais si j'en juge par la pagaille qu'y ont mise vos collègues, je crains qu'une chatte n'y retrouverait pas ses petits. Ils ont fait bien plus de dégâts que moi.

— Qu'est-ce que vous racontez ? Ils y ont à peine touché, affirma Morelli. Quel que soit l'état de la chambre de De Suza, c'est exactement celui où il l'a laissée. Bon, passez-moi cette pommade pour les gencives... »

Argyll la lui tendit et regarda l'inspecteur l'appliquer avec précaution.

« Permettez-moi d'en douter, se hasarda à dire Argyll, une fois que Morelli eut cessé de grimacer à cause du mauvais goût, Hector est avant tout, disons, un esthète.

— Un quoi ?

— Quelqu'un de méticuleux. Soigneux, net, ordonné, comme il faut, à l'excès, maniaque en un mot. Obsédé par les apparences. La vue d'une cravate de travers ou d'un grain de poussière lui fait tourner de l'œil. Un soir, j'ai dîné avec lui dans un restaurant où on lui a servi le café dans une tasse ébréchée. Il a dû aller se coucher pour se remettre après avoir passé une heure entière à se gargariser avec un antiseptique de peur d'avoir été contaminé par un microbe.

— Et alors ?

— Et alors Hector ne met pas de fouillis dans sa chambre. Et il fait lui-même son lit le matin, il craint que les femmes de chambre n'y laissent des faux plis. »

Morelli devint livide en devinant l'horrible vérité.

« Vous vous êtes trompé de chambre, fit-il d'une voix blanche.

— Certainement pas ! Ce que j'essaye de vous dire, c'est que ou bien ce sont vos collègues qui y ont fichu cette pagaille, ou bien c'est quelqu'un d'autre. Ou alors Hector a décampé si vite qu'il a laissé la pièce en désordre. Si c'est le cas, il devait être bigrement pressé.

— Personnellement, je choisirais la dernière option, dit Morelli. Vu qu'on vient de m'apprendre qu'il a pris le vol de deux heures du matin pour l'Italie. C'est ce qu'on était en train de m'annoncer au téléphone. Pour quelle autre raison croyez-vous que je sois toujours là au lieu de le chercher partout ? »

Une idée lui ayant traversé l'esprit, il calcula à toute vitesse.

« Diable ! conclut-il, il n'y aura pas assez de temps pour le cueillir à l'autre bout ! »

Cela ne tracassa pas Argyll : il connaissait la durée du vol entre Rome et Los Angeles grâce à une expérience récente plus que mémorable. Cela prenait plusieurs semaines, d'après ses souvenirs. Il fit remarquer qu'ils avaient au moins six heures devant eux. Il suffisait d'envoyer sans trop tarder quelqu'un à l'aéroport de Rome...

Morelli lui assura que ce n'était pas si simple, il y avait des procédures à suivre. Sans compter qu'il fallait obtenir l'ordre d'extradition.

« Pourquoi donc voulez-vous un ordre d'extradition ? Il est normal que vous souhaitiez lui parler, mais le faire extrader, ce serait aller un peu vite en besogne. »

Morelli fixa sur lui un regard étonné.

« Pourquoi ? Eh bien ! je veux l'arrêter pour meurtre, évidemment. Je croyais que c'était clair. »

Argyll soupesa cette hypothèse, puis secoua la tête.

« Hector est incapable de tuer quelqu'un. Pas en tirant sur lui à bout portant, en tout cas. Ça pourrait tacher de sang sa veste. Je le vois davantage en empoisonneur. Non qu'il soit réellement du genre à tuer. Surtout pas des clients. »

Cette sorte d'arguments ne convainquit pas du tout Morelli.

« Désolé... Je sais qu'il est votre ami, confrère, ou je ne sais quoi, mais nous le recherchons. Pour le moment les preuves sont assez convaincantes.

— En quel sens ?

— Primo, il était en colère pendant la soirée à propos de ce buste ; deusio, le buste a été ensuite volé ; tertio, il est parti en compagnie de Moresby quelques instants avant le crime ; quarto, il était seul avec Moresby à ce moment-là ; quinto, il a immédiatement cherché à quitter le pays. À mes yeux – et rappelez-vous que je n'ai que quinze années d'expérience dans les affaires d'homicide –, tout ça paraît suspect. Non pas que ça vous regarde le moins du monde. »

En effet, sauf indirectement, et une idée commençait à germer dans l'esprit d'Argyll. En général, il n'était pas amateur de crimes. Les rares fois où il en avait côtoyé un, cela avait toujours signifié que, tôt ou tard, les policiers avaient mentalement mesuré ses poignets en se demandant ce qu'y produirait une jolie paire de menottes. De surcroît, du moment qu'il recevait son chèque pour la vente du Titien, il se fichait comme d'une guigne de Moresby, Hector de Suza ou autres Bernini volés.

Au demeurant, son principal but était de faire le point sur l'état de décomposition de son amitié avec Flavia dont le ton agressif au milieu de la nuit l'avait terriblement bouleversé.

Et il était possible que cet inspecteur de police surmené et d'aspect négligé, assis face à lui, lui procure une occasion. Flavia le fuyait comme la peste. Il fallait la forcer à rentrer en contact avec lui et alors Argyll pourrait l'obliger à reconnaître ses torts, ou, en tout cas, il serait à même de découvrir la cause de son humeur exécrable.

Simple comme bonjour. C'est pourquoi il fit la suggestion qui eut pour résultat que Flavia perdit tout sa soirée à Fiumicino : il recommanda de contacter officieusement la brigade romaine chargée de la protection du patrimoine, laquelle serait plus diligente et plus coopérative si Morelli promettait de relayer tout renseignement concernant le moindre Bernini apparaissant à l'horizon.

Il fallait téléphoner au général Bottando de la part de Jonathan Argyll.

Morelli réfléchit à cette proposition. Elle comportait sans doute des avantages, comme, entre autres, l'arrestation de De Suza. Si on respectait la procédure officielle, le cas serait désespéré.

« Comment s'appelle-t-il ?

— Bottando, répondit Argyll en cherchant le numéro de téléphone dans son carnet d'adresses. Ce serait une bonne idée de souligner l'importance de ce buste. S'il a quitté l'Italie en contrebande, et c'est sans doute le cas, le général sera ravi d'apporter son concours.

— On n'en sait rien.

— Raison de plus pour qu'il tente de le savoir. »

Morelli opina du bonnet. C'était une excellente idée.

« Quelqu'un d'autre que de Suza aurait pu le voler, évidemment, poursuivit Argyll. Après tout, il y a d'autres motifs qui poussent à dérober un buste. Ce serait dommage de négliger ces pistes. »

Morelli – une âme simple au fond, et, à tout le moins, peu préparée à l'extrême rouerie qui chez le vrai chercheur est une seconde nature – ne voyait pas de quelles autres pistes Argyll voulait parler. Celui-ci les énuméra l'une après l'autre :

« D'abord, pour toucher l'assurance, bien que Thanet pense que le buste n'était pas assuré. Ensuite, pour demander une rançon. Il faudra alors attendre les exigences des ravisseurs. Si un gros bout d'oreille en marbre arrive par la poste accompagné de la promesse que, le moment venu, un nez suivra, vous aurez compris de quoi il retourne. La troisième possibilité serait qu'on veuille empêcher qu'il soit examiné de trop près.

— Pourquoi donc ?

— Dans l'hypothèse où on aurait affaire à un faux. »

Morelli poussa un grognement. N'étant pas homme à gaspiller son temps en vaines spéculations, il fit remarquer qu'il ne s'agissait là de rien d'autre.

« Il ne s'agit pas de chimères, mais de mise en contexte. C'est le fruit d'années d'expérience dans les bas-fonds du monde de l'art. J'essaye juste d'aider.

— Pas sur le plan pratique, cependant. Un coup de fil à ce Bottando pourrait déboucher sur quelque chose de tangible, et je vous remercie d'avoir fait cette suggestion. Bon, je suppose que je ferais mieux de me remettre au boulot. Faut aussi que je parle à la presse. Les journalistes sont déjà comme des mouches autour d'un pot de miel.

— Très bonne idée. Et moi, je vais aller voir des gens. »

Morelli parut hésiter une fois de plus.

« Gardez-vous-en bien ! Vous avez apporté votre contribution. Maintenant ne vous mêlez plus de rien.

— Votre autorisation ne m'est sûrement pas nécessaire pour aller offrir mes condoléances à un fils éprouvé et qui m'a invité à passer boire un verre chez lui ? Est-ce que j'ai besoin de la permission de la police pour aller voir Thanet afin de mettre au point les derniers détails concernant la vente du tableau ? »

Morelli concéda avec beaucoup de réticence que, dans ce cas, une démarche administrative de cette sorte était superflue. Il répéta malgré tout qu'il pensait qu'Argyll serait mieux occupé à vendre des tableaux, si telle était sa manière de gagner sa vie.

Dans sa grande naïveté Argyll avait imaginé qu'il pourrait se déplacer dans Los Angeles en empruntant les transports en commun. À ses yeux, le chemin de fer représentait le summum de la civilisation et c'était de loin son moyen de locomotion favori. Faute de train, un autobus ferait l'affaire. Les deux cependant brillaient par leur absence. Les bus étaient presque aussi rares que les piétons. Les trains avaient dû disparaître, comme les dinosaures. C'est pourquoi, après plusieurs demandes anxieuses, moult hésitations angoissées et une recherche approfondie pour trouver un mode de transport bon marché, il avait fini par louer une automobile. Pleine de vieux engins rouillés qui devaient s'estimer heureux de rester en un seul bloc, l'entreprise de location avait tout l'air d'un cimetière de voitures. Le choix était maigre, mais, comme l'employé le souligna, après avoir donné une vigoureuse poignée de main à Johnny en le priant de ne pas manquer de l'appeler Chuck, les prix non plus n'étaient pas très gros... Argyll avait horreur qu'on l'appelle Johnny.

Il y avait au moins une voiture pour laquelle il eut le coup de foudre : une Cadillac d'avant la crise du pétrole. Année 1971. Bleu clair. Toit ouvrant. À peu près de la taille du *Queen Mary* et aussi avide de carburant.

Après tout, pourquoi pas ? se dit Argyll dès qu'il

l'aperçut. Il n'aurait jamais plus l'occasion de conduire une telle bagnole. C'était un morceau d'histoire culturelle ambulant. De retour à son hôtel, la première chose qu'il fit fut de demander au portier de prendre une photo de lui appuyé contre la voiture, des lunettes de soleil sur le nez. Afin qu'il puisse la montrer à ses petits-enfants qui, autrement, auraient du mal à croire que de telles machines aient jamais existé.

Après le départ de Morelli, Argyll se rendit donc au parking situé derrière l'hôtel. La voiture finit par démarrer et, au milieu d'un immense nuage de gaz d'échappement lardé de plomb, il manœuvra lentement pour sortir. Elle possédait l'accélération et la maniabilité d'un pétrolier géant, mais, mis à part les taches de rouille, elle était dans un état satisfaisant. L'important était qu'elle avançait quand on l'en priait et s'arrêtait sur demande. Et le code de la route californien est tel que la capacité d'accélérer de zéro à cent à l'heure en moins de cinq minutes ne sert pas à grand-chose de toute façon.

La Cadillac vrombissait, sa course rythmée par la pétarade des ratés et interrompue tous les cent cinquante mètres par un feu rouge. Argyll tentait d'admirer le paysage sans pouvoir s'empêcher de se demander comment une seule ville arrivait à faire vivre tant de garagistes.

Il mit environ une demi-heure pour parcourir les dix kilomètres séparant son hôtel de Venice, le quartier où habitait Jack Moresby, bien qu'il eût sans doute pu, se dit-il, couvrir la distance plus vite s'il avait connu la route. Parvenu à destination, il pensa qu'il fallait beaucoup d'imagination si l'on voulait comprendre pourquoi l'endroit s'appelait Venice, même si une étendue d'eau plutôt stagnante et une sorte de piazza, ensemble qui aurait pu être attrayant s'il avait été terminé, permettaient de deviner l'intention première des promoteurs.

Malgré tout, ce quartier semblait être un endroit bien plus sympathique que celui, à l'atmosphère d'une intensité quasi oppressante, où se trouvait le musée. À Venice, les résidants paraissaient avoir pour principale occupation de rester assis tranquillement en bayant aux corneilles, ce qui enchanta Argyll. En dépit de leur réputation de décontraction, tous les autres habitants de Los Angeles avaient toujours l'air pressés. Les rares fois où ils s'arrêtaient de travailler, ça ne les empêchait pas de s'agiter comme des fous. Même à la plage, il fallait qu'ils courent, se lancent des objets, sautent dans la mer, puis en ressortent brusquement sans raison apparente... C'était agréable de voir qu'il existait des gens qui aimaient juste traîner, insensibles au désir frénétique de prolonger leur vie indéfiniment qui animait leurs concitoyens. L'endroit était miteux, défraîchi et plein de charme, en apparence en tout cas. Peut-être était-ce pour cela qu'il évoquait Venise.

Il était presque aussi difficile de s'y repérer que dans son homonyme italien. Argyll ne s'attendait pas à avoir autant de mal à dénicher la demeure de Jack Moresby, et lorsqu'il y réussit il fut très surpris. Ce n'était pas du tout ce qu'il avait imaginé. Il savait que Moresby s'était retiré de la société de consommation pour écrire « le grand roman américain » (on lui avait appris que c'était une faiblesse fort répandue dans ce quartier de la ville), mais il avait pensé que le fils d'un multimilliardaire aurait conservé quelques vestiges de la dolce vita. En Italie, il avait rencontré bon nombre de soi-disant marginaux, mais ils semblaient tous considérer que les vêtements Versace faits à la main, les montres Rolex, ainsi que les appartements de neuf pièces donnant sur la piazza Navona étaient parfaitement compatibles avec les principes moraux qui les avaient poussés à rejeter la tyrannie de la société de consommation.

Le jeune Moresby, quant à lui, paraissait déterminé à bien faire les choses. Sa maison n'avait rien de la résidence typique d'un milliardaire ni d'une somptueuse villa de Beverly Hills. La demeure d'un milliardaire possède un toit et des fenêtres. Et, quand un carreau se casse, il le fait changer au lieu de boucher le trou avec de vieux journaux. Et, lorsqu'une tuile tombe, il la fait remplacer plutôt que de permettre aux rares averses d'arroser l'intérieur de la maison. Les milliardaires ont des jardins entretenus par des jardiniers. Celui de Jack Moresby évoquait bien davantage l'entrepôt où Argyll avait loué sa voiture. Il n'est pas courant non plus que les milliardaires se vautrent sur le plancher de la petite véranda de derrière, fumant une cigarette à l'odeur fort étrange et buvant au goulot d'une bouteille à moitié vide.

D'un air impassible, Moresby regarda Argyll s'approcher, puis esquissa un vague geste d'accueil peu chaleureux.

« Hé ! » fit-il. Argyll avait compris que dans la région

cette interjection était indifféremment utilisée pour dire bonjour, au revoir, indiquer la surprise, l'inquiétude, mettre en garde, signaler son intérêt, son manque d'intérêt, ou même proposer quelque chose à boire. Le jeune Américain tourna le regard vers un siège près de lui, en poussa un vieux chien galeux et fit signe à Argyll de s'asseoir. Celui-ci jeta un coup d'œil circonspect aux touffes de poils, avant de s'installer prudemment.

« Vous êtes venu m'offrir vos condoléances, je suppose, déclara Jack Moresby d'un air absent, en louchant vers le pâle soleil derrière les nuages.

— Quand avez-vous appris la nouvelle ?

— Langton m'a appelé hier soir et tout le reste je le tiens des flics qui m'ont réveillé aux aurores pour que je leur détaille mes faits et gestes. Ce serait évidemment trop demander à ma belle-mère que de faire trente kilomètres pour m'annoncer la nouvelle. Elle est trop occupée à célébrer l'événement, sans doute. Et vous, qu'est-ce que vous voulez ? »

Bonne question ! Pertinente et précise. L'ennui, c'est qu'Argyll ne connaissait pas vraiment la réponse. Après tout, il ne pouvait avouer qu'il voulait découvrir quelque chose à propos du buste afin de se remettre dans les petits papiers de Flavia. Cela ne ferait pas sérieux. Cela aurait l'air cynique, en fait. De plus, il apparut d'emblée que Moresby ne savait rien sur le buste du Cavalier Bernin, ni sur tout autre buste d'ailleurs. Il ne lui sembla pas courtois non plus de demander à Jack Moresby pourquoi il n'avait pas pris la peine de refaire les quelques kilomètres qui le séparaient du musée pour s'informer de ce qui se passait. Chaque famille a sa façon d'agir.

« J'ai pensé que vous auriez besoin de compagnie, répondit-il sans conviction. J'ai eu l'impression que vous étiez la seule personne liée au musée à peu près normale et équilibrée. »

Ce n'était pas du tout une raison plausible, mais elle parut être reçue comme telle. Moresby lui lança un regard étrange qui semblait davantage dû à la surprise qu'on pût agir avec une telle humanité qu'à une mise en doute des motifs d'Argyll. Il tendit la bouteille en cadeau de bienvenue. À cette heure de la journée, le bourbon était la dernière chose qu'Argyll avait envie de boire, mais il sentit qu'il serait impoli de refuser. Il en avala une bonne gorgée et, pendant qu'il tentait de retrouver sa voix et d'empêcher ses yeux de couler, Moresby parla à bâtons rompus de son père.

Ils n'étaient pas proches, devina Argyll. Environ un an auparavant, le vieux Moresby avait déshérité l'auteur en herbe : il arrive que priver quelqu'un de deux milliards de dollars refroidisse un tant soit peu les rapports.

« Mais pourquoi a-t-il fait ça ?

— Disons simplement qu'il avait un sens de l'humour très bizarre. Il voulait que je prenne sa suite et que je gagne encore plus de fric. Moi, je trouvais qu'il en avait déjà assez gagné. Alors il m'a dit que puisque l'argent ne m'intéressait pas il laisserait tout le sien à quelqu'un qui l'appréciait davantage.

— C'est-à-dire à sa femme ?

— Elle adore l'argent.

— Et le musée ?

— Un vrai gouffre financier.

— C'était pour vous forcer à vous amender ?

— J'imagine. Mais aujourd'hui je suis sans le sou. Et pour toujours, probablement. Trop tard pour qu'il change d'avis désormais.

— Mais il ne vous a pas vraiment déshérité, n'est-ce pas ?

— Non, pas exactement. Il ne m'a rien laissé, voilà tout. C'est du pareil au même. "À mon cher fils, je laisse mes vœux les plus ardents." Ou quelque chose du genre. Personne ne peut l'accuser de se contredire.

— Je suppose qu'en un sens vous avez de la chance, fit remarquer Argyll.

— En quel sens ?

— Eh bien ! puisque la police recherche son meurtrier, vous, vous aviez une excellente raison de le maintenir en vie.

— Ouais… Et un alibi aussi : lorsque Langton m'a téléphoné après la découverte du corps il m'a joint ici même. »

Argyll effectua quelques rapides calculs. Ça collait. Il ne pouvait absolument pas être revenu chez lui si vite. Qu'est-ce que je peux être méfiant ! se dit-il.

« Et vous, où étiez-vous ? demanda Moresby.

— Moi ?

— Oui, vous. Après tout, si vous vérifiez mon emploi du temps, c'est bien normal que je vérifie le vôtre.

— C'est assez juste. J'étais encore au restaurant une

heure après le crime. Des tas de témoins. Pas de problèmes là-dessus.

— Hum ! D'accord, je veux bien vous croire. On est donc disculpés tous les deux. Ça ne laisse plus que cet Espagnol, non ? »

Argyll fronça le nez pour indiquer sa désapprobation de la logique policière.

« C'est ce que la police pense, apparemment, mais je ne le vois pas en assassin. Il était trop désireux de vendre des sculptures à votre père. Passe encore de tuer la poule aux œufs d'or, mais toute personne sensée attendrait au moins qu'elle ait pondu une fois ou deux. De plus, Hector s'est toujours montré excessivement poli avec ses clients. Les tuer ne figure pas dans son manuel de savoir-vivre. Pourtant, je dois avouer que tant qu'il ne refera pas surface il a toutes les chances d'être considéré comme le suspect numéro un.

— C'est votre avis ?

— Oui. Mais je suis persuadé qu'il va réapparaître. Il n'avait pas vraiment l'air d'un assassin quand je lui ai parlé juste avant le crime. Qu'est-ce que vous en pensez ? »

Moresby avoua qu'il ne savait guère comment les tendances au crime se manifestaient pendant les conversations mondaines.

« Personnellement, je soupçonnais plutôt votre belle-mère, avoua Argyll, sans trop savoir si c'était la chose à dire, mais ça ne parut pas gêner Jack. Morelli m'a dit qu'elle était déjà partie et que son chauffeur lui a fourni un alibi. Vous êtes sûr qu'elle avait une liaison ?

— Oh ! absolument. Nombreuses absences, longues séances de shopping, week-ends passés avec des copines... Pas difficile de deviner.

— Et votre père le savait ?

— Oui, mais uniquement une fois que je l'ai eu appelé au bureau pour le mettre au courant. (Jack fixa Argyll du regard.) Je suppose que vous trouvez ça plutôt dégueulasse, hein ? Et vous avez raison. Mais cette salope lui a bourré le crâne pour qu'il me déshérite, alors j'ai fait ça par vengeance. Œil pour œil, dent pour dent.

» C'est triste que je n'aie pas revu le vieux avant sa mort, sans doute, reprit-il d'un air songeur. Je n'aurais pas dû partir si tôt. Ça faisait, oh ! six mois environ que je ne l'avais pas vu. Vous me trouverez peut-être terriblement fleur bleue, mais j'aurais donné beaucoup rien que pour le traiter de vieux salaud une fois encore. Lui dire adieu, vous comprenez. »

Argyll hocha la tête avec sympathie.

« Eh bien ! je suis content que vous ne preniez pas trop mal la chose. J'étais juste venu m'en assurer.

— Je vous en remercie. Repassez un de ces jours prendre un verre digne de ce nom. »

Argyll réfléchit à la proposition.

« Merci. Pourquoi pas ! Mais je crois que je vais rentrer à Rome dans quelques jours. Si je reste plus longtemps ici, je risque de me faire écraser par une voiture.

— Nous, les Californiens, on est les meilleurs conducteurs du monde.

— Allez raconter ça au chauffeur du fourgon mauve qui a failli m'arracher les rotules ! »

Moresby prit un air compatissant.

« Bien sûr, c'était peut-être ma faute, enchaîna Argyll, décidé à se montrer objectif. En partie, au moins.

— Ne dites pas ça ! lui conseilla Moresby. N'admettez jamais que c'est votre faute. Comme ça, vous pourrez faire un procès au conducteur si vous le retrouvez.

— Je n'ai pas envie de lui faire un procès.

— Mais, si lui vous retrouve, il se peut qu'il vous en fasse un.

— Et pourquoi donc ?

— Traumatisme émotionnel dû au fait que son pare-chocs a bien failli être endommagé. C'est le genre de plainte que les tribunaux d'ici prennent au sérieux. »

À peine convaincu que Moresby plaisantait, Argyll prit congé après s'être enquis du meilleur chemin pour regagner son hôtel. Il avait un si piètre sens de l'orientation qu'il risquait d'atterrir dans les montagnes Rocheuses si on ne lui indiquait pas le moindre tournant à prendre. À droite, puis à droite, et à gauche après le bar, précisa Moresby. Et puis, tout droit. Oui, le bar fait aussi restaurant. Argyll n'avait pas faim, en fait, mais il se dit que ce serait un bon endroit pour s'arrêter afin de redemander sa route et d'éponger le bourbon. Par mesure de précaution.

Ce qu'il fit. Il commanda un hamburger végétarien absolument immonde, arrosé d'un café si léger qu'il en était transparent, avant de terminer une journée parfaite sur un lit d'hôpital avec une jambe dans le plâtre.

Ce fut un jeu d'enfant. Il fit toute la route jusqu'à son

hôtel sans se tromper une seule fois de direction, passa sous la douche, puis enfila l'autoroute afin d'aller présenter ses hommages à Mme Moresby. Parcours sans encombre, sans faute. Sauf que, théoriquement, il n'avait pas du tout besoin de s'engager sur l'autoroute. Mais, comme il se retrouva coincé sur une bretelle d'accès, il n'eut pas le choix. Pourtant, miracle des miracles ! il prit la bonne sortie. Enfin, si l'on peut dire. Le long de la rampe jusqu'aux feux, virage à droite au bout, puis freinage en douceur en accord avec le code de la route... Mais cela ne produisit aucun effet.

Ou, plutôt, l'effet fut spectaculaire. Son énorme et peu maniable Cadillac brûla en beauté le feu rouge, ratant de peu un assortiment de voitures, d'autobus et de camions qui se dirigeaient vers lui. Elle grimpa sur le trottoir, roulant toujours majestueusement à quarante kilomètres à l'heure, à peine bousculée par le cahot grâce à son extraordinaire suspension, avant de poursuivre inexorablement son chemin à travers la vitrine de six mètres carrés d'une élégante boutique de mode – *confer* le récit de Morelli – et de causer de graves dommages aux vêtements de grandes marques qu'elle contenait.

Heureusement, cette boutique très chère réservée à des clients fortunés se trouvait totalement déserte au moment où Argyll y fit son entrée. D'ailleurs, ce jour-là, il n'y avait encore eu aucun client. Les affaires marchaient si mal que, la conscience tranquille, l'unique vendeuse était sortie quelques instants par la porte de derrière pour en griller une. Le règlement lui interdisait de fumer à l'intérieur du bâtiment et les rares clients, à l'instar du propriétaire, n'étaient guère favorables à la cigarette.

Tant mieux pour elle ! Car, lorsqu'elle revint dans la boutique, celle-ci n'était plus dans l'état soigné où elle l'avait laissée. Le pied gauche d'Argyll continuait d'appuyer de toutes ses forces sur la pédale du frein, bien que le mécanisme eût obstinément refusé de répondre. Selon une habitude contractée au cours d'un très long séjour à Rome, il signala son dépit aux badauds en lançant ses deux mains au-dessus de sa tête, geste typiquement italien indiquant un désespoir de portée cosmique devant l'insondable absurdité de la vie et l'injustice du sort.

Il se trouvait dans cette position lorsque le capot de la voiture, placé heureusement à plusieurs mètres de lui, heurta un mur de brique situé au milieu du bâtiment. Argyll fut poussé vers l'avant, mais sa jambe gauche, coincée contre la pédale du frein, tentant de maintenir son corps en place, céda sous l'effort. Une bonne partie du reste du corps s'écrasa contre le volant, lequel n'était plus tenu à distance par les mains qui n'avaient pas encore terminé leur course, tandis que les éclats de verre arrivant de l'autre côté apportèrent la touche finale aux dégâts.

Sacrebleu ! se dit-il juste avant de perdre connaissance. Plus possible désormais de critiquer la façon de conduire de Flavia.

6

C'est en bien mauvaise forme que Flavia arriva au bureau à dix heures. Rien d'étonnant à cela, vu qu'elle avait veillé extrêmement tard pour traquer des négociants fantômes et que le peu qui restait de la nuit elle l'avait passé au lit à se faire du souci à propos de l'état de santé d'Argyll. Un onéreux coup de téléphone à l'hôpital n'avait produit que des platitudes et un refus catégorique de lui permettre de parler au malade. Il dormait et allait aussi bien que possible, et d'ailleurs qui était-elle ?

Une amie. Si la condition du patient empirait, aurait-on l'amabilité de lui téléphoner sur-le-champ ? On lui répondit que les coups de téléphone transatlantiques n'étaient pas autorisés. Dans ce cas, qu'on prévienne l'inspecteur Morelli. Ça, on le lui promit.

Seule l'habitude – en plus de la simple constatation qu'elle n'avait pas grand-chose d'autre à faire – l'avait poussée vers le bureau. Dès son arrivée, elle fut convoquée chez Bottando.

« Grands dieux, vous avez une mine affreuse !

s'écria-t-il lorsqu'elle pénétra dans le bureau en titubant. On jurerait que vous avez passé une nuit blanche. »

Elle tenta vainement d'étouffer un bâillement tout en s'efforçant d'accorder toute son attention au général.

« Vous souhaitez avoir des nouvelles de De Suza, je suppose, dit-elle. Eh bien ! il n'était pas dans l'avion.

— Je sais. Je viens d'avoir une autre longue conversation avec le dénommé Morelli. Il a fait une demande – officielle, celle-là – pour obtenir notre concours.

— Si son assassin ne se trouve pas sur notre territoire, je ne vois pas ce que nous pouvons faire. Quelle sorte de concours ?

— À propos de ce fameux buste. Il se peut qu'il vienne de chez nous, qu'il ait été expédié en contrebande, puis sans doute volé dans sa caisse près du cadavre. Il y a peut-être un lien. Ils veulent en connaître la nature. Moi aussi. Comme vous avez déjà commencé à vous occuper de cette affaire, j'aimerais que vous continuiez. Si vous vous en sentez la force. »

Elle allait protester que cette histoire lui avait déjà fait perdre assez de temps comme ça, mais la référence implicite de Bottando à la faiblesse des femmes l'amena à changer d'avis. Bien entendu qu'elle s'en sentait la force ! Elle était seulement un peu dans les vapes, point.

La connaissant depuis plusieurs années, Bottando savait, évidemment, que sa remarque serait le petit coup de pouce nécessaire. Lui-même était très porté à croire que l'affaire ne pressait pas, en tout cas tant que les Américains n'auraient pas effectivement récupéré l'objet. Alors son service pourrait déterminer si ça valait la peine de chercher à le rapatrier.

Mais, comme la coopération internationale apporte toujours un certain prestige, il était absolument ravi que son service, plutôt que les carabiniers, soit partie prenante. Ce genre de chose ferait bon effet dans le rapport annuel, et son champ d'action était trop étroit et trop vulnérable pour qu'il puisse se permettre de dédaigner des missions très visibles, même si elles risquaient de n'aboutir à rien.

En outre, bien sûr, Morelli ayant signalé que l'idée que les deux hommes entrent en contact venait d'Argyll, Bottando se sentait redevable au jeune Anglais. Charger Flavia de l'affaire, pensait-il, réglait immédiatement et largement la dette. À en juger par ce que lui avait appris l'inspecteur – la jambe cassée, le risque d'être poursuivi en justice, celui d'avoir à payer des dommages et intérêts correspondant au réapprovisionnement en lingerie française de toute une boutique de mode, sans compter les frais d'hospitalisation –, pour Argyll toute aide était bienvenue.

« Bon, fit Flavia, avec un nouveau bâillement et en surmontant sa réticence à se mêler d'une affaire concernant Argyll, même si elle le plaignait beaucoup, que voulez-vous que je fasse ?

— D'abord, dit-il en comptant les étapes sur les doigts d'une petite main grassouillette, allez vous chercher plusieurs tasses du café le plus fort possible. Ensuite, buvez-les. Puis, achetez le journal – le *Herald Tribune* de préférence – et regardez ce qu'on raconte sur toute cette affaire. Après ça, voyez ce que vous pouvez apprendre à propos de ce buste. Enfin, allez rendre visite à l'homme qui l'a acheté. Un certain Langton, apparemment. Il habite Rome et revient aujourd'hui par avion.

— C'est lui qui a acheté le Titien d'Argyll, dit-elle d'un air distrait.

— Hum ! Cherchez à savoir où il a acquis le Bernini, combien il l'a payé, dans quelles conditions la sculpture a quitté le pays, et pourquoi de Suza était furieux. Ce serait aussi une bonne idée de sortir la fiche de De Suza. Nous devons avoir quelque chose sur lui dans le service. Il faudra vraiment que je fasse mettre de l'ordre dans nos fichiers. Allez voir ses amis, fouillez son appartement. La routine, quoi.

— Et après ?

— Après », fit-il, avec un petit sourire, remarquant qu'elle reprenait peu à peu ses esprits. Je l'ai ferrée, se dit-il. La première étape est terminée. « Après, vous pouvez aller déjeuner. »

Évidemment, cela n'alla pas si vite. Il n'est pas question de se hâter quand on lit les journaux en dégustant son café. Deux heures plus tard, Flavia avait appris tout ce qu'il fallait savoir sur le meurtre, grâce aux comptes rendus hyperboliques des journaux, bu presque un litre de café et décidé d'aller déjeuner sans tarder afin de réfléchir aux événements.

Elle se sentait beaucoup mieux. Malgré ses réticences, cette histoire avait un tantinet chatouillé son imagination et l'accident d'Argyll quelque peu atténué son animosité. À n'en pas douter, c'était toujours un imbécile, mais, de toute évidence, il constituait un plus grand danger pour lui-même que pour les autres.

Quant à l'affaire elle-même, aucune explication ne s'imposait à elle. Rien de surprenant à cela. Si tel avait été le cas, la police de Los Angeles aurait sans nul doute tiré sur-le-champ les mêmes conclusions. Cependant, de Suza et Moresby s'étaient, semblait-il, rendus dans le bureau pour discuter des objections de l'Espagnol à propos du buste ; et ces objections avaient dû être assez graves pour qu'un personnage comme Moresby interrompît le cours de sa soirée afin d'accorder un entretien à un simple négociant en objets d'art.

Or, si on doit discuter de quelque chose, ça aide de l'avoir vu. Voilà pourquoi il était raisonnable de supposer que les deux hommes commencèrent par jeter un coup d'œil à l'intérieur de la caisse contenant le buste. Puis Moresby avait convoqué l'avocat, homme de confiance ou factotum, et quelques instants plus tard on lui tirait dessus et de Suza prenait la poudre d'escampette.

Aux yeux de Flavia, cela indiquait que le buste avait sans aucun doute joué un rôle primordial dans le déroulement des événements.

Elle finit par trouver la fiche concernant Hector de Suza – pour une raison inconnue on l'avait rangée à la lettre H – et la lut avec attention. Un sacré fripon notre Hector ! se dit-elle. Même si le dossier était plutôt mince (la section n'existant que depuis quelques années, on avait sollicité, emprunté ou volé les documents concernant les périodes antérieures, qui étaient détenus par les carabiniers dont les archives laissaient un peu à désirer), il apparaissait que de Suza appartenait à la race de ceux qui ne peuvent s'empêcher de rouler les clients trop crédules. Il opérait depuis 1948 environ, année où il avait échoué à Rome après la guerre. Des tas de gens étaient entrés dans le commerce de l'art à une époque où des dizaines de milliers d'œuvres circulaient sur le continent européen après le décès ou la disparition de leurs propriétaires, ou encore parce qu'on avait oublié à qui elles appartenaient. Il y avait pas mal d'argent à gagner si on savait y faire et qu'on ne craignît pas de prendre des raccourcis.

En matière de raccourcis, de Suza était passé maître. Étrangement, il n'avait jamais eu affaire à la justice, bien qu'il eût vendu quelques objets louches et sans nul doute refilé, pour des sommes exorbitantes, des faux flambant neufs à des acheteurs naïfs. On lisait d'ailleurs sur sa fiche le nom d'un sculpteur de Gubbio qui avait travaillé pour lui à l'occasion. Il y avait bien longtemps, certes, mais chassez le naturel…

Elle en prit note d'un air songeur. Dommage que les renseignements soient si maigres. Sûr que, si en ouvrant une caisse vous vous apercevez que vous avez versé quatre millions de dollars pour un faux, il y a des chances que ça vous agace. Et que vous exigiez le remboursement.

James Langton, l'agent romain du Moresby, qui depuis un certain nombre d'années pillait sans relâche les galeries et les collections du pays afin de fournir le musée, était sans aucun doute la personne par qui commencer. Flavia consulta sa montre et calcula qu'il devait être de retour. Elle ouvrit l'annuaire, trouva l'adresse et appela un taxi.

Il ne fut pas facile cependant d'alpaguer Langton. Il était allé tout droit au lit et rechignait clairement à en sortir. Flavia dut appuyer sans discontinuer sur la sonnette avant qu'il daigne apparaître, de très mauvaise humeur, débraillé et en piteux état. Ça, c'était son problème à lui ; elle, elle avait une tâche à accomplir. Elle l'abreuva de termes officiels jusqu'à ce qu'il accepte de s'habiller ; puis, prise de pitié, elle l'emmena boire un café. L'air frais parut l'aider à se réveiller quelque peu.

« C'est horrible, horrible ! s'exclama-t-il tandis qu'ils gagnaient une petite place où se trouvait un café miteux. Ça faisait des années que je connaissais le vieux Moresby. Être assassiné de la sorte ! Y a-t-il du nouveau ? Est-ce qu'on a déjà arrêté de Suza ? »

Flavia répondit par la négative mais demanda pourquoi, selon lui, on voulait arrêter de Suza. Il ne voyait pas qui d'autre aurait pu faire le coup, dit-il.

Il s'interrompit pour commander un café. Un déca, insista-t-il. La caféine lui donnait des palpitations.

« C'est un peu en dehors de votre terrain d'opérations, pas vrai ? Je croyais que votre domaine c'était le vol d'objets d'art.

— En effet. Mais on en a volé un. Votre Bernini. Mis à part le lien avec le crime, nous avons toutes les raisons de croire que ce buste a sans doute quitté le pays illégalement. Si c'est le cas, nous voulons le récupérer. Vous connaissez aussi bien que moi, j'en suis certaine, les lois concernant l'exportation des œuvres d'art.

— Alors, que voulez-vous savoir ?

— D'abord, les renseignements habituels, si vous n'y voyez pas d'inconvénient. Je vais vous faire la lecture... Arrêtez-moi si je me trompe... James Robert Langton, de nationalité britannique, né en 1941, études à l'université de Londres, a travaillé comme négociant avant d'être employé par Arthur Moresby en 1972. C'est exact jusque-là ? »

Il opina du chef.

« Conservateur de la collection Moresby à Los Angeles jusqu'à il y a trois ans, puis premier acheteur basé à Rome. »

Il hocha la tête de nouveau.

« Il y a quelques semaines, vous avez acheté un buste censé être une œuvre de Bernini...

— C'en est une.

— Censé représenter le pape Pie V.

— C'est le cas.

— Où l'avez-vous trouvé ? Dans quel état était-il ?

— Il était parfait. Authentique, sans conteste. En excellent état. Je peux vous remettre mon compte rendu, si vous le désirez.

— Merci. J'aimerais beaucoup le voir. D'où venait ce buste ?

— Eh bien ! fit-il. Ça, c'est un peu compliqué.

— Pourquoi donc ? »

Langton prit la mine de quelqu'un dont la discrétion professionnelle risquait d'être mise en péril.

« C'est confidentiel, répondit-il enfin. (Flavia attendit qu'il poursuive.) Les propriétaires ont beaucoup insisté. J'ai cru comprendre qu'il s'agissait d'une affaire de famille. »

Flavia déclara que, bien que d'ordinaire très sensible aux problèmes familiaux, elle exigeait de connaître l'origine du buste. Discrétion garantie. Comme il ne semblait toujours pas convaincu, elle l'informa que, s'il souhaitait poursuivre sa carrière en Italie, il devrait faire renouveler son permis de séjour dans quelques mois. Elle lui sourit de l'air suave qui indique qu'on a le pouvoir de rendre le ministère de l'Intérieur peu coopératif. Non pas qu'elle ait eu ce pouvoir et d'ailleurs cela ne produisit guère d'effet. Il projetait de quitter bientôt le pays pour retourner vivre en Amérique. La menace d'expulsion ne l'impressionnait pas. Alors Flavia tenta le style copain-copain.

« Écoutez, monsieur Langton, commença-t-elle de sa voix la plus douce, vous savez aussi bien que moi que le coup du vendeur inconnu est le plus vieux du monde pour couvrir la vente d'un article de contrebande. À moins que vous ne souhaitiez que nous remontions la filière jusqu'à la poussière de marbre sous les ongles du Cavalier Bernin, vous avez intérêt à nous dire d'où vient ce buste. Autrement on va vous harceler jusqu'à ce qu'on le récupère. »

Étrangement, cette méthode ne marcha pas non plus. Que faire d'autre ? Il se contenta de lui sourire et de secouer la tête lentement. Plus elle insistait, semblait-il, plus il se détendait. Bizarre…

« Je ne peux pas vous empêcher de faire une enquête, répliqua-t-il d'un ton rogue, mais je suis absolument certain que vous ne trouverez aucun élément vous permettant de m'incriminer. Je l'ai acheté en bonne et due forme et le musée l'a payé à son arrivée aux États-Unis. En ce qui concerne son exportation en contrebande, eh bien, soit ! vous avez raison. Je l'admets volontiers. De Suza l'a fait sortir du pays et le buste appartenait toujours aux précédents propriétaires jusqu'à son arrivée au musée. Ces derniers et de Suza sont coupables, pas moi. C'est pourquoi je ne vais pas vous révéler leur identité. Et, franchement, vous n'y pouvez plus grand-chose. »

À ces mots, Flavia tressaillit de colère. Car Langton avait fondamentalement raison. On ne pouvait qu'infliger une amende pour contrebande au propriétaire – si on parvenait jamais à l'identifier – et peut-être à de Suza pour complicité, si on le retrouvait lui aussi. Puisque le buste n'avait pas été payé avant son arrivée aux États-Unis, jusque-là il était toujours le bien de l'ancien propriétaire. Le musée n'avait absolument rien fait d'illégal. Cela suffisait pour que Flavia souhaite que le musée ne le récupère pas.

« Acceptez-vous au moins de confirmer qu'Hector l'a transporté ? »

Langton le fit avec grand plaisir.

« Mais, puisqu'il ne savait pas ce que c'était, vous ne pouvez rien lui reprocher, dit Flavia.

— Un contrat est un contrat, riposta Langton. En outre, vous ne pensez pas vraiment qu'Hector est naïf à ce point, n'est-ce pas ? »

Très énervée, Flavia tambourina sur la table. Elle fit une nouvelle tentative :

« Écoutez, ce n'est pas vous qui nous intéressez, vous le savez, ni cette famille non plus, et nous n'avons pas l'intention de faire un procès à quiconque. Nous devons récupérer le Bernini, mais nous voulons avant tout aider la police de Los Angeles à résoudre le meurtre de Moresby. Votre patron, après tout. Sa mort est liée à ce buste. Alors pourquoi ne pas simplement nous dire qui vous l'a procuré ? »

Langton secoua lentement la tête.

« Désolé, fit-il, un vague sourire jouant à nouveau sur ses lèvres, impossible. Vous perdez votre temps en essayant de me forcer.

— Vous n'êtes pas très coopératif, vous savez.

— Et pourquoi le serais-je ? Si je pensais que dénoncer cette famille pouvait servir à quelque chose, je me mettrais en quatre pour vous aider. Mais je ne peux rien dire ni rien faire. C'est la raison pour laquelle je suis de retour ici. Les policiers de Los Angeles n'avaient pas besoin de mes services. Je leur ai dit que j'avais acheté le buste, que de Suza l'avait transporté, que j'avais assisté à la soirée et que je n'avais rien vu d'anormal. Les caméras leur ont confirmé qu'au moment critique j'étais assis sur un bloc de marbre, en train de fumer une cigarette, et que par conséquent je n'avais pas pu commettre le moindre crime. Et c'est tout ce que j'ai à vous dire, à vous aussi.

Vous indiquer l'origine du buste n'aurait aucun sens et aboutirait seulement à compromettre ma réputation d'intégrité professionnelle.

— Parce que vous en avez une ? »

Il ricana.

« En effet. Et j'ai bien l'intention de la préserver. Alors, mêlez-vous de ce qui vous regarde ! »

D'une chiquenaude il fit tomber un peu de cendre de sa veste, puis se leva.

« Heureux d'avoir fait votre connaissance. »

Sur ces paroles ironiques il prit congé, laissant à Flavia le soin de régler l'addition.

La cause est entendue, se dit-elle. Elle plaça l'argent sur la table et s'éloigna en faisant claquer ses talons. J'aurai sa peau. Et ce buste.

Retour à la case départ. Elle regagna immédiatement son bureau et commença à appeler de vieux amis, des gens à qui elle avait rendu service et d'autres à qui elle était prête à devoir quelque chose.

Ce qu'elle recherchait, c'était toute mention officielle de Moresby ou de Langton. Il n'y avait pas grand-chose, sauf un dossier sur Moresby détenu par le service de renseignements, lequel, comme d'habitude, n'était guère disposé à laisser les étrangers à la maison compulser leurs fichiers. Elle ne progressa dans ses recherches que lorsqu'elle sollicita l'aide de Bottando. Il se rappela qu'un haut fonctionnaire de ce service avait jadis illégalement vendu un Guardi par l'intermédiaire d'une salle des ventes de Londres et que la section de Bottando avait étouffé l'affaire sous une pile de paperasses.

« Appelez-le et rafraîchissez-lui la mémoire, s'empressa-t-il de dire en notant que les joues de la jeune femme avaient repris un peu de couleur et qu'elle retrouvait son sens de l'humour. Vous voyez, vous qui êtes si prompte à la critique lorsque j'agis de la sorte, vous vous rendez compte maintenant à quel point ça peut servir. »

Voire ! Flavia pensait que le fonctionnaire aurait dû être traîné devant les tribunaux, mais ce n'était guère le moment de protester.

À la seconde tentative, le service de renseignements promit le dossier pour l'après-midi.

Ce résultat obtenu, elle se cala dans son fauteuil et réfléchit. Bernini… Comment apprendre quelque chose sur ce buste ? Réponse : en parler à un spécialiste du sculpteur. Et où trouver un spécialiste ? Réponse : dans le musée qui possède un grand nombre de ses œuvres.

Elle prit sa veste, sortit sur la place ensoleillée et héla un taxi.

« Au musée Borghèse, s'il vous plaît. »

Le musée Borghèse, l'un des plus beaux musées du monde, pas grandiose au point de donner une indigestion, mais où chaque objet est une merveille, avait eu pour point de départ la collection de la famille Borghèse, dont l'un des membres, Scipion, fut le premier et le plus enthousiaste mécène du Cavalier Bernin. En fait, c'était un admirateur si passionné que le musée est plein à craquer d'œuvres du sculpteur. À telle enseigne qu'on est stupéfait de découvrir que les couverts du salon de thé n'ont pas été, eux aussi, façonnés par la propre main de Bernini.

À l'instar de n'importe quel musée, le Borghèse loge ses employés moins luxueusement que ses collections. Les blocs de marbre ont droit aux stucs, aux dorures et aux plafonds recouverts de peintures, tandis que le personnel occupe de petites cages à lapin miteuses jadis réservées aux domestiques de second rang. En ce domaine, au moins, les priorités des musées sont à peu près semblables dans le monde entier. Flavia se retrouva en train de poser ses questions dans un bureau exigu, sombre et sinistre.

Comme il fallait s'y attendre, le spécialiste de Bernini attaché au musée passait une année sabbatique à Hambourg, même si personne ne savait avec précision ce qu'il y faisait. Son adjoint assistait à un séminaire à Milan et l'adjoint de l'adjoint avait disparu dès onze heures et n'était pas encore revenu. Pour le moment, la seule personne qui pouvait à la rigueur faire fonction d'expert attitré était un jeune stagiaire étranger du nom de Collins, qui travaillait bénévolement avant d'utiliser son expérience (et ses relations) pour obtenir un poste dûment rémunéré.

Dès les présentations terminées, il ne cacha pas que son domaine c'était plutôt la peinture hollandaise du XVIIe et que la sculpture n'était pas son point fort. Il remplaçait seulement tous ceux qui étaient en vacances, oh pardon ! en sabbatique. Mais il était tout disposé à faire ce qui était en son pouvoir, du moment que ce n'était pas trop compliqué.

« Il s'agit de Bernini, dit Flavia, résignée.

— Ah ! fit-il.

— Je pense qu'un buste de Pie V a peut-être quitté le pays illégalement et je voudrais obtenir le plus de renseignements possible à son sujet. Le nom des propriétaires. Les divers endroits par où il est passé. Ce serait bien aussi s'il y avait une photo.

— Pie V ? releva-t-il, soudain intéressé. Est-ce que ça a un rapport avec le meurtre de Moresby qui fait la manchette de tous les journaux ? »

Elle hocha la tête. Évidemment. Bien sûr.

La nouvelle galvanisa Collins. Il bondit hors de son siège et gagna la porte. Il allait se colleter avec les fichiers et serait de retour le plus vite possible.

« Ça pourrait prendre un certain temps, dit-il en s'éclipsant. Cet endroit regorge de Bernini. Et ces fichiers... Disons seulement qu'on pourrait les organiser un peu mieux. Le conservateur qui les a établis préférait tout garder dans sa tête. Et il est mort l'année dernière sans avoir légué à quiconque la clé de son système. »

Flavia resta assise et admira la vue, après avoir décidé qu'une nouvelle tasse de café ne serait peut-être pas une très bonne idée. Son estomac était tolérant, mais il avait ses limites.

Collins revint plus vite que prévu en brandissant d'un air triomphal un mince dossier marron.

« Un coup de chance ! J'ai quelque chose pour vous !

Bien plus que je ne l'aurais cru, en fait. Ça ne date pas d'hier, mais il n'y a rien d'autre. »

Flavia brûlait d'impatience.

« Ça ne fait rien. Tout renseignement sera utile. Jetons-y un coup d'œil ! »

Il ouvrit le dossier et Flavia vit que celui-ci ne contenait que deux antiques feuillets, tout moisis et couverts de pattes de mouche presque illisibles.

« Tenez ! C'est assez curieux, du reste. Il semble que le buste ait fait un bref séjour au musée en 1951. Ce feuillet concerne une expertise du buste, supposé être celui de votre pape, Pie quelque chose, par le Cavalier Bernin. C'est la police des douanes qui l'avait apporté pour examen. »

Il leva les yeux vers Flavia qui le fixait d'un regard vide.

« C'est daté du 3 septembre 1951, reprit-il. Le compte rendu est très enthousiaste et la description fort détaillée. L'expertise conclut que le buste est sans conteste de la main du grand maître et qu'il s'agit d'une œuvre d'importance nationale. D'accord ? »

Flavia lui arracha pratiquement le document des mains et l'éplucha comme si elle avait du mal à croire à son authenticité.

« Vous constaterez qu'il y a une bizarre annotation à la fin. »

Collins retourna le feuillet et désigna une phrase écrite de la même minuscule écriture serrée. Flavia la déchiffra.

« "Sorti du musée par E. Alberghi. 9 septembre 1951." Et c'est signé. Qu'est-ce que ça signifie ?

— Ce que ça dit. En gros, que le musée a décidé qu'il n'en voulait pas, et Alberghi en a autorisé la sortie.

— Mais qui est Alberghi ?

— Enrico Alberghi, le conservateur des sculptures pendant de nombreuses années. C'est l'homme qui a organisé le fichier. Une sommité. Caractère de cochon, paraît-il, mais spécialiste hors pair. Il n'a jamais commis une seule erreur, par contre c'était un vrai tyran. Un comme on n'en fait plus : collectionneur et connaisseur à la fois. Aujourd'hui, on est tous beaucoup trop fauchés, mais…

— Un instant… Que collectionnait-il ? »

Le jeune homme haussa les épaules.

« Pas la moindre idée. C'était avant mon arrivée ici. Mais il était spécialiste de sculpture baroque.

— Alors, parlez-moi de ce rapport. Qu'est-ce qu'il signifie ? »

Il haussa de nouveau les épaules.

« J'en sais absolument rien. C'est pas du tout mon domaine. Tout ce que je peux vous dire c'est ce qui saute aux yeux : Alberghi a estimé que le buste était authentique, mais le musée ne l'a pas gardé.

— Il aurait pu le faire ? »

Collins émit un petit grognement.

« Je ne suis vraiment pas la personne la plus compétente pour vous répondre, insista-t-il. Mais si je comprends bien la loi italienne, oui. Si on découvre qu'un objet quitte le pays illégalement on peut le saisir. Alors les musées peuvent essayer de l'acquérir, sinon on le vend.

— Est-ce que ce musée n'aurait pas eu envie d'acquérir un Bernini de plus ? »

Il haussa encore une fois les épaules.

« J'aurais cru que oui. Mais, à l'évidence, ça n'a pas été le cas. Ce document est un peu vague. Il n'est pas impossible qu'Alberghi l'ait acheté lui-même... En tout cas, le buste n'a pas été rendu au propriétaire.

— Et qui était le propriétaire ? »

Il prit le dossier et lui tendit l'autre feuillet. C'était la copie carbone d'une lettre tapée à la machine, datée d'octobre 1951, et disant que, vu les circonstances, dont le propriétaire n'était que trop conscient, le buste ne lui serait pas restitué et que l'affaire était close.

La lettre était adressée à Hector de Suza.

« Tout ça est fort intéressant, déclara Bottando, en se grattant le ventre pendant qu'il réfléchissait à ce que Flavia venait de lui apprendre. Donc, vous pensez que l'Alberghi en question a tellement aimé ce buste qu'il l'a fourré dans sa serviette et ramené chez lui, lieu où l'objet est resté jusqu'à ce qu'il y soit piqué il y a un mois ?

— Je n'en sais rien, mais c'est là une étrange coïncidence. Je peux affirmer avec certitude que de Suza possédait un Bernini en 1951 et que cette sculpture a été saisie. Qu'est-ce qui s'est passé après ? Je n'en ai pas la moindre idée. Il se peut qu'il l'ait récupérée par la suite et qu'il ait attendu une autre occasion.

— Ça semble pourtant assez peu probable, non ? de la part d'un type comme de Suza. Un vrai Bernini est une mine d'or et il n'était pas très riche. Je ne le vois pas rester assis sur un tel trésor inexploité pendant quarante ans ou à peu près.

— Sauf s'il craignait d'attirer l'attention en le vendant. Ça pourrait être une explication. Il se peut qu'il ait attendu la mort d'Alberghi.

— Oui. Mais, en fait, vous n'y croyez pas, n'est-ce pas ?

— Pas réellement. Morelli pense que de Suza a été surpris par l'annonce du directeur. Il semble plus probable que cette famille terriblement secrète soit un écran de fumée et que le buste vienne de Bracciano. Il faut maintenant découvrir l'auteur du vol.

— Et la chronologie ? Ça colle ? »

Elle ramassa ses notes et les lui tendit. D'un geste, Bottando les refusa. Il la croyait volontiers sur parole.

« À la perfection, il me semble, répondit-elle. D'après mes calculs, le cambriolage a eu lieu quelques semaines avant que la caisse quitte le pays. La chronologie colle à merveille.

— Que de Suza soit le propriétaire ou le voleur du Bernini, il ne devrait pas avoir été surpris par son apparition au musée Moresby.

— Il se peut que l'annonce publique l'ait inquiété, vu qu'Argyll était présent. Après tout, Jonathan m'a tout de suite téléphoné pour m'apprendre la nouvelle. »

Bottando réfléchit à la question tout en regardant par la fenêtre la grosse horloge de l'église Sant' Ignazio qui s'élevait juste en face.

« Et si votre Jonathan n'avait pas été là, on n'aurait

peut-être jamais été mis au courant. Voilà une belle coïncidence ! Seul problème, l'héritier d'Alberghi ne peut pas préciser ce qui a été volé. Pour l'identifier il nous faudra attendre que les Américains récupèrent la sculpture. »

Flavia acquiesça.

« Ce que ça n'explique pas, cependant, c'est la raison pour laquelle il a été volé une seconde fois. Ça n'a vraiment aucun sens. Or, s'il s'était agi d'un faux...

— Est-ce qu'on est sûrs que ce n'en était pas un ? demanda négligemment Bottando, sans quitter l'horloge des yeux. Je veux dire que la seule indication que nous ayons, c'est un rapport d'expertise rédigé il y a quarante ans par quelqu'un qui est mort – fort à propos, m'est avis – l'année dernière. Ne m'avez-vous pas dit que de Suza fréquentait de longue date un certain sculpteur ?

— Oui. Un dénommé Borunna, à Gubbio. C'est exact. La fiche le dit, en tout cas.

— Allez lui rendre visite. Ça vaut le coup d'analyser l'affaire sous tous les angles. Entre-temps, je vais charger quelqu'un d'étudier les catalogues des ventes aux enchères et les transactions des négociants. Pour voir si un objet volé chez Alberghi a refait surface. C'est une perte de temps, à mes yeux, mais on ne sait jamais. »

Flavia se leva pour partir.

« J'irai le voir demain, avec votre permission. Pour le moment, je suis un peu claquée. »

Il la fixa un instant puis hocha la tête.

« Très bien. Rien ne presse. Peut-être pourriez-vous quand même aller jeter un coup d'œil à l'appartement de

De Suza, si vous en avez envie. Je ne veux pas que vous vous ennuyiez.

— Y a-t-il du nouveau en Amérique ? »

Bottando fit non de la tête.

« Pas vraiment. J'ai reparlé à Morelli, mais il n'avait pas grand-chose à ajouter. Votre Argyll se remet gentiment. Apparemment, il n'est pas responsable de l'accident. Le câble du frein a cédé. Aussi simple que ça. Est-ce que par hasard vous auriez un passeport ?

— Évidemment ! Et vous le savez fort bien. Pourquoi cette question ?

— Oh ! pour rien, pour rien. C'est juste que je vous ai réservé une place à bord d'un avion à destination de Los Angeles pour demain. Vous aurez le temps d'aller à Gubbio auparavant. J'ai pensé qu'il valait mieux que vous alliez récupérer vous-même le buste. Ça vous sortira un peu du bureau. »

Elle lui lança un regard soupçonneux, mais il lui répondit par un charmant et innocent sourire.

Flavia indiqua à son troisième chauffeur de taxi de la journée l'adresse d'un immeuble situé dans une rue donnant dans la via Veneto. Un négociant en œuvres d'art dont on avait perdu la trace ne se trouvait pas pour le moment chez lui et son appartement était aussi bien protégé que l'ambassade américaine située au bas de la rue.

Mais le concierge possédait un trousseau de clés. Flavia n'eut aucun mal à persuader cet homme de le lui confier, même s'il ne fut pas le moins du monde impressionné par le mandat de perquisition qu'elle venait d'établir à son propre nom sur le siège arrière du taxi. Elle le déchargea également du courrier pour avoir quelque chose à lire dans l'ascenseur.

Le courrier de De Suza ne révéla pas grand-chose. Elle apprit seulement que, la facture n'ayant pas été réglée, on risquait de lui couper l'électricité, qu'on exigeait qu'il coupe sa carte American Express en deux et qu'il en renvoie les deux moitiés à l'organisme, et, enfin, qu'il avait bizarrement négligé de payer la note d'un tailleur.

Une fois venue à bout de l'impressionnante série de verrous de la porte blindée, elle commença sa fouille. Ne sachant par où débuter, elle employa d'abord la technique impressionniste, passant d'une chose à l'autre et examinant tout ce qui éveillait son imagination, surtout curieuse de découvrir ce qui se trouvait sous le lit. Pas le moindre mouton. Voilà une personne soignée ! conclut-elle. L'espace sous son lit à elle avait l'air d'un énorme nuage de poussière.

Puis elle décida de procéder avec davantage de méthode, fouillant en premier le bureau Empire marqueté, passant ensuite au classeur, avant de se livrer à des recherches plus aléatoires le long des montants des divans vénitiens dorés ou derrière les objets d'époque baroque accrochés aux murs.

Ni l'impressionnisme ni le professionnalisme ne produisirent rien qui justifiât son ardeur à la tâche. La seule conclusion à laquelle elle parvint, c'est qu'Hector de Suza était un piètre homme d'affaires. La façon dont il tenait ses comptes s'avéra on ne peut plus fantaisiste. Ses achats étaient notés au dos de paquets de cigarettes, qui étaient ensuite aplatis et rangés. Ses biens – à part ceux sur lesquels on s'asseyait ou qui étaient suspendus aux murs – semblaient en gros se résumer à une liasse de billets moyennement épaisse fourrée au fond d'un tiroir. Ses relevés de banque révélaient d'incompréhensibles et fantastiques fluctuations, mais rien de colossal suggérant qu'il venait de recevoir plusieurs millions de dollars. Cela confirmait les vérifications effectuées par Bottando auprès de diverses banques. Il n'avait trouvé aucune trace de compte numéroté en Suisse, et le gérant de la banque romaine à qui il avait demandé si de Suza avait récemment déposé une énorme somme d'argent avait répondu par un immense éclat de rire. Le moindre dépôt, avait-il précisé, aurait plutôt été une nouveauté. À part ça, il y avait un petit dossier étiqueté « Stock », mais il ne contenait aucune note concernant un Bernini. Pas même un Algardi.

Que lui révéla cette fouille, en fin de compte ? Que de Suza n'appartenait pas au gratin des négociants... L'appartement était assez petit et le mobilier n'avait pas une grande valeur. On mesure l'importance d'un négociant en œuvres d'art à la qualité de ses sièges. Ceux d'Argyll, d'après ses souvenirs, laissaient échapper leur bourre. De Suza, lui, gagnait raisonnablement sa vie, si l'on considérait que l'essentiel de ses revenus passait à l'as et n'apparaissait jamais dans ses livres de comptes. Personne ne pouvait vivre avec les minuscules rentrées d'argent enregistrées officiellement pour être déclarées au service des impôts. C'était un fournisseur d'objets de milieu de gamme pour collectionneurs de moyenne catégorie. En conclusion, il ne s'agissait pas du genre de marchand qu'on s'attendait à voir négocier des œuvres d'art majeures auprès d'une institution comme le Moresby. Pas plus qu'Argyll d'ailleurs.

Et, pourtant, ils étaient tous les deux là-bas en train de faire affaire avec ce musée. Était-ce significatif ? Probablement pas. En tout cas, pas pour le moment. Mais c'était une belle coïncidence, comme l'avait remarqué Bottando. En attendant, Flavia relégua cette constatation au fond de son esprit, au cas où elle pourrait servir plus tard.

7

Jonathan Argyll se réveilla avec un terrible mal de crâne. Il fixa le plafond pendant un bon quart d'heure, tout en se demandant où il était. Il mit un certain temps à reprendre ses esprits, à classer ses pensées avant d'aboutir à une conclusion satisfaisante expliquant pourquoi il ne se trouvait pas au fond de son lit dans son appartement romain.

Il procéda par associations d'idées. D'abord, il se rappela la vente de son Titien, puis son retour imminent à Londres qui en découlait. La recherche de la cause originelle ramena le souvenir du musée Moresby qui le conduisit directement à de Suza, au vol et au meurtre.

Il poussa un faible gémissement lorsque, pour se venger de l'avoir fait travailler si dur et de si bon matin, sa tête lui infligea une soudaine et vive douleur.

« Ça va ? » demanda une voix qui provenait d'un endroit hors de son champ de vision, quelque part sur la droite. Il réfléchit et tenta de déterminer à qui appartenait la voix. Non, conclut-il, il ne la reconnaissait pas.

Pour toute réponse il émit un vague grognement.

« Vous avez eu un sacré accident ! continua la voix. Vous devez être fou de rage. »

Il réfléchit à nouveau. Un accident… Tiens ! Non, en fait, il n'était pas fou de rage. En tout cas, il ne le serait pas s'il cessait d'avoir mal à la tête. C'est pourquoi il marmonna qu'il allait bien, et merci d'avoir pris de ses nouvelles.

La voix eut une exclamation de reproche et déclara que ce manque de réaction était dû au syndrome post-traumatique. Dès qu'il serait un peu mieux réveillé, il serait réellement fou de rage. Argyll avait plutôt la peau dure et se mettait très difficilement en colère, mais il ne se donna pas la peine de contredire la voix.

« Et alors, reprit celle-ci, je suis sûr que vous ne voudrez pas en rester là.

— Mais pour quelle raison ? murmura Argyll.

— Vous le devez à la communauté.

— Ah ! fit le jeune homme.

— Des voitures dans cet état, sur la route. Ça ne devrait pas être permis. Il faut empêcher ces gens d'agir, ou ils vont tous nous tuer. C'est une honte, et vous avez là l'occasion de nous aider à rendre plus sûres les routes de Californie. Je serais content d'apporter mon concours.

— Très aimable à vous, répondit Argyll qui n'avait envie que d'aspirine, de café et de cigarettes.

— Ce serait un grand plaisir.

— Mais, dites donc, qui êtes-vous ? » demanda une autre voix qui, elle, venait de la gauche. Son ton était un peu plus familier. Argyll envisagea d'ouvrir les yeux et de tourner la tête pour voir à qui elle appartenait mais conclut que c'était au-dessus de ses forces.

Bercé par un reposant murmure, il songea à se rendormir. Que c'est merveilleux le sommeil ! se dit-il, au moment où les deux voix montaient de plusieurs tons.

L'une des voix, la numéro deux, disons, rouspétait, accusant la voix numéro un d'agir en charognard. Celle-ci se présenta : Josiah Ansty, avocat, spécialisé dans les accidents d'automobiles, notamment en matière de dommages et intérêts. Si la voix numéro deux n'avait pas loué des véhicules dans un état lamentable, on ne lui aurait fait aucun procès. Il allait falloir passer à la caisse.

Ce dialogue nourrit les réflexions d'Argyll. Il reconnut la voix numéro deux comme étant celle de Chuck, l'homme qui lui avait loué la belle Cadillac de l'année 1971, laquelle, se souvint-il, avait défoncé la vitrine d'une boutique. L'autre point concernait un procès. Qui donc avait évoqué cette éventualité ?

La conversation continuait cependant par-dessus son corps prostré. La voix de Josiah Ansty affirmait que le câble du frein était en très mauvais état.

À ce moment, Chuck lui coupa la parole pour s'exclamer que tout ça c'était de la foutaise. Il s'était lui-même occupé de la voiture pas plus tard que la semaine dernière. Le câble du frein en question était vissé très serré à l'aide d'un double écrou. Il n'avait pas pu se détacher. C'était totalement impossible.

Ansty déclara que ça prouvait seulement sa coupable incompétence et il poursuivit en exigeant qu'on arrête de lui donner des coups de doigt dans la poitrine comme ça.

Chuck répondit en traitant Ansty de petit salaud. Du fond de sa somnolence, Argyll perçut quelques vagues grognements et bruits d'échauffourée suivis par une voix très lointaine qui hurlait que ces rixes d'ivrognes devaient cesser immédiatement, qu'on était dans un hôpital et pas dans un tripot.

Ah ! pensa-t-il, tandis qu'un cri de douleur aigu accompagnait le fracas et le cliquetis produit par la chute d'un plateau plein d'instruments chirurgicaux, je sais où je suis. À l'hôpital.

Ah ! très bien, se dit-il, avant de s'assoupir à nouveau pendant que des voix appelaient la police, maintenant, je comprends.

« Ça va ? » entendit-il tandis qu'il refaisait surface, plusieurs heures plus tard.

Oh non ! ça n'allait pas recommencer !

« Il paraît que vous avez causé tout un remue-ménage. »

Ce coup-ci, il reconnut la voix. C'était celle de l'inspecteur Morelli. Pour la première fois, il ouvrit les yeux – tout semblait plus ou moins flou – et tourna la tête sans le regretter.

« Moi ?

— On s'est battu ici toute la matinée. Votre corps était l'enjeu de la bagarre entre un avocat et un loueur de voitures. Ils ont bien failli tout casser. Vous ne vous en êtes pas aperçu ?

— Vaguement. Ça me rappelle quelque chose. Qu'est-ce que fabriquait là un avocat ?

— De vraies hyènes, ces types-là. Ils sont à l'affût de toutes les occasions. Mais comment allez-vous ?

— Bien, je crois. Voyons un peu... (Il vérifia que tout se trouvait bien en place.) Qu'est-ce qu'elle a, ma jambe ?

— Cassée. Fracture nette, paraît-il. Rien de grave. Il vous faudra laisser tomber le jogging quelque temps.

— Dommage.

— Vous n'aurez pas de séquelles, en tout cas. Je venais seulement prendre de vos nouvelles. Pour pouvoir faire un compte rendu à votre petite amie.

— Qui ?

— L'Italienne. Depuis deux jours elle rend dingue tout le service par ses coups de téléphone incessants. Toute la brigade criminelle l'appelle maintenant par son petit nom. Elle est folle de vous, hein ?

— Vraiment ? » demanda Argyll fort intéressé.

Morelli ne prit pas la peine de répondre. Ça lui paraissait assez évident.

« Bon. Puisque vous allez mieux, je vais vous laisser vous reposer.

— Un double écrou », fit Argyll, un vague souvenir lui revenant en mémoire.

Morelli eut l'air surpris.

« Le câble du frein n'aurait pas pu se détacher tout seul. C'est ce que je viens d'apprendre.

— Ouais... En effet. J'allais vous dire que...

— Ce qui signifie..., poursuivit Argyll en se concentrant. Au fait, qu'est-ce que ça signifie ? »

L'inspecteur se gratta le menton. Bizarre. L'homme ne semblait jamais se raser.

« Eh bien ! reprit-il, avec les collègues, on a eu l'impression qu'il n'est pas impossible que quelqu'un ait un peu tiré dessus.

— Ce serait plutôt bête. J'aurais pu être blessé. Je ne vois pas qui aurait pu faire une chose pareille.

— Et la personne qui a tué Hector de Suza ? et Moresby ? et qui a volé le buste ?

— Que voulez-vous dire ?

— On a retrouvé le corps de De Suza ce matin. Il a été tué par balle. »

Argyll fixa sur l'inspecteur un regard incrédule.

« Vous ne parlez pas sérieusement ? »

Morelli hocha la tête. Un long silence s'ensuivit.

« Ça va ? finit par demander l'inspecteur.

— Hein ? Oh ! oui..., commença Argyll, avant de se raviser. En fait, non. Ça ne va pas. Je n'ai jamais imaginé que quelque chose ait pu arriver à ce pauvre type. Il n'est pas du genre à se faire tuer. Pourquoi diable voudrait-on tuer Hector ? Je ne l'aimais pas beaucoup, mais il faisait partie du paysage et il était plutôt inoffensif. Sauf, bien sûr, si on lui achetait quelque chose. Le pauvre bougre... »

Naturellement, Morelli, lui, n'était guère choqué. Au cours de sa carrière, il avait vu les restes mortels de toutes sortes de victimes d'assassinat : gens sympathiques, salauds, vieux, jeunes, riches, pauvres, saints et pécheurs. De Suza n'était qu'une victime de plus et qu'il n'avait, du reste, jamais rencontrée en personne.

Argyll sortit de ses tristes pensées pour demander des détails supplémentaires. Morelli lui épargna les plus atroces. Il s'était levé de bon matin afin de se rendre dans le petit bois où le cadavre avait été découvert sous quelques centimètres de terre, et il l'avait trop en mémoire pour oser en faire la description au jeune Anglais dans l'état délicat où il se trouvait.

« C'est assez difficile à déterminer, mais les médecins légistes pensent qu'il a dû mourir moins de vingt-quatre heures après sa disparition. Une seule balle dans la nuque. Il n'a absolument rien senti.

— On dit toujours ça. Cette formule ne m'a jamais vraiment convaincu, moi. Personnellement, j'ai le sentiment que recevoir une balle dans le corps fait mal. Vous savez d'où venait l'arme du crime ?

— Non. Il s'agit d'un petit pistolet. On l'a retrouvé au milieu des broussailles, à deux pas du corps. On n'en sait pas plus pour le moment, sauf que c'est sans doute avec cette même arme que Moresby a été tué lui aussi. On en apprendra davantage tôt ou tard.

— Et je suppose que c'est moi qui serai chargé de rapatrier le corps à Rome, dit Argyll, l'air songeur. C'est bien ma chance.

— Vous pensez que c'est une bonne idée ? demanda Morelli en se tâtant la gencive d'un doigt prudent.

— Ça vous fait toujours mal ? »

L'inspecteur fit oui de la tête.

« Hum ! Ça a l'air d'empirer. Quelle barbe !

— Vous devriez aller voir un dentiste. »

L'inspecteur grommela.

« Et quand ? Je suis débordé à cause de ce meurtre. De plus, vous connaissez le délai que demandent les dentistes avant de vous recevoir ? C'est plus facile d'obtenir une audience auprès du pape. Pourquoi vous sentez-vous responsable de De Suza ? »

Argyll haussa les épaules.

« Je n'en sais rien. Mais c'est comme ça... Hector ne me le pardonnerait jamais si je l'abandonnais ici. Il était Romain jusqu'au bout des ongles et c'était un esthète. Je ne crois pas du tout que les cimetières de Los Angeles seraient de son goût.

— Nous avons d'excellents cimetières.

— Oh ! j'en suis persuadé. Mais il était très difficile. Je ne sais pas s'il avait la moindre famille, d'ailleurs. »

Il faut de tout pour faire un monde... Morelli était beaucoup moins sentimental. De plus, Argyll pensait qu'il se devait d'organiser une cérémonie d'adieux à ce cher vieux dans le style que l'Espagnol affectionnait. Une messe de requiem en bonne et due forme avec tout le tralala, dans une église grandiose digne de lui, avec amis pleurant sur sa tombe, etc.

« C'est très malin de l'avoir découvert, reprit Argyll, incapable de trouver autre chose à dire pour entretenir la conversation.

— Pas vraiment. On a reçu une indication.

— De la part de qui ?

— Un braconnier, j'imagine. C'est pas la première fois que ça arrive. On souhaite déclarer qu'on a trouvé un corps, mais on ne veut pas courir le risque d'avoir affaire à la justice. »

À entendre Morelli on avait l'impression que les braconniers butaient constamment sur des cadavres.

« Ça fait sortir Hector de votre liste de suspects, pas vrai ?

— Peut-être. C'est pas certain. De toute façon, pour le moment, il nous manque au moins un assassin. Vous avez été l'un des derniers à lui parler à la soirée, n'est-ce pas ? »

Argyll opina de la tête.

« Vous vous souvenez de ce qu'il a dit ?

— Mais je vous l'ai déjà plus ou moins répété !

— Plus précisément : mot pour mot…

— En quoi cela a-t-il de l'importance ?

— Parce que, si quelqu'un a détaché le câble du frein de votre voiture, il est évident qu'on voulait vous tuer. Sauf votre respect, pourquoi diable souhaiterait-on vous tuer ? À part si vous savez quelque chose dont vous avez omis de nous faire part. »

Argyll se concentra de toutes ses forces, sans réussir à dénicher quoi que ce soit qui puisse aider à résoudre le problème.

« Il a dit qu'il allait pouvoir tout régler avec Moresby, fit-il finalement.

— A-t-il dit comment ?

— Oui.

— Alors, parlez-m'en.

— Eh bien, voyez-vous, le problème, c'est que je n'écoutais pas. Je pensais alors à quelque chose d'autre.

Et Hector est un vrai moulin à paroles. Je lui ai demandé de répéter mais il a refusé. »

Morelli lui lança un regard noir.

« Désolé.

— Et qui d'autre aurait pu entendre cette conversation ? »

Argyll se gratta la tête.

« Des tas de gens, je suppose, finit-il par répondre. Voyons un peu. Streeter, Thanet, Mme Moresby, l'avocat... Ils étaient tous là. Le jeune Jack était déjà parti, le vieux Moresby n'était pas encore arrivé...

— Mais qui était assez près pour entendre ? »

Argyll haussa les épaules. Aucune idée.

« Vous n'êtes pas le témoin idéal, vous vous en rendez compte ?

— Désolé.

— Ouais... Bon, si ça vous revient...

— J'appellerai. Je ne pense pas que ça servirait à grand-chose, de toute façon.

— Pourquoi ça ?

— Parce qu'on parlait en italien. Langton parle l'italien, mais il ne se trouvait pas dans les parages. Justement, Hector le cherchait. Je crains qu'aucun autre invité ne parle cette langue. »

Morelli ayant l'air encore plus déçu après ces précisions, Argyll changea de sujet.

« Avez-vous retrouvé le buste ? »

L'inspecteur secoua la tête.

« Non. Et je ne pense pas qu'on le retrouvera. Il a probablement été balancé dans la mer.

— C'est ridicule ! rétorqua Argyll avec véhémence. Pourquoi voler un objet si c'est pour le jeter ?

— Je n'en sais fichtre rien ! grogna Morelli.

— Mais quelqu'un a bien dû voir quelque chose !

— Et pourquoi donc ?

— Tout simplement parce qu'un buste de marbre, c'est bigrement lourd... On ne peut pas le fourrer dans sa poche et s'en aller tranquillement. Si vous titubez dans la rue avec un Bernini dans les bras, il y aura bien quelqu'un pour vous apercevoir. »

Morelli fit un sourire cynique. Ça prouvait bien l'ignorance des gens.

« Tout comme quelqu'un aurait dû remarquer un assassin en train de déambuler dans le bâtiment administratif ou entendre un coup de pistolet. Et pourtant, personne n'a rien vu ou entendu. Dans cette ville, personne ne voit rien. Il n'y a jamais personne nulle part ou alors les gens sont trop pressés de parvenir à destination. J'ai parfois l'impression que même si on volait l'hôtel de ville il n'y aurait aucun témoin.

» De toute façon, poursuivit-il en se levant pour partir, ce buste n'est pas ce qui m'intéresse le plus. Vos amis de Rome se chargent de cet aspect de l'affaire. Ils l'estiment authentique et ils ont officiellement déposé plainte auprès du Moresby pour exportation illégale d'un objet d'art. Ils vont harceler le musée jusqu'à ce qu'ils le récupèrent. Je les comprends, d'ailleurs. Votre amie fait le voyage pour tenter de le retrouver.

— Flavia ? demanda Argyll, très surpris.

— C'est bien elle. D'après ce que m'a dit le dénommé Bottando. Voilà qui va vous remonter le moral, non ? »

Argyll le remercia de cette bonne nouvelle.

« Ça va, vous ? »

Ah ! on ne peut pas dire que les entrées en matière soient très variées dans cette région du monde ! pensa Argyll avant de se tourner vers son nouveau visiteur.

« Monsieur Thanet ! » s'exclama-t-il, interloqué.

Le directeur ne semblait pas être du genre à faire la tournée des chambres d'hôpital pour apporter du raisin. Et pourtant il était là, debout près du lit d'Argyll, et fixant sur celui-ci un regard inquiet.

« Comme c'est gentil à vous de venir me voir !

— C'est bien le moins que je puisse faire. J'ai été consterné d'apprendre votre mésaventure. C'est extrêmement ennuyeux pour vous. Et pour nous, bien sûr.

— Ce n'est pas votre semaine, hein ? »

Thanet ouvrit la bouche pour dire quelque chose mais se ravisa et s'assit. Argyll le regarda attentivement. À l'évidence, l'homme était animé des meilleures intentions, désireux de consoler et de réconforter. Mais il était tout aussi manifeste que ce n'était pas ce qui allait se produire. Ayant un public captif – la jambe suspendue en l'air, Argyll aurait eu du mal à s'échapper –, le directeur paraissait vouloir se confier.

« Que se passe-t-il ? demanda Argyll, pour encourager le directeur à en venir aux faits. Vous avez l'air soucieux. »

C'était un euphémisme. En fait, Thanet avait une mine affreuse. À l'expression d'angoisse habituelle du visage s'étaient ajoutées de grosses poches sous les yeux, révélatrices de plusieurs nuits blanches. Des mouvements las ou saccadés aux gestes d'épuisement désordonnés, tout indiquait que le directeur se trouvait au bord de la crise de nerfs. Sans avoir perdu un gramme, cependant.

« Nous sommes dans une situation atroce. Vous ne pouvez pas savoir ce que nous endurons.

— Ça a l'air grave », compatit Argyll, tout en se retournant pour arranger ses oreillers et s'installer de manière plus confortable. La séance risquait d'être longuette.

Thanet poussa presque un soupir de dément.

« Je crains que le musée ne soit obligé de fermer. Et nous étions si près de boucler un projet extraordinaire. C'est horrible ! »

Ce pronostic paraissant un peu exagéré, Argyll suggéra que Thanet était peut-être trop pessimiste. Qui, après tout, avait jamais entendu parler de la fermeture d'un musée ? D'après son expérience, il suffisait d'augmenter les prix d'entrée. Il imaginait qu'avant sa mort toute l'Italie serait passée sous l'égide du Musée national.

« Mais nous sommes en Amérique ! répliqua Thanet et il s'agit d'un musée privé. C'est le propriétaire qui décide. Et, apparemment, le Moresby appartient désormais à Anne Moresby. Vous vous êtes rendu compte par vous-même en quelle haute estime elle nous tient.

— Je croyais qu'on devait établir un fonds en fidéicommis ou quelque chose du genre pour assurer votre avenir ?

— En effet. Mais M. Moresby n'avait pas encore signé les documents. Il devait l'annoncer à la soirée et apposer sa signature au cours d'une petite cérémonie le lendemain matin. Il n'a jamais signé. Jamais signé… »

Il était clair que cette omission bouleversait quelque peu Thanet.

« Mais, de toute façon, les administrateurs du musée disposent de certains fonds, non ? »

Thanet secoua la tête.

« Non.

— Aucun ?

— Pas un centime. Nous n'avons rien. Tout était payé par Moresby lui-même. C'était affreux… D'une année sur l'autre, nous ne connaissions pas le montant de notre budget. On ne savait même pas s'il y en aurait un. Chaque fois qu'on voulait acheter quelque chose il fallait s'adresser à lui, manière de nous rappeler qui était le maître. »

Il poussa un profond soupir en réfléchissant à la perte qu'il venait de subir.

« Trois milliards de dollars. C'est la somme qu'on aurait perçue s'il avait vécu vingt-quatre heures de plus et signé ces papiers.

— Pourtant il aurait bien pu changer d'avis, n'est-ce pas ? D'après son fils il était coutumier du fait. »

La seule évocation de Jack Moresby parut le chagriner, mais il concéda que c'était exact.

« Pas cette fois-ci. C'est ce qui est bien avec ce genre de fonds. Une fois établi, il n'aurait pu être annulé sans l'agrément de l'ensemble des membres du conseil d'administration. Et j'allais en faire partie.

— Et quelle est désormais la situation ?

— Catastrophique ! Anne Moresby hérite de tout.

— Et son fils ?

— Je ne peux pas prétendre m'être beaucoup préoccupé de son sort. Il va y avoir une gigantesque bataille juridique, bien sûr, mais, étant donné qu'il a été officiellement et légalement déshérité, et qu'il n'a guère d'argent pour se payer des avocats, je doute qu'il obtienne grand-chose. S'il obtient quoi que ce soit. En tout cas, sa situation n'a pas changé à cause de ce qui s'est passé.

— Et la vôtre ? »

Thanet leva les yeux au ciel pour y chercher appui.

« Que croyez-vous ? demanda-t-il amèrement. Mme Moresby a toujours laissé clairement entendre qu'elle considérait le musée comme une totale perte de temps. Quelle tragédie ! Après cinq années, je croyais qu'on allait enfin pouvoir commencer à constituer une grande collection. Et, par-dessus le marché, voilà que la police italienne nous cherche des noises à propos de ce buste ! Elle a déposé plainte pour exportation illégale, vous vous rendez compte ?

— Ce que j'aimerais connaître, moi, c'est la provenance de la sculpture. »

Thanet secoua la tête. C'était un détail secondaire, de son point de vue.

« Je n'en ai pas la moindre idée. Vous le savez bien. Il vous faudra le demander à Langton. Évidemment, il s'est éclipsé. »

Argyll le fixa d'un air incrédule.

« À qui pourrez-vous faire croire qu'un conservateur ne connaît même pas la provenance des œuvres qui se trouvent dans son musée ? »

Thanet planta sur lui un regard triste et teinté de désespoir.

« À personne, et pourtant c'est vrai. Vous connaissez l'histoire du musée ? »

Argyll fit non de la tête. Il se montrait toujours disposé à apprendre quelque chose de nouveau.

« Jadis, M. Langton avait la charge de la collection privée de Moresby, avant que le patron ait l'idée de fonder un musée. Quand le projet fut à l'ordre du jour, Langton s'attendait naturellement à être nommé directeur. J'avoue que je le comprends.

» Ce n'était pas, bien sûr, la manière de procéder de Moresby. Comme il avait décidé que ce serait un projet de prestige, il souhaitait recruter une personnalité de premier plan pour le mener à bien.

— C'est-à-dire vous ? » demanda Argyll en s'efforçant d'empêcher une petite dose de scepticisme de s'infiltrer insidieusement dans le ton de sa voix.

Thanet opina du chef.

« Tout à fait. Yale. Le Metropolitan, la National Gallery. Carrière brillante. Langton n'avait jamais travaillé dans un musée de première importance. Bref, il a été évincé. S'il va sans dire que je désirais occuper ce poste, j'ai trouvé que Langton avait été injustement traité. C'est pourquoi j'en ai créé un pour lui en Europe.

— Bien à l'écart, par conséquent », commenta Argyll.

Thanet eut l'air déçu.

« J'aurais pu l'écarter bien davantage, vous savez, si ç'avait été là mon but. Mais, malgré ça, je crains qu'il ne m'ait jamais vraiment pardonné d'avoir occupé son fauteuil.

— Est-ce que Moresby l'aimait ?

— Moresby aimait-il quelqu'un ? Je ne sais. Mais ils se connaissaient depuis longtemps, ces deux-là, et le patron était conscient que Langton pouvait rendre des services. Si Langton est resté, c'est dans l'espoir de m'évincer un de ces jours, et il adorait organiser des achats directement avec Moresby, sans me mettre au courant des transactions. D'où l'arrivée de ce buste… et de votre Titien.

— Et est-ce que le buste était déjà payé ?

— Oui.

— Pourquoi donc ?

— Que voulez-vous dire ? Pour quelle raison ne l'aurait-il pas été ?

— Eh bien ! simplement parce que vous ne m'avez pas encore payé mon Titien. Et, quand j'ai eu l'audace d'évoquer la question, tout le monde l'a pris de haut. »

Thanet le regarda avec pitié.

« Et vous avez cédé ? Qu'espérez-vous ? Le propriétaire de ce buste a su mieux négocier que vous.

— Vous sous-entendez que toute cette histoire à

propos du règlement interne au musée n'était que du pipeau ?

— Nous préférons, bien sûr, payer le plus tard possible. Mais lorsque c'est le seul moyen d'acquérir une œuvre...

— Et Hector ? Est-ce qu'on a payé ses objets ?

— Certainement pas ! Et ils ne le seront pas. J'ai fait examiner le contenu de ses caisses par nos spécialistes des sculptures. Des merdes ! Langton a dû perdre la tête. C'est pourquoi ça m'agace qu'il en prenne tant à son aise avec les procédures d'acquisition...

— Soit ! Mais ce que j'essaye de savoir, c'est qui était légalement le propriétaire du buste quand il a été volé ?

— Oh ! C'était le musée. Un gardien est allé chercher la caisse à l'aéroport et a signé l'accusé de réception, après quoi Barclay a autorisé le transfert de l'argent. Dès lors, il est devenu la propriété du musée.

— Donc, si je comprends bien, on a persuadé Hector – qu'il ait été de mèche ou non – de faire sortir le buste d'Italie illégalement. Et quand vous avez annoncé de quoi il s'agissait il a vu le spectre d'un procès se dresser devant lui. Pas étonnant qu'il ait été furieux. »

Thanet semblait toujours mal à l'aise. Argyll ferma les yeux pour réfléchir.

« Il s'est plaint à Moresby, est rentré à l'hôtel, y a reçu un coup de téléphone, puis a réservé une place d'avion pour retourner à Rome sans délai. La question que je me pose, c'est : pourquoi a-t-il agi de la sorte ? Or quelqu'un l'a arrêté dans sa course. A-t-il vu quelque chose, ou bien était-ce important de s'assurer qu'il ne regagnerait pas l'Italie ? Très bizarre... Sauriez-vous, par hasard, où se trouvait Langton entre vingt-trois heures et, disons, une heure du matin ? »

Thanet parut troublé, non pas tant par la question que par ce qu'elle sous-entendait. Il parut aussi vaguement déçu d'être moralement obligé de répondre que Langton n'avait pas quitté le musée après la découverte du corps de Moresby. Il était, sans aucun doute possible, resté sur les lieux jusqu'à trois heures du matin et peut-être même jusqu'au moment où il était parti prendre son avion à destination de l'Italie. Il ne pouvait absolument pas être l'auteur ni d'un crime ni de l'autre. Se serait-il tordu les doigts de désespoir, Samuel Thanet n'aurait pas exprimé ses sentiments plus nettement : il aurait été ravi de faire coffrer Langton.

Argyll digéra tous ces renseignements, puis fixa Thanet.

« Et ce diable de buste ? Qu'en pensiez-vous ? Avez-vous considéré que c'était un authentique Bernini ? Ces événements n'ont pas le moindre sens sauf si le buste se trouve au centre de l'affaire. »

À nouveau, Thanet haussa les épaules.

« Je me garderai bien de me prononcer à cet égard, fit-il. (Il était vraiment coopératif ce jour-là !)

— Oh ! je vous en prie... Vous, un fin connaisseur... Si vous deviez parier cinq dollars sur la question, comment parieriez-vous ? Authentique ou faux ?

— Franchement, je n'en sais rien. Après tout, je ne l'ai jamais vu.

— Quoi ?

— Je ne l'ai jamais vu. Je devais y jeter un coup d'œil, mais j'ai eu une journée horriblement chargée à cause des préparatifs en vue de la visite de Moresby. Si d'aventure on le récupère, je serai ravi d'avancer une opinion. Si j'en juge par le raffut que fait la police italienne, pour elle, à l'évidence, son authenticité va de soi.

— Voilà une étrange façon de diriger un musée. »

Thanet ne prit pas la peine de répondre. Il regarda simplement Argyll d'un air qui signifiait que le jeune homme ne croyait pas si bien dire.

8

Vers dix heures, le lendemain matin, Flavia prit la route de Gubbio. Elle ne connaissait pas le but exact de sa visite à l'ami sculpteur de De Suza. Pour le moment, il n'y avait pas le début d'une preuve que le Bernini était un faux. En fait, les quelques maigres éléments recueillis par la jeune femme jusqu'à présent indiquaient le contraire. D'un autre côté, le sculpteur connaissait apparemment de Suza depuis fort longtemps, et tout témoignage pouvait s'avérer fort utile. Ce qui s'était passé en 1951 pourrait au moins servir de point de départ dans cette affaire.

Il faut trois heures pour aller de Rome à Gubbio en voiture, quatre et demie si l'on est du genre à vouloir à tout prix déjeuner tôt avant de se mettre au travail. La route traverse l'une des plus jolies régions du pays. Non pas que Flavia eût passé beaucoup de temps à admirer le paysage. Dans environ dix heures, elle serait enfermée dans un avion en direction de la Californie. Il était logique qu'on l'envoie là-bas, se dit-elle, mais elle soupçonnait un peu Bottando de se mêler une fois de plus de sa vie privée.

Tout en lui réservant un excellent accueil, le policier de service au commissariat où elle se présenta pour la bonne forme fut stupéfait d'apprendre qu'elle venait interroger Alceo Borunna, un véritable pilier de la société locale. C'était un étranger, bien sûr : le commissaire croyait savoir qu'il était originaire des environs de Florence. Mais il habitait cette petite ville depuis des années et était en train de collaborer avec un architecte à la restauration de la cathédrale, laquelle, il fallait le croire, en avait terriblement besoin. La manière dont l'Église et l'État négligeaient le patrimoine était révoltante.

Flavia hocha la tête d'un air entendu. Il apparut que Borunna était à la fois restaurateur et fervent catholique. C'était un toujours robuste septuagénaire, époux modèle depuis plusieurs décennies et doté de tant de petits-enfants qu'il était seul à en deviner le nombre. L'architecte le vénérait également à cause de la manière extrêmement habile dont il maniait et les pierres qu'il restaurait et les ouvriers sous ses ordres. On craignait seulement qu'il ne décide de prendre sa retraite ou que l'architecte d'Assise ne l'enlève. Mais il était de notoriété publique qu'il avait déjà refusé l'offre d'un travail mieux rémunéré au motif que l'argent ne l'intéressait pas.

Tout cela semblait trop beau pour être vrai, mais on ne pouvait jurer de rien. Il y a encore des saints sur notre terre et on en rencontre juste assez souvent pour retrouver sa foi en l'homme. Il eût été déprimant que la mission de Flavia révèle que Borunna n'était pas à la hauteur de sa réputation.

Il était trop tard pour se faire du souci à ce propos, pensait Flavia en gravissant les ruelles escarpées en direction de la cathédrale, où on lui indiqua l'atelier. Lorsqu'elle y pénétra elle se dit qu'il n'y avait sans doute guère de différence entre la scène s'étalant sous ses yeux et l'atelier des premiers maçons et sculpteurs qui avaient décoré l'édifice au Moyen Âge : vastes établis de bois dressés en plein air autour desquels s'affairaient un petit nombre d'ouvriers sales et costauds ; blocs de marbre, de pierre et de bois entassés partout ; outils ayant à peine changé en un demi-millénaire. Ici, on faisait les choses selon les règles : pas question de se faciliter la tâche grâce aux ponceuses ou autres perceuses électriques.

Borunna se tenait seul, le menton dans une main, contemplant avec calme et attention une grande statue de la Vierge à moitié terminée qui émergeait d'un bloc de calcaire. Il sortit de sa rêverie lorsque Flavia se présenta ; il la salua avec la douceur et l'innocence d'un enfant.

« Quel magnifique travail ! Je vous félicite », dit-elle en examinant la statue.

Borunna sourit et s'étira.

« Je vous remercie. Ça va suffire, j'imagine. Comme c'est pour une niche de la façade, ça n'a pas besoin d'être parfait. Mais je dois avouer que le résultat dépasse mes espérances. On n'a pas réellement le temps de fignoler.

— Personne ne s'en rendra compte, de toute façon.

— Là n'est pas la question, mais pas du tout ! Les

anciens maîtres se fichaient pas mal qu'on puisse ou non voir les défauts. Ils voulaient faire de leur mieux, parce qu'ils offraient leurs œuvres à Dieu qui méritait ce qu'il y avait de meilleur. Tout ça c'est fini ! Ce qui compte, de nos jours, c'est de savoir si les touristes allemands ou anglais seront capables de faire la différence et à combien ça va revenir. L'âme de l'édifice en est pour toujours altérée. »

Il se tut et lui lança un regard mi-espiègle, mi-gêné.

« C'est mon obsession. Ça fait très vieux jeu. Veuillez m'excuser, je vous prie. Vous devez être ici pour une raison plus importante qu'écouter les divagations d'un vieil homme. Que puis-je faire pour vous ?

— Comment ? fit Flavia en détachant son regard de la statue pour revenir sur terre. Ah oui ! Pas si importante que ça, mais je suis un peu pressée. Il s'agit d'une œuvre, euh ! que vous auriez sculptée. »

Borunna parut intéressé.

« Vraiment ? À quelle époque ?

— Eh bien ! nous ne le savons pas avec précision, répondit-elle avec un certain embarras. À un moment ou à un autre pendant ce dernier demi-siècle. Pour Hector de Suza. »

Le nom le fit réfléchir.

« Ah ! Hector... Il est toujours dans les parages ? Bon sang ! ça me ramène pas mal de temps en arrière... Des années que je ne l'ai pas vu... Voyons un peu... »

Le commissaire avait de toute évidence raison : Borunna n'appartenait pas tout à fait à notre monde. Sa voix douce et ses yeux bienveillants vous mettaient complètement à l'aise. Rien à voir avec la faune des négociants cupides, mus uniquement par l'appât du gain, qui infeste le monde de l'art. On était vraiment en présence d'un saint.

« Venez à la maison, lui enjoignit le vieil homme. C'est presque l'heure du déjeuner et pendant que vous mangerez je chercherai mes papiers. Ma femme ne me le pardonnerait jamais, si je lui apprenais en rentrant ce soir que j'ai reçu la visite d'une jolie Romaine sans lui avoir permis de faire la cuisine pour elle. »

Tout en marchant, Borunna expliqua qu'il connaissait le jeune Hector, comme il l'appelait, depuis des années : quand l'Espagnol avait échoué à Rome après la guerre. Les temps étaient durs alors. Lui-même, homme marié d'une trentaine d'années, travaillait comme maçon pour le Vatican, circulant un peu partout dans le but de réparer les dommages causés par la guerre. Il lui arrivait d'avoir à s'absenter de son foyer pendant des journées entières. Quant à Hector, il cherchait à acheter des œuvres d'art pour tenter de les revendre aux rares personnes en Europe ayant encore de l'argent. Des Suisses et des Américains, surtout. Mais ce n'était pas facile du tout.

Borunna, lui, n'avait pas eu à se plaindre : au Vatican il avait un boulot stable et des revenus assurés ; à l'époque, rares étaient ceux dans la capitale qui pouvaient en dire autant. Cependant, on manquait de tout – nourriture, vêtements, chauffage, huile –, qu'on ait de l'argent ou non. Lui et de Suza s'étaient, dans la mesure du possible, rendu des services mutuels.

Borunna prêtait de l'argent à de Suza, lequel le remboursait en lui faisant des cadeaux.

« Quelle sorte de cadeaux ? »

Le sculpteur sembla légèrement mal à l'aise.

« Hector était une sorte d'intermédiaire, si vous voyez ce que je veux dire. Il avait des contacts, des amis, des relations d'affaires avec des tas de gens.

— Vous parlez du marché noir ? »

Borunna opina du bonnet.

« Je suppose... Pas sur une grande échelle, cependant. Juste assez pour en vivre et fournir les denrées de base. Vous êtes trop jeune pour vous rendre compte des acrobaties qu'il fallait exécuter durant cette période si on voulait dégoter un demi-litre d'huile d'olive.

— Et vous lui achetiez ces produits ? »

Il fit non de la tête.

« Hector donnait toujours ce qu'il avait sans demander d'argent. S'il n'était pas toujours tout à fait réglo en affaires, il se montrait excessivement généreux en amitié. Ce qui était à lui était aussi à nous. Souvent, quand je rentrais à la maison, j'y trouvais lui et Maria...

— Maria ?

— Ma femme. Ils étaient comme frère et sœur. En fait, c'est elle qui me l'avait présenté. Nous étions de si bons amis, tous les trois... Hector avait apporté des bouteilles de vin, du salami, un jambonneau, et même parfois des fruits frais... Il disposait tout ça sur la table en disant : "Servez-vous, mes amis, servez-vous !" Et, croyez-moi, ma jeune dame, on ne se faisait pas prier ! J'arrivais quelquefois à lui faire accepter un peu d'argent en guise de remerciements. Ou je sculptais quelque chose pour lui. Je crains que le désespoir ne nous ait tous les deux fait céder à la tentation.

— Vous avez fabriqué des faux pour lui ? »

Borunna eut l'air très gêné. Même aujourd'hui, il avait visiblement encore honte de cette époque de sa vie. Flavia ne voyait vraiment pas pourquoi. Elle avait entendu assez de récits dans sa famille pour comprendre ce qui s'était passé dans la débâcle qui avait suivi la guerre. Fabriquer quelques petits faux en échange de pain, d'huile ou de viande n'était qu'un péché véniel à ses yeux.

« Amélioré des objets. Je préfère cette expression. Restauré. Il arrivait qu'Hector acquière un lot de sculptures du XIXe, en bois ou en marbre, et moi, eh bien ! je les vieillissais de deux siècles. Vous connaissez le procédé, j'en suis sûr. On métamorphose des morceaux d'une cheminée datant des années 1860 en une vierge du *cinquecento*, ce genre de chose. Nous y voici ! Bienvenue dans mon humble demeure. »

Tout en bavardant ils avaient avancé le long des rues pavées dans le chaud soleil de l'après-midi, enfilant des ruelles de plus en plus plus étroites. Flavia écoutait avidement les souvenirs de Borunna, n'en perdant pas une miette. Elle avait l'impression de regarder la photographie d'une époque innocente enfuie. La femme et les deux jeunes gens faisant un festin d'un salami acheté au marché noir, un petit boulot par ici, quelques petits faux par là. Comment leur en vouloir ? De nos jours, l'exportation illégale et la fabrication de faux ont perdu beaucoup de leur côté romantique et bohème. Comme les autres formes de criminalité, ce sont devenues de grosses affaires où l'on brasse des millions de dollars. Les bénéfices ne se traduisent plus par une simple bouteille de chianti dégustée entre amis et ce n'est plus la faim qui motive les escrocs.

Mais tout ça se passait il y a bien longtemps. Il ne semblait pas que Borunna se fût rempli les poches en fabriquant des Bernini pour le compte de De Suza. En tout cas, sa maison n'en présentait aucun signe révélateur. « Humble » était un euphémisme. Elle était minable, ne contenait que quelques pauvres meubles, mais la modestie du lieu était égayée par une bonne odeur de cuisine. Et, par dizaines, les plus belles sculptures que Flavia ait jamais vues la constellaient, tels des diamants sur un tas de gravats.

« Maria ! Nous avons une visiteuse de choix. Du café, s'il te plaît ! » cria Borunna en ouvrant la lourde porte verte pour faire entrer Flavia dans l'intérieur sombre et frais de la maison. Sa femme apparut avant qu'il ait retrouvé les papiers : d'environ dix ans plus jeune que son mari, c'était un être rayonnant de sympathie, au visage ovale où brillaient des yeux magnifiques. Elle posa le plateau et étreignit le sculpteur comme si elle le revoyait après de nombreuses années d'absence. Comme c'est charmant ! pensa Flavia : des décennies de mariage et toujours aussi aimants ! Quel bel exemple !

Elle remercia la femme avec effusion pour le café, s'excusa pour le dérangement et déclina – avec de moins en moins de force – les invitations à déjeuner réitérées.

« Ce sont toutes vos œuvres ? » demanda-t-elle en étudiant quelques-unes des sculptures éparpillées dans la pièce.

Borunna leva les yeux d'un petit monticule de feuillets empilés sur son bureau.

« Ah oui ! Des ébauches pour la plupart. Pour me faire la main avant de sculpter les œuvres devant être exposées.

— Elles sont splendides.

— Vous êtes trop aimable ! répondit-il sans chercher à dissimuler le plaisir que lui procurait ce compliment. Je vous en prie, prenez-en une que vous aimez. Il y en a des dizaines, et Maria se plaint sans cesse que ce sont des nids à poussière. Je serais heureux et flatté que vous donniez un bon foyer à l'une d'entre elles. Du moment que vous n'oubliez pas qu'elle est toute jeune. »

Flavia était fortement tentée, mais elle finit par secouer la tête avec autant de vigueur que de regret. Elle aurait adoré en ramener une ou deux dans son appartement. Elle imaginait déjà, en fait, l'effet que produirait sur sa cheminée un petit saint François polychrome. Mais Bottando, à cheval sur les principes comme il l'était, aurait à juste titre désapprouvé sa conduite. D'un autre côté, si cette affaire était rapidement tirée au clair et dans la mesure où Borunna n'y était pas mêlé – ce qu'elle espérait et croyait de plus en plus –, elle pourrait peut-être revenir…

« Tiens ! nous y voilà ! s'exclama Borunna, tandis que sa femme retournait une fois de plus dans la cuisine odorante, je savais que je le retrouverais tôt ou tard.

1952 : la dernière fois que j'ai travaillé pour lui. Un bras et une jambe. Romains, il me semble. Pas mal du tout, mais rien d'extraordinaire. Ça ne m'avait pris qu'un jour ou deux. Rien de louche, je vous le garantis : juste quelques craquelures et ébréchures à colmater.

— Vos archives remontent si loin que ça ? »

Le vieux sculpteur eut l'air surpris.

« Bien sûr. Comme tout le monde, non ? »

Vu qu'elle n'avait jamais la moindre idée de ce qui lui restait sur son compte en banque, Flavia était franchement étonnée.

« Je suppose que vous cherchez quelque chose de précis ?

— C'est exact. Un buste, censé être une œuvre du Cavalier Bernin. Représentant Pie V et à propos de laquelle Hector est, d'une manière ou d'une autre, intervenu.

— De quelle manière exactement ? »

Le ton était teinté d'une certaine méfiance que Flavia perçut immédiatement. Cela cache bien quelque chose, se dit-elle, mais il sera difficile de lui tirer les vers du nez.

« Nous n'en sommes pas certains, déclara-t-elle. Nous hésitons entre diverses hypothèses. Soit il l'a acheté, vendu, volé, fait passer en contrebande, soit il l'a fait fabriquer. C'est ou bien l'une de ces possibilités, ou bien toutes à la fois. Nous voulons simplement savoir la vérité, un point c'est tout. Par simple curiosité, sans compter que le nouveau propriétaire a été tué. L'idée m'a traversé l'esprit qu'Hector...

— … refaisait des siennes ? C'est votre avis ? Que j'ai fabriqué un buste pour lui ? »

Flavia se sentit gênée, même si, après les aveux de Borunna, il était légitime de le soupçonner.

« Quelque chose comme ça, disons. Auriez-vous accepté s'il vous l'avait demandé ?

— Fabriquer un faux Bernini ? Oh ! oui. C'est très facile… Pas si facile, en réalité, mais c'est tout à fait faisable. Le principal, c'est le style. Une fois qu'on l'a attrapé, le reste vient tout seul. Pie V, dites-vous ? »

Elle opina du chef.

« Vous n'êtes pas sans savoir qu'il y en a un exemplaire en bronze à Copenhague. Par conséquent, il suffirait de le copier. Le travail lui-même ne poserait aucune difficulté. Le plus dur serait de trouver la bonne carrière de marbre et de vieillir celui-ci pour qu'il n'ait pas l'air trop neuf. Mais ça non plus, ce n'est pas un problème insurmontable. »

C'est curieux, se dit-elle plus tard, il a envisagé le processus de fabrication d'un faux Bernini sans se scandaliser. Il est également très au courant. Même le rapport d'Alberghi au musée Borghèse n'avait pas signalé l'exemplaire en bronze de Copenhague.

« Qu'est-ce qui vous fait dire qu'il s'agit d'un faux ? poursuivit-il.

— Je n'en sais rien. Nous n'en savons rien. Il s'agit d'une simple hypothèse. Nous n'en connaissons pas la provenance, c'est tout. Il a soudain surgi de nulle part.

— Pourquoi ne posez-vous pas la question à Hector ?

— Parce qu'il a disparu.

— Il a des ennuis ?

— Il risque d'en avoir. De graves, si la police américaine le rattrape jamais. Il y a pas mal de gens qui aimeraient lui poser une question ou deux.

— Ah ! mon Dieu... Ça a toujours été comme ça avec Hector, je le crains. »

Il se tut pour échafauder, à l'évidence, toute une série d'hypothèses. Si Flavia avait pu lire ses pensées, elle aurait sans doute pu l'aider à choisir l'une de ces possibilités. Il se dirigea vers la cheminée et étudia quelque temps un chérubin du XVIe. L'examen parut lui permettre de se décider.

« Hélas ! fit-il, je crains de ne pouvoir vous être d'un grand secours. Comme je vous l'ai dit, voilà des années que je n'ai pas vu Hector. J'ai bien peur qu'on se soit un peu brouillés. Il y a des années de ça. Un malentendu.

— À propos de la fabrication de faux ? »

Il hocha la tête avec une certaine réticence.

« Entre autres. (Il hésita avant de poursuivre d'un seul trait :) Les temps changeaient. La vie devenait plus facile. Je n'avais jamais approuvé ces choses-là. À l'époque, c'était nécessaire, mais dès que ça a été possible j'ai arrêté et je l'ai averti qu'il risquait gros s'il ne s'amendait pas. À la fin, même lui et Maria se sont querellés. Mais Hector... disons qu'il a toujours été un peu téméraire et qu'il a toujours cru pouvoir s'en tirer grâce à son charme. Les choses ont plutôt mal tourné entre nous et peu à peu nous nous sommes éloignés l'un de l'autre.

» Quant à votre Bernini, il en a eu un jadis, en effet. Très brièvement, hélas ! et ça ne lui a absolument rien apporté de bon. Mais je doute beaucoup qu'il l'ait vendu récemment. »

Ha, ha ! se dit Flavia. Voilà une petite lueur au bout de ce qui s'était avéré être un long tunnel sombre. Dommage que Borunna ait tout de suite soufflé sur la flammèche.

« Il l'a perdu, voyez-vous, continua-t-il inexorablement.

— Perdu ? fit-elle incrédule. Comment peut-on perdre un Bernini ? »

Quelle question idiote ! Les événements récents paraissaient montrer que c'était la chose la plus facile du monde. Ces satanées sculptures passaient leur temps à disparaître.

« Eh bien ! disons que "perdu" n'est peut-être pas le mot approprié. J'espère que vous allez garder ça pour vous. Ça lui a produit un sacré choc et il a fait de son mieux pour oublier la chose.... »

Flavia lui expliqua qu'elle était muette comme un tombeau. Rassuré, il raconta l'histoire.

« C'est très simple, commença le vieil homme. Hector a acheté un buste à une vente mobilière de succession. Vers 1950 ou 1951, si j'ai bonne mémoire. Il l'a identifié dans un lot d'objets divers. C'était une vente effectuée par la famille d'un prêtre, il me semble. Une jolie pièce. Il l'a vendu à un acheteur en Suisse qui lui a demandé de le lui livrer.

— De l'exporter illégalement, vous voulez dire. »

Borunna opina du bonnet.

« J'en ai bien peur. Ça représentait beaucoup d'argent

et les risques de se faire pincer étaient faibles. Il a donc trouvé une voiture et le voilà parti. Hélas ! ce n'était pas son jour de chance. Ce jour-là, la police des frontières pratiquait des vérifications au hasard pour arrêter les gens qui faisaient sortir du pays des marchandises, de l'argent, ou des fascistes en fuite… et Hector a été pris dans ses filets. Les policiers ont trouvé le buste et découvert qu'Hector ne possédait aucun titre de propriété, ni la moindre autorisation d'exportation. Rien. Cette fois, son charme n'a pas opéré. On l'a arrêté et le buste a été saisi et gardé jusqu'à ce qu'un expert du Borghèse l'examine. C'était monnaie courante à l'époque : tant d'œuvres d'art avaient disparu pendant la guerre qu'on déployait d'énormes moyens pour rendre leurs biens aux propriétaires légitimes.

— Et que s'est-il passé ? »

Il haussa les épaules.

« Hector n'a jamais revu le buste, comme je l'ai dit.

— Mais il dû chercher à savoir ce qui lui était arrivé.

— Naturellement. Il a rendu tout le monde fou. Le Borghèse a confirmé que le buste était authentique, puis n'a plus rien voulu dire. Hector était persuadé que le musée allait le garder.

— Ce qu'il n'a pas fait. Ça, nous le savons. »

Borunna ne sembla pas affecté par la remarque.

« C'est possible. Et vous, que pensez-vous qu'il lui est arrivé ?

— Nous n'en avons aucune idée. »

Borunna eut un air songeur, puis reprit :

« Eh bien ! Hector ne l'a pas récupéré, ça j'en suis sûr.

Ça a été un sacré choc pour lui. Il s'était tellement enthousiasmé au début. Et, bien sûr, il n'avait pas assez d'argent pour absorber une telle perte financière. Il n'a pas décoléré pendant un bon bout de temps, vu qu'à son avis il l'avait acheté honnêtement. Mais il ne pouvait rien faire.

— Pourquoi pas ? Je veux dire, puisqu'il lui appartenait…

— Ah ! Mais était-ce bien le cas ? Je ne sais pas exactement où il se l'était procuré. Peut-être bien à une vente de succession. Peut-être… Peut-être pas. Néanmoins, que l'opération ait été légale ou non, comment voulez-vous qu'un malheureux étranger se batte contre le Borghèse ? Il n'avait aucune chance. S'il avait insisté on aurait pu l'accuser de vol, de pillage de guerre, que sais-je encore ? À l'époque, ce genre de délits était fréquent.

» Vous êtes trop jeune pour le savoir, mais après la guerre l'Italie était en proie au chaos. Des milliers d'œuvres d'art circulaient dans tout le pays et on en profitait pour produire des faux à la vitesse grand V. Personne ne savait d'où venaient les objets ni où d'autres avaient disparu. Les autorités s'efforçaient de rétablir l'ordre et il arrivait sans doute qu'elles se montrent un peu trop sévères à l'occasion. Voilà, en tout cas, quelle était la situation et Hector s'est retrouvé pris dans l'engrenage. Je lui ai conseillé de faire son deuil du buste, et il a fini par suivre mon avis. Franchement, il s'en est pas mal tiré, vu les circonstances. Je crains, cependant, que l'acheteur n'ait pas été très satisfait... Je ne suis pas entièrement sûr qu'Hector lui ait remboursé ses arrhes.

— Vous voulez parler du Suisse ?

— Il résidait en Suisse.

— Est-ce que vous vous souvenez de son nom par hasard ? » demanda Flavia pour la forme.

Borunna eut l'air un peu perplexe.

« Non. Pas vraiment. Un nom étranger. Morgan ? Morland ? »

Elle le fixa du regard, la vérité commençant à se faire jour.

« Moresby ? souffla-t-elle, pleine d'espoir.

— C'est possible. Ça s'est passé il y a si longtemps, vous savez... »

L'épouse de Borunna revint dans la pièce et fit un radieux sourire à Flavia tout en enlevant les tasses. Flavia lui rappelait, dit-elle, leur propre fille lorsque celle-ci était jeune. Borunna reconnut qu'il y avait une ressemblance.

« Et vous n'avez absolument aucune idée des mouvements de ce buste durant les dernières décennies ? »

Borunna couvait sa femme d'un regard tendre tandis qu'elle s'activait. Il secoua la tête.

« Je sais que le buste est entré au Borghèse. Et Hector est certain qu'il n'en est jamais ressorti. Je crains que ce soit toute l'aide que je sois capable de vous offrir. »

Flavia finit de prendre des notes, puis elle se releva et serra la main des époux Borunna.

« Revenez, dirent-ils. Vous déjeunerez avec nous.

Peut-être qu'Alceo vous persuadera de nous débarrasser d'une de ses statues la prochaine fois. »

Lançant un dernier regard de regret tout autour de la pièce, Flavia promit qu'elle reviendrait dès qu'elle aurait un moment de libre. Entre-temps, elle devait attraper un avion.

9

Toujours cloué au lit, Argyll tuait le temps en se chamaillant avec les infirmières, en se faisant mouler autour de la jambe un nouveau plâtre d'un joli blanc lumineux et en élaborant des projets de sortie prématurée. Non pas qu'il fût l'une de ces personnes dynamiques qui, incapables de rester en place, ne supportent pas d'être immobilisées ; au contraire, l'idée de passer quelques jours au lit l'enchantait d'ordinaire. Mais demeurer plusieurs jours confiné dans un hôpital où il est interdit de fumer était un vrai calvaire. Morelli ayant obligeamment laissé quelques cigarettes, celles-ci furent prestement enlevées par les infirmières, toutes équipées, semblait-il, de détecteurs de fumée. Et il se sentait de plus en plus en manque.

En outre, des tas de choses devaient se passer à l'extérieur, se disait-il. De Suza était mort, Moresby aussi, et on avait tenté de le tuer. Flavia était sur le point d'arriver. Ayant appris qu'elle avait appelé plusieurs fois par jour pour s'inquiéter de son état de santé, l'angoisse de la jeune femme fit davantage pour le requinquer que tous les soins prodigués sans douceur par les infirmières, leur maniement du bassin hygiénique constituant une autre excellente raison pour sortir de l'hôpital au plus vite.

Tandis qu'Argyll passait la journée à sauter sur un pied pour éviter les dispensateurs de lavements, Flavia souffrait le martyre, coincée sur le siège 44 H d'un 747 bourré volant en direction de l'ouest.

Elle aimait son travail, la collégialité que permettait la petite taille du service. Mais le statut de la section, qui n'était qu'une sorte d'annexe spécialisée dans les enquêtes, entraînait certains inconvénients. Le principal, à ses yeux, était pour l'instant la faiblesse de son budget, notamment parce que ça obligeait le personnel à voyager en classe économique.

Il y eut cependant quelques moments intéressants pendant le vol. Le dossier des services secrets sur Moresby leur était parvenu et, malgré le règlement, elle l'avait photocopié avant de le renvoyer. Plus elle le lisait, plus croissait son mépris pour le manque d'intelligence de l'Intelligence Service. Ce dossier, protégé par tant de directives et censé contenir les moindres faits et gestes de l'intéressé, n'était en fait constitué que d'une série d'articles de presse et de quelques notes éparses écrites à l'époque où les Moresby Industries cherchaient à obtenir un contrat concernant des systèmes électroniques avec le ministère de la Défense. La partie la plus intéressante consistait en un passage du *Who's Who*, et la biographie la plus détaillée de Moresby venait d'un « Portrait » du *New York Times*. Si elle avait passé trois heures dans une bibliothèque municipale, elle aurait déniché davantage de documents.

En dépit de son absence de sérieux professionnel, le dossier lui révéla malgré tout quelques curieux détails à méditer.

Le premier se trouvait dans le récit que le journaliste faisait de la carrière de Moresby. Ce n'était en aucun cas un homme qui s'était fait lui-même, sauf si vous avez la bienveillance de considérer qu'on part de rien quand on hérite cinq millions de dollars. Dans sa jeunesse, il avait joué les play-boys (bien que la photo illustrant l'article supposât la même bienveillance de la part du lecteur), mais la Seconde Guerre mondiale avait interrompu sa vie de patachon. D'abord planqué dans un bureau du Kansas, il avait ensuite été envoyé en Europe au moment où les combats s'apaisaient.

C'est là, comme le portrait le laissait entendre, qu'il avait posé les bases de sa carrière et de sa collection. En lisant entre les lignes, Flavia devina qu'il n'avait guère été davantage qu'un spéculateur de haute volée important des États-Unis des articles qui manquaient en Europe afin de les revendre aux habitants prêts à les payer à des prix exorbitants. Ses propres affaires l'accaparaient tant qu'en 1948 il quitta l'armée et consacra quatre ans à organiser depuis Zurich ses réseaux commerciaux avant de regagner la Californie. Après avoir passé plusieurs années à vendre des radios, des grille-pain et autres appareils électriques, il décida d'en fabriquer lui-même et se lança dans les téléviseurs, les chaînes hi-fi, et finalement les ordinateurs. Les Moresby Industries virent effectivement le jour dans un petit bureau de Zurich.

Et Zurich se trouve en Suisse ; or c'est dans ce pays qu'aurait résidé le premier acheteur du Bernini. Cela confirmait à merveille les vagues souvenirs du vieux Borunna...

L'inspecteur Joseph Morelli passa une journée, lui aussi, à éplucher un dossier, étudiant avec attention, concentration et maints froncements de sourcils les épaisses masses de documents qui s'étaient accumulées sur son bureau pratiquement depuis l'instant où on l'avait appelé pour enquêter sur la mort de Moresby.

S'il avait eu l'occasion de rencontrer Taddeo Bottando, les deux hommes se seraient sans doute fort bien entendus. Même si leurs visions respectives du monde étaient diamétralement opposées – pour Bottando, jouir tranquillement de son samedi signifiait visiter un musée alors que Morelli préférait le football américain et la bière –, ils avaient la même conception de leur métier de policiers.

En un mot, c'étaient des perfectionnistes. Pas question de ménager sa peine. Et ils avaient tous les deux la conviction, nourrie par des années d'expérience, que le crime est une affaire sordide dont le mobile, plus ou moins apparent, est presque toujours l'appât du gain. Plus le crime est retentissant, plus les sommes en jeu sont conséquentes ; c'est pourquoi Morelli cherchait le gros trésor enfoui.

À l'instar de Flavia, il avait fait jouer ses relations pour mettre la main sur des archives, en particulier les feuilles d'impôts de Moresby concernant les cinq dernières années. Il avait également emprunté un grand nombre de dossiers aux classeurs de Thanet et persuadé David Barclay, l'homme à tout faire de Moresby, de lui en remettre quelques autres.

Puis il s'attela à la tâche. Morne et pénible travail ! Lui qui jugeait compliquée sa propre déclaration de revenus ! Le seul renseignement potentiellement utile produit par deux heures de froncements de sourcils fut une note de la main de Barclay autorisant le déblocage de la somme de deux millions de dollars pour régler l'achat du buste. Il trouva ça curieux sans s'y arrêter.

Ensuite venaient d'interminables listes des endroits où se tenaient les invités au moment critique. Thanet, à la soirée, comme l'indiqua la caméra, qui confirma également que Langton était dehors, en train de fumer une cigarette. On ne voyait Streeter nulle part, mais il prétendait s'être trouvé aux toilettes pour s'occuper de ses hémorroïdes. Cet alibi possédait un certain accent de vérité, mais Morelli orna cependant le nom de Streeter d'un petit astérisque. Barclay en obtint un énorme ; à celui de De Suza s'ajouta un point d'interrogation. Anne Moresby roulait dans sa voiture en direction de sa villa, comme le confirma son chauffeur. Langton avait téléphoné à Jack Moresby chez lui dix minutes environ après la découverte du crime, ce qui disculpait ce dernier.

La constatation que le pistolet retrouvé près du corps d'Hector de Suza avait bien tiré la balle extraite de la tête ne retint que brièvement son attention : il s'en était douté. Il avait aussi deviné qu'il s'agissait bien de l'arme qui avait tué Moresby. En revanche, il fut surpris d'apprendre que le pistolet avait été déclaré au nom d'Anne Moresby. Cela raviva l'intérêt qu'il portait à cette dame. Il ajouta un autre astérisque au nom de David Barclay.

Cela soulignait avec tant de brio le sens de l'hospitalité américaine, l'importance de l'affaire et le caractère spontanément serviable de Morelli – malgré l'aggravation de ses ennuis dentaires et l'agressivité envers tout le monde qui en résultait –, le fait qu'à une heure du matin l'inspecteur se trouve à l'aéroport pour accueillir Flavia quand elle sortit en titubant de l'avion.

Ces derniers jours n'avaient pas été très agréables. En plus des problèmes inhérents à un dossier particulièrement difficile à élucider, il était sans cesse distrait par d'autres affaires en cours, ainsi que par les questions angoissées de ses chefs et les spéculations stupides des journalistes. Et ses gencives le tuaient.

Il travaillait tard, sa femme commençait à se plaindre et, quoiqu'il eût vite accumulé des masses d'éléments, il n'avait guère réussi jusqu'à cet après-midi-là à en faire une synthèse. Que les pièces du puzzle semblent désormais s'emboîter les unes dans les autres ne soulageait pas sa fatigue. Et, même s'il se félicitait de bénéficier de la coopération internationale, il ne voyait guère en quoi l'arrivée de Flavia di Stefano pourrait améliorer la situation. Elle allait, c'était couru d'avance, lui prendre un peu plus de son précieux temps sans apporter grand-chose en échange.

D'un autre côté, ainsi que l'avaient fait remarquer ses supérieurs hiérarchiques, c'était un appât à lancer à la presse pour qu'elle les oublie un moment. L'arrivée de la femme en question avait déjà jeté ces vipères dans une débauche de suppositions. La possibilité d'un lien avec l'Europe (lieu évoquant la fourberie et la décadence chez tous les bien-pensants de la côte ouest) agirait comme un excellent miroir aux alouettes. Prononcez le mot « Italie » en rapport avec un meurtre et, dès le lendemain matin, une demi-douzaine de grands pontes feront de graves déclarations sur la Mafia.

Tandis que ces gens auraient ça à se mettre sous la dent, ainsi que les relations que Moresby pouvait avoir entretenues avec le crime organisé, Morelli et ses collègues pourraient vaquer à leurs occupations en paix.

C'est lui qui la vit le premier, au moment où, l'air hagard, Flavia errait dans le terminal à la recherche du bureau de renseignements. Même à cette heure matinale, il ressentit un pincement de jalousie à l'égard d'Argyll. D'ascendance italienne, Morelli préférait toujours les femmes originaires de la mère patrie. Malgré le piteux état dans lequel se trouvait la jeune femme après le long voyage, elle était quand même plutôt jolie, les cheveux blonds en bataille et les vêtement froissés ajoutant étrangement à sa beauté. En outre, se disait-il pendant qu'elle se dirigeait vers lui d'un pas hésitant, elle ne possédait pas qu'un beau visage. Elle dégageait une impression de solide compétence.

« Signorina di Stefano ? » s'enquit-il, tandis qu'une fois de plus elle bâillait à se décrocher la mâchoire et se frottait les yeux.

Elle lui jeta un regard soupçonneux avant de lui sourire, ayant mis un certain temps à deviner qui il était.

« Inspecteur Morelli », dit-elle en étendant brusquement le bras.

« C'est très gentil à vous d'être venu me chercher », ajouta-t-elle comme il lui serrait fortement la main.

Elle parlait bien l'anglais, malgré un accent prononcé que Morelli jugea si excitant qu'il trouva éprouvant de l'écouter raconter le vol pendant qu'ils se dirigeaient vers la voiture. Le voyage avait été pénible. À part ça, quoi de neuf ?

« Je vous ai réservé une chambre dans le même hôtel qu'Argyll. J'espère que vous serez d'accord. Ça se trouve près du musée et c'est plutôt confortable.

— Je suppose qu'il est trop tard pour aller voir Jonathan ? J'ai téléphoné à l'hôpital deux ou trois fois, sans jamais réussir à lui parler personnellement.

— Inutile d'aller à l'hôpital, dit l'inspecteur en s'engageant sur l'autoroute en direction du nord. Il a décidé d'en sortir cet après-midi.

— Est-ce bien raisonnable ?

— Non. Pas si l'on en croit les médecins. Mais vous connaissez les médecins... À mon avis, ça n'a pas vraiment beaucoup d'importance. Il aurait déclaré qu'il rentrait chez lui car s'il restait à l'hôpital plus longtemps il allait mourir d'ennui. Puis il a appelé un taxi et est sorti à cloche-pied. Je n'ai pas eu de ses nouvelles depuis.

— Oh ! mon Dieu ! Il est si distrait...

— À ce qu'il paraît... Ça fait seulement cinq jours qu'il est ici et déjà il a failli être renversé par un fourgon, eu un grave accident de voiture, saccagé un magasin, s'est cassé la jambe et a été à l'origine d'une bagarre à l'hôpital. C'est dangereux d'avoir affaire à ce genre d'individu. J'aurais voulu lui fournir la protection de la police jusqu'à ce que le dossier soit bouclé, mais vu que j'ignore où il est...

— Que voulez-vous dire par "protection" ? Pourquoi donc ?

— Au cas où quelqu'un tenterait de le tuer à nouveau. »

Première nouvelle... Jusqu'à présent, Flavia avait considéré que l'accident d'Argyll faisait partie intégrante du déroulement normal de sa vie. Avant que Morelli la mette au courant, elle n'avait jamais entendu parler du desserrement du câble du frein, de la réception, de la possibilité qu'Argyll eût oublié quelque chose d'important. Elle s'irrita aussi un tant soit peu de la manière assurée dont l'Américain expliqua que le nœud se resserrait – métaphoriquement – autour du cou de David Barclay et d'Anne Moresby. À quoi servait son long voyage si l'affaire était à deux doigts d'être résolue ?

Quoi qu'il en soit, pour le moment elle se souciait davantage d'Argyll. Elle voulait vraiment le voir le plus tôt possible. Ce qui ne posa aucun problème puisqu'il était rentré dans sa chambre d'hôtel. Elle le découvrit en train de lire sur son lit, la jambe surélevée, un verre de whisky à la main et un cendrier à côté de lui. Libre…

S'il avait été valide, dès qu'elle ouvrit la porte, il aurait bondi, traversé la pièce en courant pour la saisir dans ses bras. Vu les circonstances, il fit ce qu'il put, agitant les bras avec enthousiasme, souriant d'un air radieux et commençant à s'excuser de ne pas se lever.

Il n'eut pas le loisir de terminer ses explications. Flavia avait eu l'intention de faire un commentaire ironique sur son manque d'attention avant d'entamer une discussion courtoise à propos du buste. Elle aurait été distante et sereine. Elle ne lui avait toujours pas pardonné de s'apprêter à quitter l'Italie.

Pour une raison inconnue, rien ne se passa comme prévu. Elle lui en avait voulu, s'était fait du souci à son sujet, et la nouvelle que quelqu'un avait tenté de le tuer l'avait terriblement angoissée. Le fait que la chambre n'était pas fermée à clé et qu'il était assez bête pour ne prendre aucune précaution la mit simplement hors d'elle. Alors elle déversa sur lui un véritable torrent d'injures qui réduisit à néant l'accueil chaleureux du jeune homme.

Pour résumer, elle le traita d'idiot, de sans-gêne, d'insouciant, d'égoïste, lui reprocha de représenter un danger pour lui-même et pour les autres, d'être myope comme un rat (cette image révélant l'imperfection de son anglais) et tout à fait exaspérant. En réalité, elle mit plus longtemps que ça à exprimer son point de vue, lequel fut étayé par une série interminable d'exemples couvrant de nombreuses semaines, ponctué de maints mouvements du doigt et orné de formules pittoresques – en italien lorsque sa réserve d'expressions anglaises s'épuisa. Finalement, l'effet fut gâché lorsque la lèvre inférieure commença à trembler, révélant que Flavia était soulagée que, malgré tout, et en dépit de tous les efforts du jeune Anglais, il était toujours en un seul morceau.

Pour lui, ce fut un moment difficile. Il avait deux possibilités : ou relever le gant et l'invectiver à son tour, et alors les retrouvailles attendues avec tant d'impatience dégénéreraient en une bataille rangée ; ou bien essayer de la calmer et courir le risque de recevoir une nouvelle bordée d'injures sous prétexte que, par-dessus le marché, il était pompeux et condescendant.

Il la connaissait trop bien ! Il mit si longtemps à résoudre ce dilemme qu'il finit par ne rien dire, se bornant à la regarder avec tristesse. C'était, bizarrement, la bonne solution. On ne peut demeurer indéfiniment les poings sur les hanches et l'air agressif. Tôt ou tard on est bien obligé de changer d'attitude, et quand cela se produisit il tendit la main, saisit celle de Flavia et y appliqua une pression.

« Je suis si heureux de te voir », dit-il seulement.

Elle s'assit, renifla très fort et hocha la tête.

« Ouais, d'accord. Moi aussi, je suppose », répondit-elle.

10

« L'ennui, déclara Argyll le lendemain, une fois que les facultés mentales de Flavia furent redevenues à peu près normales, c'est que je suis un peu coincé, tu vois. Le marché était : si je vendais le Titien, je conservais mon boulot, mais je rentrais à Londres. Et je l'ai vendu.

— Tu ne peux pas simplement dire que tu ne veux plus rentrer ?

— Non, pas vraiment. Sauf si je démissionne ou si je suis viré. Qui plus est, Byrnes m'a énormément aidé, et à Londres il a besoin de quelqu'un à qui il croit pouvoir faire confiance.

— Et il te fait confiance ?

— J'ai bien dit : à qui il *croit* pouvoir faire confiance.

— Et si tu expliquais que tu as besoin de plus d'expérience ou quelque chose comme ça ?

— Je viens de gagner une belle commission en vendant un Titien pour un client. Byrnes semble penser que je ne me débrouille pas trop mal.

— Annule la vente.

— Mais l'affaire est conclue. Je ne peux pas l'annuler. Comment est-ce que je pourrais dire au propriétaire : "Désolé, mais je veux rester en Italie, alors vous serez obligé d'accepter seulement la moitié de la somme dans un an." Ce n'est pas la bonne manière de faire son chemin, tu sais. De plus, la vraie raison, c'est que Byrnes désire rentrer un peu les cornes. En gros, ça revient à choisir entre une promotion à Londres ou le chômage à Rome. Et je m'estime heureux d'avoir la possibilité de choisir.

— Hum ! Tu as envie de rentrer à Londres ?

— Bien sûr que non ! Quelle personne saine d'esprit aurait envie d'habiter Londres alors qu'elle peut rester à Rome ? Je pourrais rester et travailler à la commission…

— Eh bien ! fais-le !

— D'accord, mais tu ne comprends pas. C'est mon grand secret.

— Et quel est ce secret ?

— En gros, avoua-t-il, c'est que je ne suis pas un très bon négociant en objets d'art. Sans un salaire fixe, je ne pense pas que je pourrais gagner assez d'argent pour vivre. Pas pour le moment. Et, par-dessus le marché, que je reste ou que je parte, j'ai eu l'impression que ça ne te faisait ni chaud ni froid.

— Ce n'est pas ma faute ! protesta-t-elle. Est-ce ma faute si ta manière de déclarer à quelqu'un ton affection indéfectible consiste à lui offrir une tasse de thé ? »

Argyll écarta ce détail d'un revers de main.

« Autre problème, j'ai résilié mon bail. Je ne saurais plus où habiter et je n'aurais plus rien pour vivre.

— Et si le musée annulait la vente ?
— C'est impossible.
— Sauf s'il ferme. Alors tu pourras appeler Byrnes et lui annoncer que toute l'affaire a capoté et que comme négociant tu es une véritable catastrophe, en insistant sur le fait que ta présence dans sa galerie de Londres signifierait la faillite en quelques mois.
— Pour perdre mon boulot. Tu as de ces idées...
— Tu pourrais vendre le Titien à quelqu'un d'autre et garder pour toi la commission.
— Si j'arrive à le vendre. Et si le propriétaire voulait toujours me charger de la vente. Or non seulement le musée paye beaucoup plus que la valeur du tableau, mais encore le marché connaît un vrai marasme en ce moment. Je pourrais l'avoir sur les bras pendant de longs mois. En outre, je n'ai pas pour l'instant la moindre idée de ce qu'il va advenir du musée. C'est Mme Moresby qui inquiète Thanet, mais toute l'affaire se trouve entre les mains des avocats.
— Très bien. Alors allons examiner la situation. »

La maison du bord de mer où les Moresby allaient en villégiature, l'une des nombreuses demeures dans lesquelles cette famille heureuse et unie passait les mois d'été, ne ressemblait en rien à ce qu'Argyll avait imaginé et se trouvait tout à fait hors du champ d'expérience de Flavia. Certes, à Los Angeles presque tout était nouveau pour elle. Sa conception d'une ville était très traditionnelle : la cathédrale, le musée, la gare indiquent le centre ;

il y a aussi le quartier historique ; et les faubourgs modernes séparent la ville de la campagne. Los Angeles n'est pas bâtie sur ce plan et depuis son arrivée jusqu'à son départ Flavia ne sut jamais s'orienter. Ce n'est qu'en prenant l'océan Pacifique comme point de repère qu'elle était à même de dire si elle se dirigeait vers le nord ou le sud, l'est ou l'ouest. Or, il semblait incroyablement difficile de situer l'océan. Pour Flavia, chacun devait avoir libre accès à la plage mais, en cela comme en maintes autres choses, il était clair que les Californiens pensaient différemment. Autant qu'elle pouvait en juger, la majeure partie de la côte pacifique avait été réquisitionnée pour leur usage personnel par les propriétaires de villas bâties dans le seul but d'empêcher le reste de la population d'apercevoir la mer.

Au premier coup d'œil, *chez** Moresby n'avait rien d'extraordinaire. Ce fut, à tout le moins, l'excuse de Flavia pour expliquer le fait qu'elle avait d'abord dépassé la maison sans s'arrêter. Faire demi-tour et revenir sur ses pas ne fut pas chose aisée ; c'est pourquoi, lorsque cette fois elle se dirigea vers le sud, ce fut une deuxième malchance de repasser devant sans la voir. De la route, on aurait dit l'arrière d'une minable gargote, et aux yeux de Flavia et d'Argyll ce qui se trouvait entre la maison et la chaussée n'évoquait pas une fortune colossale.

Convaincus qu'ils s'étaient trompés d'adresse, ils gagnèrent discrètement le devant de la maison et changèrent d'avis en découvrant la façade. C'était une construction remarquable si on aime l'architecture du

XXe siècle, les baies vitrées de dix mètres de large par lesquelles on peut jouir d'une vue imprenable sur l'océan Pacifique, ainsi que les vérandas de hêtre sculpté à la main de la taille d'un court de tennis.

C'eût été plus simple, bien sûr, si l'architecte avait prévu une porte facile à repérer et à laquelle on eût pu frapper ; heureusement ils n'en eurent pas besoin. Un homme, de toute évidence quelque domestique, émergea soudain de nulle part et les apostropha. Argyll mit sa main en cornet pour tenter de comprendre le message.

« Il nous crie de partir, dit Flavia.

— Comment le sais-tu ? Je ne comprends pas un traître mot de ce qu'il dit.

— C'est parce qu'il parle en espagnol », fit-elle avant de hurler une série de phrases, du charabia, à l'adresse du domestique.

Lequel s'approcha, les dévisagea d'un air soupçonneux, et une longue discussion s'ensuivit. Argyll était impressionné. Il ignorait que Flavia parlât l'espagnol. C'était agaçant ! Elle était douée pour ce genre de chose. Il avait durement peiné pour acquérir ses quelques notions de langue étrangère, avait sué sang et eau en apprenant les imparfaits du subjonctif les plus réguliers. Alors que pour Flavia comprendre les règles grammaticales les plus complexes paraissait aussi facile qu'acheter une tablette de chocolat. Sans avoir besoin de s'appliquer le moins du monde, autant qu'il pouvait en juger. Il n'y a pas de justice…

« De quoi parlez-vous donc ? demanda-t-il comme la

conversation s'effilochait avant de se terminer sur un échange de sourires.

— Je me suis employée à gagner sa confiance. Mme Moresby lui a ordonné de ne laisser pénétrer personne dans la maison, mais, comme je suis extrêmement sympathique, il est prêt à faire une exception pour nous. Il est originaire du Nicaragua et ne possède pas de permis de travail ; les Moresby ne lui donnent qu'un salaire de misère et menacent de le faire expulser s'il se plaint. Il doit nettoyer la maison, faire les courses, conduire la voiture, et ce travail ne lui plaît pas du tout. Le seul avantage c'est que, comme ils possèdent des tas de maisons, ils ne sont pas souvent là. Hélas ! leur affreux fils utilise l'endroit de temps en temps, lorsqu'ils sont absents, et il est obligé d'enlever les bouteilles de bière vides. Il est certain que Mme Moresby a une liaison. Il ne sait pas avec qui et, malheureusement, c'est lui qui constitue son alibi pour le crime. Il le regrette.

— Et comment va sa famille au Nicaragua ? Ou bien est-ce que vous n'avez pas eu le temps d'arriver à ce stade ?

— Ça n'a pas été nécessaire. Entrons ! »

Ils pénétrèrent dans la maison avant qu'Alfredo ait eu le temps de changer d'avis, comme, à l'évidence, il s'apprêtait à le faire. L'intérieur était décevant, Moresby y ayant entassé, en dépit de tout bon sens, des meubles français du XVIIIe, aussi incongrus là qu'un canapé tubulaire dans le palais Farnèse. En outre, il y en avait une quantité énorme : les dizaines de chaises, de sofas, de tableaux, de gravures, de bustes, ainsi que les divers bibelots, paraissaient avoir été choisis plus ou moins au hasard. Il arrive qu'en produisant un agréable effet de désordre le style magasin de brocante marche comme méthode de décoration, mais tel n'était pas le cas ici. La maison de bord de mer d'Arthur Moresby, conçue pour produire une impression de modernisme dépouillé, aux lignes pures, baignée par l'air du grand large, semblait avoir été meublée par une pie particulièrement voleuse.

Malgré tout, le résultat indiquait sans conteste que les propriétaires n'avaient aucun problème de liquidités. Même les cendriers étaient en baccarat. Argyll soupçonna que le papier hygiénique devait être du plus fin vélin vénitien filigrané. Toutes les commodes, tous les buffets, les canapés Louis XVI, les tables Chippendale avaient été restaurés, revernis, retapissés et redorés. On se serait cru dans le salon d'un hôtel international.

Argyll venait à peine de terminer de tête la moitié seulement de l'inventaire et de l'évaluation du mobilier et des bibelots – déformation professionnelle qui exaspérait Flavia – lorsque Anne Moresby fit son entrée. Si elle était minée par le chagrin elle le cachait fort bien. L'épreuve n'avait pas non plus adouci son langage.

« Arrêtez vos conneries ! fit-elle, dès qu'Argyll eut terminé les présentations, expliqué pourquoi il avait une jambe dans le plâtre, et au moment où Flavia entamait la discussion en marmonnant une vague formule de condoléances.

— Je vous demande pardon ? » s'écria Flavia, quelque peu estomaquée.

Deviner le petit jeu de son interlocuteur est une chose,

mais le faire clairement savoir en est une autre. Néanmoins, il est toujours intéressant d'apprendre des mots nouveaux et Mme Moresby s'annonçait être une véritable mine de vocabulaire.

« Vous voulez me tirer les vers du nez. Vous n'avez aucun mandat officiel, alors je ne suis pas obligée de répondre à vos questions. En fait, je pourrais simplement vous flanquer à la porte. D'accord ?

— En plein dans le mille ! s'exclama Argyll d'un ton enjoué. Pas moyen de vous gruger. Mais on aimerait quand même que vous nous accordiez un petit entretien. Après tout, vous êtes mécontente à cause de ce buste, et nous aussi. Si le musée s'est livré à des activités illégales, nous voulons le savoir. Alors Flavia, ici présente, pourra prendre les mesures qui s'imposent. Contre les coupables, si vous voyez ce que je veux dire. »

Ces propos – que Flavia jugea fort adroits lorsqu'elle y repensa plus tard – eurent pour effet d'offrir une sorte d'alliance. Vous voulez poignarder le musée – ainsi que le sous-entendit Argyll –, alors pourquoi ne pas nous laisser vous donner un coup de main ? Assez fin, de la part de quelqu'un comme Argyll…

Mme Moresby était loin d'être une imbécile. Elle plissa les yeux, réfléchissant, soupesant le pour et le contre. Puis elle esquissa un bref sourire, étonnamment plein de charme, et répondit :

« Eh bien, d'accord. Ça change des policiers. Venez prendre un verre. On va en discuter. »

Elle se dirigea vers la cheminée (Flavia n'en voyait vraiment pas l'utilité par ce climat), ouvrit un délicat coffret en ivoire, y saisit un paquet de cigarettes et en alluma une. Elle prit une profonde inspiration et les deux jeunes gens virent s'étaler sur son visage une expression d'immense satisfaction.

« À quelque chose malheur..., commença Anne Moresby. Vous rendez-vous compte que c'est la première fois que je peux fumer dans cette maison depuis que je me suis mariée, il y a douze ans ?

— Votre mari était contre ?

— Était contre ? Il menaçait de divorcer. Il avait même fait stipuler dans le contrat de mariage que toutes les clauses concernant le divorce seraient nulles et non avenues si j'étais surprise à fumer en sa présence.

— Il ne s'agissait sans doute que d'une plaisanterie... », suggéra Argyll.

Elle lui lança un regard sévère.

« Arthur Moresby ne plaisantait pas. Jamais. Pas plus qu'il ne pardonnait, n'oubliait, ni ne suait le lait de la bonté humaine. Le jour où le bon Dieu l'a fabriqué, comme il y avait une pénurie temporaire d'humour, on lui a injecté une dose supplémentaire de puritanisme. Il ne buvait pas, ne fumait pas, ne faisait rien d'autre qu'accumuler des biens. C'est du passé, évidemment, mais, quand il ne prenait plus plaisir à quelque chose, tout le monde devait faire de même. »

Elle balaya la pièce de la main pour souligner son point de vue. Elle avait peut-être raison.

« Est-ce que vous comprenez que pendant ces douze dernières années j'ai été mariée à l'homme le plus barbant qui ait jamais foulé le sol de la planète ?

— Il aimait les œuvres d'art, cependant. »

Elle poussa un petit grognement de mépris.

« Vous voulez rire ! Il en achetait parce qu'il pensait que c'est ce que doit faire un multimilliardaire...

— L'idée du musée ne vous emballait pas ?

— Je ne vous le fais pas dire ! C'était une assez bonne idée au début, à l'époque où cela servait juste de niche fiscale. Mais ensuite il a contracté le virus de la soif d'immortalité et Thanet en a fait son jouet.

— Une niche fiscale ? » demanda Flavia.

Vraiment cette femme était un dictionnaire ambulant de formules idiomatiques !

« Vous savez, le fisc... »

Flavia secoua la tête sans comprendre. Anne Moresby lui lança un regard signifiant : « Qu'est-ce qu'ils peuvent être bêtes ces étrangers ! » qui vexa la jeune femme.

« Le service des impôts, poursuivit-elle. Une sorte d'Inquisition espagnole adaptée à la société de consommation. Jouer avec lui à "à malin, malin et demi" est un sport national aussi américain que le base-ball. Selon Arthur, tout faire pour payer le moins d'impôts possible faisait partie de ses devoirs de citoyen.

— Mais quel rapport avec le musée ?

— C'est simple. L'achat d'un tableau pour l'accrocher chez soi n'accorde aucune déduction fiscale. Suspendez-le dans un musée et vous devenez un bienfaiteur public autorisé à enlever de vos impôts sur le revenu une grosse partie du prix d'achat.

— Alors qu'est-ce qui avait changé ?

— Le petit salaud a fait un infarctus.

— Qui ?

— Arthur. Alors il s'est mis à penser à l'avenir, ou au fait qu'il n'en avait guère. Sa grande faiblesse c'était qu'il voulait qu'on se souvienne de lui. C'est le cas de beaucoup d'égocentriques paraît-il. Il fut un temps où ces gens faisaient construire des hospices ou demandaient à des moines de célébrer des messes en leur mémoire. Aux États-Unis ils fondent des musées. Je ne sais pas ce qui est le plus idiot. Plus on a d'argent, plus le moi est hypertrophié et plus vaste est le musée. Getty, Hammer, Mellon, vous n'avez que l'embarras du choix. Arthur avait attrapé le virus.

» Il vieillissait. Thanet et sa bande commençaient à le persuader qu'un petit musée ne correspondait absolument pas à un homme de sa stature. Il lui présentait des projets pour un musée aussi gigantesque qu'un stade de football et Arthur mordait à l'hameçon.

— Thanet connaissait-il ces questions de déductions fiscales ?

— Bien sûr. Rien d'illégal à ça. En tout cas, je n'ai rien détecté de tel, et, croyez-moi, j'ai cherché. Et même dans ce cas, cette boule de graisse répugnante aurait fait n'importe quoi pour rester dans les petits papiers d'Arthur.

— Quand je vous ai rencontré brièvement avant la soirée, vous avez décrit votre mari comme un adorable vieillard, lui rappela Argyll. Ça semble être en contradiction avec tout ça.

— D'accord. Parfois j'exagère, pour sauver les apparences. C'était un vieux chameau. Je vous en prie, ne vous méprenez pas sur mon compte… Je suis triste qu'il soit mort. Mais je ne peux pas nier que la vie sera bien plus agréable sans lui. Et c'est vrai pour tous ceux qui travaillaient pour lui ou qui avaient affaire à lui. Pas seulement pour moi.

— Alors, que va-t-il advenir du musée maintenant ? Je crois comprendre que votre mari est mort juste avant de placer la plus grande partie de sa fortune dans un fonds administré par le musée et que, par conséquent, vous héritez de tous ses biens. »

Elle fit un petit sourire contraint. Si le sort du musée était entre ses mains, ce qui allait se passer ne faisait guère de doute.

« J'espère que vous ne m'en voudrez pas de poser cette question, mais, si le transfert des fonds avait eu lieu, vous ne vous seriez pas retrouvée sans le sou, n'est-ce pas ? Contrairement à votre beau-fils. »

Anne Moresby parut trouver la question bizarre, comme si elle n'avait jamais réfléchi à cet aspect des choses.

« Non. Pas sans le sou, répondit-elle, l'air songeur. Absolument pas. Je suppose que j'aurais hérité du reliquat de son avoir. Environ cinq cents millions de dollars.

— Ça permet de joindre les deux bouts sans problème, non ? »

Apparemment, elle ne voyait pas où Flavia voulait en venir.

« Soit ! Et alors ?

— Alors pourquoi lutter pour garder tout le reste ?

— Ah ! Parce que ça m'appartient ; je suis la femme

qui les a supportés, lui et son mauvais caractère, pendant toutes ces longues années. Vous avez raison, ça représente beaucoup plus d'argent que je ne puis en dépenser. Mais là n'est pas la question. Si le musée reste ouvert il perpétuera sa mémoire à jamais. On vénérera le grand amateur d'art, le grand philanthrope. Le grand homme... Mon œil ! Et toutes ces sangsues qui s'accrochaient à ses basques uniquement pour mettre la main sur son magot et se pousser du col ! Une fois de plus, je dis : mon œil ! Vanité, déloyauté, malhonnêteté ! Voilà pourquoi je veux y mettre un terme. Sacré nom d'une pipe ! j'ai épousé cet homme parce que je l'ai aimé jadis. Et personne ne le croyait. Ni Arthur, ni son fils, ni Thanet, ni Langton. C'est pourquoi je les détestais tous. Et finalement j'ai cessé d'y croire moi-même. Ils affirmaient que je l'avais épousé pour son argent, eh bien, soit ! Mais, dans ce cas, je veux tout le fric et, nom d'un chien, je l'aurai ! »

Un silence gêné suivit cette sortie. Argyll, que la colère des autres mettait toujours mal à l'aise, fronçait fortement les sourcils et faisait semblant d'être ailleurs. Flavia était, pour une fois, déconcertée elle aussi, au point d'en oublier un moment le but vers lequel tendait son interrogatoire. Elle finit par faire machine arrière afin de regagner un terrain plus solide et moins broussailleux.

« Je vois, fit-elle. D'accord. Bon, alors, parlons du buste... Je ne saisis pas très bien... Vous êtes arrivée et avez tout de suite apostrophé Thanet à ce propos, mais comment saviez-vous que cette sculpture était attendue et comment avez-vous deviné qu'elle avait été volée ou qu'il y avait, en tout cas, quelque chose de louche à son sujet ?

— Y a aucun secret là-dedans, nom d'un chien ! J'ai entendu Arthur en parler à Langton. Il exultait et martelait sa paume du poing, dans un de ces gestes de gosse qu'ont les hommes d'affaires.

— Il a dit que la sculpture avait été volée ?

— Oh ! non ! Mais ça n'aurait pas été la première fois que des objets étaient livrés de façon louche et il était évident qu'il se passait quelque chose de pas clair.

— Pourquoi donc ?

— Parce qu'Arthur rayonnait de bonheur comme chaque fois qu'il avait roulé quelqu'un.

— Et quand cela s'est-il passé exactement ?

— Je n'en sais rien. Il y a deux mois environ. J'avais bu un verre de trop. Ça m'arrive souvent, vous savez.

— Et qu'est-ce qu'ils ont dit ? »

Elle secoua la tête.

« Je n'ai pas bien saisi leurs paroles. Langton devait acquérir le buste en utilisant les services d'une certaine personne. Le type dont on a retrouvé le cadavre. Celui qui était au musée.

— Utiliser ses services pour quoi ? »

Elle haussa les épaules, indiquant qu'elle ne l'avait pas entendu.

« Vous étiez au courant du fidéicommis ? »

Elle hocha la tête.

« Et vous saviez qu'on ne pouvait pas le révoquer une fois qu'il avait été institué ?

— Un fidéicommis irrévocable, ça n'existe pas.

— Mais si, en tant que membre du conseil d'administration, Thanet possédait un droit de veto…

— C'est en tant que directeur du musée qu'il en est membre, corrigea-t-elle. Un nouveau directeur pourrait avoir un point de vue différent.

— Langton, par exemple ?

— Oh non ! Surtout pas lui ! Dans un autre genre, il ne vaut pas mieux que Thanet. »

Elle s'efforça de faire un sourire aimable.

« Comment se fait-il que vous connaissiez tous ces détails ?

— Par David Barclay.

— C'est gentil de sa part », dit Flavia.

La remarque n'entraîna aucune réaction.

« Quand vous a-t-il mise au courant ?

— Oh ! Mercredi dernier, je crois. C'est du Arthur tout craché. Ce sont des affaires de famille intimes, et c'est un avocat qui me branche. »

Façon de parler, se dit Flavia. « Et vous avez protesté ? reprit-elle.

— Non ! Ce n'est pas comme ça qu'il fallait s'y prendre avec lui. Non, je lui ai dit que c'était une idée merveilleuse, mais j'étais bien décidée à couler Thanet et le musée pour qu'Arthur se lasse de toute cette histoire.

— Qui avait un motif de lui faire passer l'arme à gauche ? » demanda Argyll.

Elle haussa une nouvelle fois les épaules, comme si le meurtre de son mari n'était qu'un détail secondaire dans le grand dessein de l'univers.

« Sais pas. Si vous me demandiez qui *avait envie* de le

tuer, alors la liste serait interminable. Je ne vois pas une seule personne qui l'aimait, mais, en revanche, il y en avait une infinité qui le détestaient. Mais je suppose que vous voulez dire : qui avait une bonne raison de passer à l'acte ? Pas la moindre idée. Sa limace de fils était à la soirée, n'est-ce pas ? »

Argyll fit oui de la tête.

« C'est un propre à rien, dit-elle avec un ricanement indiquant qu'elle tenait le fils presque en aussi piètre estime que le père. Purement et simplement. Bière, chemises à carreaux et rixes de bar. Et, comme tous les Moresby, un sens inné de la valeur de l'argent. Je parierais sur lui. »

Elle vit que Flavia calculait des dates.

« Oh ! Il n'a rien à voir avec moi. Sa mère était la troisième épouse d'Arthur. Sur cinq. Annabel qu'elle s'appelait. Une petite bêtasse maladive. Elle a clamsé. Rien d'étonnant. Le fiston a pris le pire des deux. Sa seule et unique qualité, c'est qu'Arthur ne pouvait pas le voir en peinture.

— Une famille unie..., commenta Argyll.

— Nous sommes comme ça. Le vrai cauchemar américain.

— Étiez-vous – comment dire ? – heureuse en ménage ? »

Anne Moresby lui lança un regard soupçonneux.

« Que voulez-vous dire par là ?

— Eh bien !..., commença-t-il.

— Écoutez ! Une fois pour toutes, j'en ai par-dessus la tête qu'on fourre son nez dans ma vie privée. Ce minable flic mal rasé a fait, lui aussi, des insinuations ridicules. Ma vie privée ne vous regarde pas le moins du monde et n'a absolument rien à voir avec la mort de mon mari. Pigé ?

— Bon. O.K. ! » fit-il en regrettant d'avoir posé la question.

Elle écrasa son mégot d'un geste rageur.

« Il me semble que j'ai passé assez de temps à vous parler. Vous connaissez le chemin... »

Et, sur ce, elle se leva du sofa en vacillant avant de leur ouvrir la porte d'un geste ostentatoire.

« Bravo ! Jonathan. Toujours aussi discret et diplomate ! commenta Flavia au moment où ils réémergèrent dans le soleil.

— Désolé.

— Oh ! Tant pis ! Ça ne fait rien. Je ne pense pas qu'elle nous aurait dit quoi que ce soit d'utile de toute façon. De plus, on est en retard pour le déjeuner. »

11

Aux yeux d'Argyll le déjeuner symbolisa ce qui lui faisait préférer la compagnie de l'inspecteur Morelli à celle de quelqu'un comme Samuel Thanet. Ce dernier aurait choisi quelque restaurant gastronomique français très élégant avec chandelles, carte de vins fins fort coûteux, atmosphère un tantinet chichiteuse, alors que, venant d'un tout autre milieu, Morelli avait une idée complètement différente de ce qu'était la bonne chère. Il emmena Argyll et Flavia dans une gargote délabrée appelée « Chez Leo ».

Il s'agissait d'une sorte de routier où la plupart des habitués étaient aussi volumineux que leurs camions. S'ils avaient entendu parler de cholestérol, les clients consacraient apparemment leur vie à en ingérer autant que possible. Pas la moindre chandelle en vue, sauf quand il y avait une panne d'électricité. Une carte des vins remarquable par sa brièveté, des serveurs qui ne se présentaient pas mais ne se gaussaient pas non plus de vous pendant tout le repas, et quelques-uns des meilleurs plats que Flavia ait jamais dégustés. Les huîtres et les côtes de bœuf, arrosés de martini américain, constituent peut-être la plus importante contribution des États-Unis à la civilisation occidentale. C'est sans conteste le cas du martini américain, mélange de gin et de vermouth sec. L'enthousiasme d'Argyll le rendit un peu plus sympathique à Morelli. Peu de gens buvaient encore des martinis, commentait-il d'un air sombre. Le pays perdait son âme.

Tandis qu'Argyll, la mine réjouie, s'en envoyait un second, Flavia posait ses questions tout en mangeant. Qu'allait faire la police maintenant ?

« Probablement arrêter Barclay et Anne Moresby, j'imagine, répondit l'inspecteur.

— Allez-vous réussir à les faire passer en jugement ?

— Je l'espère. Pour sûr, je préférerais attendre un peu...

— Pourquoi donc ?

— Je ne suis pas convaincu que nous possédions assez d'éléments de preuves. On a encore du pain sur la planche si on veut convaincre le jury. Mais mes supérieurs se font du mouron. Ils veulent quelque chose à donner en pâture à la presse. Savez-vous qu'on vit ici en pressocratie ?

— Pardon ?

— En pressocratie. Tout est dirigé par la presse et organisé pour lui plaire. Ou plutôt la télévision. Il leur faut une arrestation pour entretenir le suspense. Alors on me met la pression afin que je leur en fournisse une.

— Hum. Quels sont les mobiles ? Oh ! oh ! Merveilleux... Encore des huîtres... »

Morelli s'appuya au dossier de sa chaise, s'essuya délicatement la bouche avec sa serviette et expliqua d'une traite la logique de son raisonnement. Qui était imparable, se dit Flavia. Le mobile était simple : Moresby devait savoir que sa femme avait une liaison et il n'était pas le genre d'homme à fermer les yeux. Il avait déjà eu cinq épouses et passer à la sixième ne devait pas lui faire peur. Avec en plus l'institution du fidéicommis, l'avenir financier d'Anne Moresby s'écroulait sous ses yeux.

« Or, on sait qu'Anne Moresby n'a pas pu le tuer, si votre Alfredo dit la vérité, c'est-à-dire si au moment du crime elle se trouvait bien dans sa voiture sur le chemin de sa résidence. Mais elle a dû en discuter auparavant avec Barclay à qui elle a donné son arme. L'occasion s'est présentée lorsque Moresby a convoqué l'avocat dans le bureau de Thanet. Barclay a répondu à l'appel et il s'est entendu dire a) qu'il était remercié et b) qu'Anne Moresby était virée elle aussi. Pour que Barclay mette la main sur des milliards de dollars il suffisait qu'un cœur cesse de battre : dès que Moresby aurait rendu l'âme il pourrait épouser la veuve éplorée... Et ensuite, à nous la dolce vita ! Que faire ? Pas moyen d'essayer de faire changer d'avis à un type buté comme Moresby : reste le quitte ou double. Barclay tire donc sur le vieux et revient en courant annoncer qu'il a découvert le crime en arrivant dans le bureau. Plus de fidéicommis – et Barclay devait être l'un des rares à savoir qu'en fait les documents n'avaient pas encore été signés – et Anne Moresby hérite de toute la fortune. Le tour est joué. »

Il y eut un silence pendant qu'Argyll finissait les huîtres et que Flavia s'agitait sur son siège.

« Qu'est-ce qui ne va pas ? demanda Morelli.

— Pas mal de choses, répondit Flavia avec gêne.

— Par exemple ?

— La caméra, entre autres. Elle a été mise hors d'usage quelque temps avant le crime. Avant que quiconque ait pu savoir que Moresby se rendrait dans le bureau de Thanet. Voilà pourquoi votre hypothèse d'une décision soudaine de la part de Barclay ne tient pas la route.

— Si j'ai bonne mémoire, ajouta Argyll d'une voix incertaine, les invités à la soirée ont calculé que seulement cinq minutes s'étaient écoulées entre le moment où Barclay a reçu le coup de téléphone et son retour en catastrophe.

— C'est un calcul très approximatif. En fait, il y a eu un intervalle de huit minutes.

— Soit. Le problème, continua Argyll en prenant, une fois n'est pas coutume, les rênes de la discussion, c'est que dans votre scénario ce peu de temps a été fort occupé. Se rendre au bureau, se disputer avec Moresby, le tuer, décider de s'occuper de De Suza – pourquoi donc, juste ciel ? –, voler le buste – pour quelle raison à nouveau ? –, revenir en courant à la soirée et donner l'alarme. Est-ce réellement possible ? Je me le demande… Je suppose que oui, mais il aurait fallu faire une répétition au préalable. Sans oublier que, puisqu'il se trouvait pendant une bonne partie du temps devant le musée, Langton aurait dû assister à toutes ces allées et venues, et je ne vois pas comment Anne Moresby ou Barclay a pu s'esquiver pour tuer Hector et se débarrasser de son cadavre. Et par-dessus le marché...

— Ouais... O. K. J'ai compris. »

Morelli remua sur sa chaise tout en se représentant mentalement l'avocat de la défense en train d'utiliser les mêmes arguments devant des jurés hochant gravement la tête d'un air approbateur.

— Et il y a autre chose, reprit Flavia, dans le but de centrer la discussion sur le sujet qui l'intéressait, sans se soucier du regard torve de l'Américain, si le vol du buste avait été préparé à l'avance, il aurait fallu que ce soit par quelqu'un qui sache où il se trouvait. Au moment où l'objectif de la caméra a été obstrué, seuls Thanet et Langton étaient au courant.

— Et Streeter, bien sûr, intervint Argyll. En tant qu'officier de sécurité. N'avez-vous pas dit que personne ne savait où il était quand le crime a été perpétré ?

— Ne peut-on pas un instant oublier ce foutu buste ? » demanda Morelli d'un ton légèrement plaintif.

Une grande partie de ce que les deux autres venaient de dire lui avait plus ou moins traversé l'esprit durant la dernière heure, mais il avait décidé que la seule manière de procéder était de séparer les deux composantes de l'affaire.

« C'est très difficile de l'oublier. À votre place, je laisserais un moment Anne Moresby de côté.

— Hum ! mes chefs vont adorer... Ils vont me crucifier...

— Vous allez les empêcher de commettre une grave erreur.

— Je ne vois pas le rapport.

— Vous ne pouvez pas leur dire que vous êtes sur le point d'obtenir des preuves fiables à cent pour cent ?

— Ce n'est pas le cas.

— Certes, mais on pourrait faire un petit effort supplémentaire. Je crois qu'on devrait aller rendre visite à M. Streeter. »

Dire que Robert Streeter vivait dans une petite maison blanchie à la chaux située dans une rue calme bordée de palmiers serait fort mal décrire son lieu de résidence. Il n'y avait guère de maisons dans tout le quartier qui ne fussent blanchies à la chaux, ni de rues qui ne fussent calmes et bordées de palmiers. Pas dans les zones respectables, à tout le moins. Un œil expert eût pu noter quelques signes plus ou moins révélateurs de son mode de vie. L'absence d'un panier de basket fixé sur le mur du garage indiquait qu'il n'y avait pas d'adolescent vivant sous son toit ; celle d'une pelouse tondue avec soin devant la maison suggérait qu'il ne possédait aucun talent de jardinier et que ses voisins méticuleux, qui taillaient – ou faisaient tailler – chaque brin d'herbe copieusement arrosé dépassant cinq millimètres de haut, pouvaient considérer cette absence comme l'indice d'un laisser-aller caractérisé. Mais, à part ça, presque rien ne dénotait la personnalité de l'occupant, et, même si ces signes révélateurs avaient existé, ni Flavia ni Argyll ne les auraient remarqués.

Streeter mit très longtemps à répondre à leur coup de sonnette, et lorsqu'il finit par ouvrir la porte il avait l'air de fort méchante humeur. Ils supposèrent qu'ils le dérangeaient pendant la sieste, mais là-dessus ils se trompaient à nouveau. Quoiqu'ils vivent dans un climat méditerranéen conçu spécialement pour la sieste, les Californiens considèrent sans doute que faire un petit somme l'après-midi équivaut purement et simplement à une perte de temps. En outre, quand la sonnette se fit entendre, Streeter était bien trop plongé dans une discussion sérieuse, voire animée, avec Langton pour jouir de la tranquillité d'esprit nécessaire pour goûter ce genre de luxe superflu.

En effet, lui et Langton venaient d'aborder le cœur du sujet. Streeter, tout remué par la mauvaise performance de son système de vidéosurveillance et considérant qu'en tant que spécialiste de la sécurité il était de son devoir de se lancer dans une petite enquête officieuse, venait de poser la question fondamentale. En fait, comme les infatigables enquêteurs de Morelli s'en étaient aperçus, Streeter avait interrogé l'un après l'autre, avec plus ou moins de délicatesse, chaque employé du musée. Comme tous les autres, d'ailleurs. Ni ses efforts, ni ceux des autres, n'avaient été couronnés de succès, mais après avoir mené ces interrogatoires tous se sentaient beaucoup mieux. Au demeurant, personne n'avait vraiment le cœur à l'ouvrage.

Son enquête personnelle lui révéla qu'il était désormais quelque peu vulnérable. Ayant travaillé avec tant d'ardeur dans le but de consolider sa position, il avait l'impression que les derniers événements menaçaient de tout ficher en l'air. Il avait réfléchi sans relâche et concocté sans trêve sa stratégie dont l'objectif principal était désormais clair : se trouver à coup sûr du côté du vainqueur, quel qu'il fût, à l'issue de la bataille. Afin d'atteindre cet objectif, il lui fallait découvrir le responsable. Et de forts soupçons prenaient rapidement forme. Durant la semaine écoulée, au cours de plusieurs nuits blanches, il avait imaginé d'innombrables scénarios cauchemardesques, lesquels débouchaient invariablement sur le chômage, certains connaissant un dénouement encore plus tragique.

C'est pourquoi il entreprit Langton, de manière beaucoup plus directe que d'habitude, quand ce dernier revint de Rome. L'Anglais, s'enquit-il, s'était-il demandé à qui profitait le crime ? Et quelles étaient les seules personnes susceptibles d'avoir tué Moresby ?

Ce n'était peut-être pas la façon la plus subtile d'interroger un témoin potentiel qui avait montré, à Rome, en tout cas, un refus total de répondre à la moindre question. Langton, qui avait passé la majeure partie de sa vie à voyager de par le monde pour négocier l'achat de tableaux, était trop maître de soi pour se laisser surprendre par des questions oiseuses.

Il répondit avec un petit sourire amusé. Oui, disait-il avec indulgence. Autant qu'il pouvait en juger, le crime ne profitait qu'à Anne Moresby. Et seules trois personnes pouvaient avoir tué son mari : de Suza, qui se trouvait avec Moresby avant le crime, David Barclay, convoqué au moment où celui-ci avait eu lieu, et lui-même qui, assis devant le musée, était bien placé pour faire le coup en douce. Mais, poursuivait-il, tant qu'on ne liait pas le mobile de Mme Moresby aux possibilités des autres suspects, on n'avait guère de chances de faire progresser l'enquête. Il n'avait pas la prétention de parler pour les autres – bien que la mort d'Hector de Suza parût indiquer une certaine innocence en la matière –, mais lui ne voyait pas comment David Barclay pourrait être impliqué. Quant à lui, d'après les caméras de Streeter lui-même, il était tranquillement assis devant le musée. Par conséquent, il y avait au moins une chose impossible à faire : tuer Arthur Moresby. Pour qui que ce soit d'autre, s'empressait-il d'ajouter. Au cas où l'on se serait avisé de chercher des failles dans son argumentation.

L'entretien ne lui avait pas apporté grand-chose de neuf, se disait Streeter tout en se dirigeant vers la porte pour répondre au brusque coup de sonnette. Mais, si les suspects les plus évidents étaient mis hors de cause, la police allait commencer à se lancer sur d'autres pistes. Il était très conscient du fait – l'ayant vérifié lui-même – qu'à peu près au moment du crime, de manière tout à fait fortuite, il s'était trouvé dans les toilettes. Par pudeur, on n'avait pas installé de caméra dans les waters. Regrettable erreur ! Il était donc impossible de suivre ses faits et gestes. Ce qui ne lui laissait plus qu'une seule ligne de défense. Dommage qu'il s'agît d'une arme aussi dangereuse...

« J'espère que nous ne vous dérangeons pas ! » s'exclama Flavia d'un ton enjoué, au moment où la porte s'ouvrit, avant de se présenter.

Si Langton n'était jamais pris au dépourvu, ce n'était pas le cas de Streeter. Il marmonna quelque chose comme pas du tout, entrez donc, et il leur avait déjà indiqué le petit espace cimenté derrière la maison lorsqu'il se rendit compte qu'il aurait dû leur demander de partir, puisqu'ils ne possédaient aucune autorité légale leur permettant de poser la moindre question.

« Tiens, tiens ! Quelle surprise ! s'écria Flavia en apercevant Langton, et elle se mit à tirer exactement les conclusions que craignait tant Streeter. Je vous croyais à Rome. Vous êtes un vrai globe-trotter, dites donc. »

Argyll et Flavia s'assirent et acceptèrent une bière. Il faisait très chaud, ce qui empêcha Argyll de prendre une part active à la conversation. Tandis que Flavia entamait le second round de son combat contre Langton, Argyll se concentra sur la meilleure façon d'atteindre une effroyable démangeaison se trouvant à dix centimètres environ à l'intérieur de son plâtre.

Langton expliqua que, vu les proportions qu'avait prises toute cette affaire, il avait naturellement pensé que sa place était là, au cas où il pourrait aider à faire avancer l'enquête.

« Par conséquent, vous êtes venu jusqu'ici pour rendre visite à votre vieil ami M. Streeter et passer un tranquille après-midi dans le jardin », déclara-t-elle.

Langton opina du chef et répondit que c'était à peu près ça.

« Je suis ravie de vous revoir. Nous avons tant de choses à nous dire ! »

Si Langton se méfiait de ce qui allait suivre, il ne le montra pas. Imperturbable, il se contenta de s'appuyer au dossier de la chaise en attendant que la jeune femme s'explique.

« À propos des mystérieuses personnes qui vous ont vendu le Bernini. »

Langton la regarda d'un air affable et haussa le sourcil.

« Que voulez-vous savoir sur elles ? demanda-t-il sans s'émouvoir.

— Elles n'existent pas. Le buste a été volé dans la maison d'Alberghi à Bracciano avant d'être transporté de ce côté-ci de l'océan Atlantique.

— Je reconnais que la famille n'existe pas, avoua-t-il avec une surprenante franchise et un sourire encore plus inquiétant. Mais je ne peux en dire plus.

— C'était un objet volé, vous le saviez.

— Absolument faux ! Je ne le savais pas le moins du monde.

— Comment en avez-vous appris l'existence ?

— C'est très simple. J'étais en train d'examiner d'autres objets appartenant à de Suza quand j'ai aperçu le buste enveloppé dans un drap de lit. Je lui ai fait une offre séance tenante.

— Sans vérifier ce que c'était, ni même demander la permission au musée ?

— J'ai, bien sûr, vérifié la nature de la sculpture après

coup. Mais je savais viscéralement ce que c'était avant même de la faire expertiser. Puis j'ai demandé à Moresby s'il la voulait.

— Pas au musée.

— Non.

— Pourquoi pas ?

— Parce que c'était Moresby qui prenait toutes les décisions importantes. Je voulais uniquement gagner du temps.

— Et il désirait l'acquérir ?

— Ça va de soi ! Il a sauté sur l'occasion.

— Vous saviez qu'il l'avait déjà acheté une fois ? En 1951...

— Oui.

— À de Suza ?

— Ça, je l'ignorais à l'époque, dit-il d'un ton doucereux. Tout ce que je savais c'est que Moresby détestait les négociants en œuvres d'art depuis pas mal de temps. Pour illustrer leur perfidie, il avait coutume de raconter qu'il avait été jadis berné – ça ne lui était d'ailleurs arrivé qu'une seule fois – par quelqu'un qui, lui ayant vendu un Bernini, avait accepté un acompte, mais ne l'avait jamais livré. Moresby n'avait pas apprécié qu'on se paye ainsi sa tête. Aucun doute, il n'allait pas laisser échapper l'occasion de récupérer cet objet.

— Donc, ensuite vous avez demandé à de Suza de le transporter. Dans quel but ?

— Que voulez-vous dire ?

— Pourquoi étiez-vous tous les deux prêts à utiliser

les services de l'homme qui avait justement jadis grugé Moresby ?

— C'est lui qui détenait le buste. Moresby voulait faire venir le buste en Californie et nous n'aurions jamais pu obtenir une autorisation d'exportation. Il fallait que quelqu'un sans lien avec le musée le fasse passer en contrebande. On a inventé une histoire à propos d'un autre propriétaire pour couvrir de Suza afin qu'il n'ait pas d'ennuis. C'est la raison pour laquelle il s'agitait tant et prenait une mine inquiète en invoquant sa bonne réputation. C'était du cinéma.

— Et vous avez payé le buste ? »

Langton sourit.

« Je suis sûr que l'inspecteur Morelli a déjà découvert ce détail... En effet. Deux millions de dollars.

— Moresby avait dit quatre millions à Thanet.

— Non, deux.

— Et ça s'est passé quand ?

— Quand quoi ?

— Quand a-t-il été payé ?

— À la réception de l'objet. Cette fois, Moresby ne voulait prendre aucun risque.

— Et quand avez-vous fait une offre à de Suza lorsque vous avez vu ce buste ?

— Il y a quelques semaines.

— Plus précisément ?

— Bon sang ! je ne m'en souviens pas... La première semaine de mai, peut-être. Toute l'affaire s'est traitée en un tour de main. Je vous assure que je n'avais pas le moindre doute sur le fait que de Suza était le légitime propriétaire du buste. Si vous arrivez à prouver le contraire, le musée exigera certainement qu'on le renvoie aux propriétaires en titre. Et qu'en plus il supportera tous les frais annexes…

» Et je suis certain qu'on le retrouvera, reprit-il, une sculpture de cette taille ne peut pas disparaître pendant très longtemps.

— Celle-là avait déjà disparu pendant quarante ans. »

Langton haussa les épaules et répéta que le buste referait surface.

Flavia pensa qu'il était temps de changer d'approche. À Rome Langton l'avait exaspérée et elle était convaincue non seulement que tout ce qui concernait ce buste était entaché de malhonnêteté, mais aussi que Langton le savait. Il paraissait certain cependant qu'on ne pourrait jamais trouver quoi que ce fût à lui reprocher et la sérénité de l'homme gâchait l'après-midi de Flavia. Elle devinait qu'il avait raison de ne pas s'en faire.

« Vous détestiez Thanet parce qu'il avait été nommé directeur à votre place et vous étiez décidé à faire des pieds et des mains pour le couler et le faire virer du musée. »

Elle était très fière de la formule : « faire des pieds et des mains ». Elle avait entendu l'expression à la télévision à trois heures du matin alors que, ne parvenant pas à dormir à cause du décalage horaire, elle regardait un film. Elle en avait demandé un peu plus tard le sens à Argyll. Même si ses prouesses linguistiques n'impressionnèrent pas Langton, il sembla en tout cas disposé à approuver le sens général de son propos.

« “Couler” est un bien grand mot. Et il ne s’agissait pas d’une affaire personnelle. J’estime seulement que c’est quelqu’un de dangereux dans un musée. Vous le savez bien…

— Je ne sais rien du tout. D’après tout ce que j’ai entendu dire sur lui il a plutôt l’air doux et inoffensif.

— Alors c’est que vous ne comprenez rien aux musées. Le Moresby était jadis un musée agréable. Petit et sympathique, malgré l’ombre planante de l’horrible Arthur Moresby qui détestait le monde de l’art. Il répétait qu’il était infesté de voleurs et d’escrocs. Puis il a recruté Thanet et ces projets de Grand Musée ont commencé à faire leur apparition.

— Et alors ?

— Un grand musée n’est pas seulement un grand bâtiment abritant une grande collection. On commence toujours, hélas ! par mettre sur pied une énorme bureaucratie qui en soit digne : comités de gestion et d’accrochage, commission du budget… Une hiérarchie, des interventions, des projets. Avec Thanet, c’est aussi agréable de travailler au musée qu’à la General Motors…

— Vous n’y étiez pas heureux.

— Non. Et, de plus, ça fonctionnait mal. Au début, la collection était originale, personnelle et très intéressante. Maintenant elle ressemble à n’importe quelle autre : on doit se coltiner toutes les “grandes écoles artistiques”, de Raphaël à Renoir. Le problème c’est que tous les bons tableaux se trouvent déjà dans des musées. Thanet doit se contenter des laissés-pour-compte. Le Moresby est l’objet des sarcasmes du monde entier.

— Pourquoi donc ne le quittez-vous pas si vous le détestez tant ?

— Primo, le salaire y est correct. Deusio, ça me plaît d'incarner la seule voix de la raison au milieu du désert. Tertio, j'aime à croire qu'au moins, moi, j'achète la plupart du temps des objets de valeur. Et je n'ai pas encore perdu tout espoir.

— C'est ce qui risque de se passer si Mme Moresby décide de fermer le musée. »

La nouvelle lui fit plisser les yeux.

« Quand a-t-elle annoncé son intention ? »

Flavia le lui apprit.

« On n'y est pas encore ! fit-il. De l'eau coulera sous les ponts avant que les avocats aient réglé toute cette affaire...

— Est-il vrai qu'Anne Moresby avait une liaison ? » demanda Flavia.

À son avis, il s'agissait de l'un des aspects fondamentaux du dossier.

Langton eut tout l'air de s'être attendu à la question. Un sourire s'étala lentement sur son visage, un peu à la manière d'un professeur ravi qu'un élève particulièrement nul ait pour une fois réagi à bon escient. Streeter parut tout à fait choqué et horrifié par cette idée. Il eut un haut-le-corps d'indignation.

« C'est probable, répondit Langton. Si j'avais été marié à un être aussi répugnant que Moresby je ne m'en serais pas privé. De toute façon, ils ne vivaient pratiquement plus ensemble, vous savez. Mais il lui fallait être discrète. Les conséquences auraient été terribles si le vieux Moresby avait eu le moindre soupçon.

— Il se peut bien qu'il ait eu plus que des soupçons.

— Dans ce cas, elle a eu beaucoup de veine. Elle est multimilliardaire au lieu d'être une divorcée sans le sou. »

Il se tut pour réfléchir un moment, puis reprit :

« Elle a tant de chance qu'on est en droit de se poser des questions.

— Ce fait ne nous a pas échappé non plus.

— Mais, poursuivit Langton, presque comme s'il se parlait à lui-même, elle possède un alibi. Ce qui signifie qu'elle aurait eu besoin d'un complice. Par conséquent, la grande question est de savoir qui est le petit chanceux ? »

Flavia haussa les épaules.

« Trouvez vous-même la réponse, si vous ne la connaissez pas déjà. »

Argyll leva les yeux, temporairement distrait dans sa recherche, devenue entre-temps frénétique. Puis, la démangeaison l'élançant de nouveau, il repartit à l'attaque, effritant le plâtre en glissant dessous des brindilles et des sticks dont on se sert pour remuer les cocktails, opération que contemplait un Streeter fasciné et médusé.

« Que faites-vous ? s'enquit-il.

— J'essaye de ne pas devenir fou. Je ne sais pas si ça me grattouille ou si ça me chatouille... »

Il leva les yeux, s'attendant qu'on le félicite pour son

bon mot, mais personne ne semblait d'humeur à plaisanter.

« Vous n'avez pas d'aiguilles à tricoter ? » demanda-t-il, l'air désespéré.

Streeter répondit qu'il n'y en avait pas une seule dans la maison. Argyll avait tellement l'air de souffrir le martyre que Streeter offrit d'aller voir dans la cuisine s'il n'y avait pas quelque chose qui pût faire l'affaire. Incapable de se contenir davantage, Argyll le suivit à cloche-pied.

« La police est-elle au courant de la liaison d'Anne Moresby ? interrogea Streeter une fois qu'ils se trouvèrent à l'intérieur de la maison, hors de portée d'oreille.

— Apparemment. Des tas de longues parties de shopping et des escapades pendant le week-end. Et Moresby le savait, ce qui constitue un bon mobile. Mais ce n'est pas facile à prouver et c'est ce qui semble tous les empêcher d'avancer plus vite. En Italie, les choses se seraient passées bien autrement : là-bas, la police aurait coffré tous les suspects et leur aurait mis la pression jusqu'aux aveux. C'est dommage cette histoire de caméra, dit Argyll d'un ton détaché, pendant que les deux hommes passaient la cuisine au crible, ça aurait simplifié la vie de tout le monde si elle avait été un peu plus plus difficile à atteindre. »

Streeter se rembrunit soudain.

« En quel sens ?

— Je suppose qu'à cause de ça votre emploi est un peu menacé, non ? »

Streeter le regarda d'un air lugubre.

« Heureusement, reprit Argyll, on peut se rabattre sur le micro installé dans le bureau de Thanet.

— Quoi ?

— La bande enregistrée dans le bureau de Thanet.

— Écoutez, j'ai déjà dit que...

— Je sais. Mais, vu votre réputation de spécialiste de l'espionnage électronique, qui peut vous croire ?

— Placer des micros dans un bureau est un délit, vous savez. La seule idée...

— Donc, si quelqu'un se chargeait d'apprendre soudain à un assassin qu'il existe une bande, il tomberait dans le panneau, non ? Ça pourrait le rendre nerveux. Juste au moment où il se croit tiré d'affaire, voilà que surgit une preuve. Même si personne ne sait ce qu'il y a dessus, il peut se dire : si tu détruis cette bande, tu pourras dormir sur tes deux oreilles. Cette sorte de fuite en avant peut pousser à l'erreur. Et vous, vous décrochez la mention très bien, en plus des félicitations de la police. »

Streeter finit par piger. Il a la comprenette un peu dure, pensa Argyll qui ne le tenait pas en très haute estime.

« Je vois, dit Streeter.

— Ma jambe va beaucoup mieux. Je crois que nous devrions retourner dans le jardin. Flavia et moi sommes invités à dîner chez Morelli et il est l'heure de partir. Je vais faire part à l'inspecteur de notre petite discussion, si vous êtes d'accord.

— Tout à fait. Bien sûr. »

« M. Streeter avait tant de choses à raconter ?

demanda Flavia, après qu'ils se furent extraits de la maison, qu'elle eut aidé Argyll à s'introduire dans la voiture – elle avait loué un petit véhicule fort pratique mais non conçu pour une personne portant un plâtre – et qu'ils eurent entamé la longue traversée de la majeure partie de la ville en direction de la maison de Morelli.

— Oh oui ! répondit-il, d'un air satisfait, il a été un peu long à la détente. J'ai dû lancer tant d'allusions que j'ai bien cru qu'il croulerait sous le poids. Mais il a finalement compris.

— Et ?

— Nous avons le feu vert pour dire qu'il enregistrait les conversations ayant lieu dans le bureau de Thanet. N'est-ce pas formidable ? Dommage que ça n'ait pas été le cas, mais je suppose qu'on ne peut pas tout avoir. »

Flavia avait imaginé que les boulettes de viande que l'inspecteur Morelli les avait invités à déguster auraient été préparées par son épouse. Elle se trompait. Morelli était très fier de ses boulettes de viande. Ils le trouvèrent dans sa cuisine, un tablier ceint autour des reins ; l'aspect « homme au foyer » aurait été plus réaliste s'il s'était débarrassé auparavant de son arme de service. Une grosse bouteille de chianti californien se dressait sur la table, les pâtes étaient prêtes à être jetées dans l'eau bouillante et la sauce à la tomate approchait du summum de la perfection, instant crucial que seuls les Italiens savent reconnaître.

« Qu'en pensez-vous ? » dit-il en caressant avec une

cuiller de bois les boulettes de sa confection comme si elles étaient en or fin. Argyll mit son nez dans la marmite, renifla longuement, et finit par hocher la tête d'un air approbateur. Morelli se rengorgea et versa le vin. Ils s'installèrent. Le vin, la bonne odeur de cuisine, le bruit des enfants, l'accueil sans façons, tout concourait à créer une sympathique atmosphère de détente. La seule difficulté – pour Argyll sinon pour Flavia –, c'était d'avaler les énormes portions que Morelli plaçait sur leurs assiettes. Mais après deux années passées en Italie le jeune Anglais avait fait des progrès, ayant appris à se préparer mentalement avant de se lancer dans ce genre d'entreprise de longue haleine.

« Qu'avez-vous fait tous les deux pendant que je me coltinais la paperasse ? Vous avez retrouvé votre buste ? »

Flavia résuma les déclarations de Langton, lesquelles firent se renfrogner l'inspecteur.

« Alors il a changé de position. Il n'avait jamais dit que de Suza avait fourni le buste. Pourquoi ?

— Il cède du terrain. Dans la première version tout était parfaitement légal et, s'il y avait eu la moindre entorse à la loi, elle était le fait de ce vendeur anonyme. C'était d'un grotesque achevé, alors maintenant il accuse de Suza, qui ne peut plus se défendre. L'ennui, c'est que dans ce cas prouver qu'il ment est beaucoup plus dur. Après tout, il est même possible qu'il dise la vérité. Mais je ne suis guère encline à lui faire confiance. Jonathan, ici présent, pense qu'il veut nous faire prendre des vésicules pour des lampions.

— Des quoi ?

— C'est bien ce qu'on dit ? demanda-t-elle, un peu vexée, en se tournant vers Argyll pour confirmation.

— Tu brûles, mais tu n'y es pas tout à fait ! Tu veux dire "des vessies pour des lanternes".

— Ah ! bon ! fit-elle, répétant la formule deux fois pour bien la graver dans sa mémoire. Parfait. En tout cas, c'est l'avis de Jonathan.

— Bon. Et quoi de neuf à propos de ce buste ?

— Il existe bien. Il a été acheté par de Suza dans les années cinquante, vendu à Moresby, confisqué avant de parvenir à l'acheteur, et volé chez Alberghi il y a quelques semaines.

— Avant de se retrouver ici ? »

Elle opina de la tête.

« La provenance est tout à fait plausible, quand on y réfléchit, même si elle est inhabituelle. Plus on examine les faits, plus le buste semble authentique. »

Morelli pourchassa les dernières gouttes de sauce à la tomate tout autour de son assiette à l'aide d'un bout de pain, enfourna celui-ci dans sa bouche et le mâcha d'un air songeur.

« Avez-vous demandé aux types des douanes de l'aéroport s'ils l'ont examiné ? demanda Argyll.

— Pour sûr ! Eh bien, non ! ils ne l'ont pas fait. N'avaient aucune raison de le faire. Le Moresby est un musée parfaitement respectable. La caisse était si hermétiquement scellée qu'il aurait fallu un temps infini pour déballer le buste. Un vrai tank ! Elle pesait environ cinquante kilos et ils avaient du mal à la déplacer, alors pas question de l'ouvrir et d'en examiner le contenu… Ils affirment qu'ils sont débordés et invoquent le manque de personnel. Ils ont juste vérifié les documents.

— Donc, le scénario paraît être le suivant : de Suza accompagne Moresby dans le bureau. Ils examinent le buste et, pour une raison ou une autre, l'Espagnol l'emporte avec lui et s'apprête à rentrer directement en Italie. Il ne s'agissait pas d'un vol, à l'évidence, car ça a dû se passer avec l'accord de Moresby puisque à ce moment-là il n'était pas encore mort. Pour quelle raison les choses se sont-elles passées comme ça ? Aucune importance. Barclay débarque dans le bureau après le départ de De Suza. Il se dispute avec Moresby : pan ! Il en ressort et donne l'alarme. »

Ils se reversèrent à boire, réfléchirent un moment à ce scénario et se rendirent compte qu'il s'agissait d'une explication qui ne tenait pas debout. Morelli se tourna vers sa femme, Giulia, assise tranquillement à côté de lui ; elle se taisait mais semblait prendre de haut leurs élucubrations. Il avait toujours recours à elle quand il se trouvait dans une impasse. Elle était tellement plus perspicace que lui.

« C'est très clair, déclara-t-elle en ramassant les assiettes pour les mettre dans l'évier. Votre Espagnol ne l'a pas repris. Le buste avait déjà été volé. S'il était si lourd et s'il y avait si peu de temps pour l'emporter après que Moresby et de Suza l'ont examiné dans le bureau, c'est qu'on l'avait pris avant. »

Bien sûr ! Comment avaient-ils été assez bêtes pour ne pas y penser eux-mêmes. Hélas ! après avoir prononcé ces paroles Giulia Morelli se trouva à court d'inspiration. Comme elle le fit remarquer, elle était loin de connaître tous les éléments du dossier. Ils durent se rabattre sur leurs propres moyens intellectuels, lesquels ne possédaient pas l'envergure des siens.

« Vous ne pouvez pas la nommer adjointe assermentée ou quelque chose du genre ? demanda Argyll. C'est possible ici, non ?

— Non. Ça n'existe plus depuis Jesse James. De plus, la police des polices ferait une enquête si je créais un emploi pour mon épouse. On est seuls...

— Dommage ! Il faudra qu'on se débrouille sans elle. Ce sandwich au pâté... Quand a-t-il été plaqué sur l'objectif de la caméra de sécurité ?

— Elle a cessé de fonctionner à vingt heures trente.

— Peut-on supposer que c'est l'heure à laquelle le buste a été volé ? insista Flavia.

— On le peut, mais rien ne le prouve.

— Et l'arme du crime ? Pas d'empreintes dessus ?

— Comme on pouvait s'y attendre, elle a été soigneusement nettoyée. Pas la plus petite trace dessus. En revanche, elle a été achetée par Anne Moresby et déclarée sous son nom.

— Et toujours pas le moindre témoin ?

— En tout cas, aucun ne s'est présenté. Mais, vu la manière dont les invités manœuvrent et jouent à toutes sortes de petits jeux les uns avec les autres, peut-être sont-ils trop occupés pour nous faire part de tout ce qu'ils savent. »

Avec la fierté d'un alpiniste parvenu au sommet de

l'Everest, Argyll fourra dans sa bouche le dernier fragment de boulette de viande, l'avala, puis chercha à déterminer l'état de son estomac.

« Il y a, naturellement, la question de la date, dit-il, sans trop savoir si ce détail allait séduire son auditoire.

— De quelle date voulez-vous parler ?

— Celle où Mme Moresby a entendu son mari et Langton discuter du buste. Il y a environ deux mois, d'après elle.

— Et alors ?

— Selon mes calculs, si on croit Langton quand il dit que la première fois qu'il a vu le buste c'était chez de Suza, ça s'est passé deux jours après le cambriolage de la maison des Alberghi.

— Et ?

— Le vol a eu lieu il y a environ quatre semaines seulement. Je crois que quelqu'un raconte des bobards. »

12

Le lundi matin, Joe Morelli était désormais vraiment convaincu qu'il avait eu tort de ne pas arrêter David Barclay et Anne Moresby. En fin de compte, tout les désignait. Les mobiles ne manquaient pas : l'adultère, un divorce, et plusieurs milliards de dollars à la clé, cela suffisait amplement, à ses yeux, pour que quelqu'un perdît toute maîtrise de soi. L'occasion s'y prêtait et, une fois que sa femme lui eut signalé qu'il n'y avait aucune raison que le buste n'ait pas été volé une heure ou deux avant le crime, il devint évident que toute l'opération était jouable. L'alibi des autres suspects paraissait relativement vraisemblable. En outre, pour tous les autres, il fallait que Moresby reste en vie ; au moins vingt-quatre heures encore dans le cas de Thanet et indéfiniment dans celui du fils.

Cependant il restait quelques petits problèmes à résoudre. Flavia, qui fit un saut au quartier général de la police pour faxer un rapport à son patron, avait besoin qu'on lui fournisse une explication plus précise de la mort de De Suza pour que toutes ses réserves se dissipent. Elle désirait toujours savoir où se trouvait le buste.

Morelli lui lança un regard agacé.

« Écoutez, je sais que vous êtes furieuse à cause de ce Bernini. Mais c'est un dossier en béton. Moresby était en vie à l'instant où Barclay quittait la réception pour aller le rejoindre. Il était mort moins de cinq minutes plus tard. Tout s'emboîte. Que souhaitez-vous de plus ?

— Avoir le sentiment qu'on peut mettre le point final à l'affaire. L'intime conviction qu'il ne reste aucune zone d'ombre.

— Il en reste toujours. Et, d'après mon expérience, il est rare qu'on ait une explication aussi plausible. Je m'étonne que vous ne soyez pas satisfaite du travail accompli. »

Il a raison, songea Flavia en se dirigeant vers le musée pour retrouver Argyll. Il avait disparu un peu plus tôt, ayant à faire là-bas. À l'unanimité – surtout parce qu'il n'y avait aucun autre volontaire pour endosser cette macabre responsabilité –, il avait été choisi au pied levé comme l'exécuteur testamentaire d'Hector de Suza chargé de ramener en Italie ses restes ainsi que – pitoyable mesquinerie de la part du musée ! – ses trois caisses de sculptures.

Elle finit par le découvrir en train de fouiller les cartons entreposés dans la salle des stocks située au sous-sol.

« J'ai bien envie de tout laisser ici, déclara-t-il. Le coût du transport va être énorme. Je ne veux pas me montrer mesquin envers ce pauvre Hector, mais m'occuper de lui va manger un gros morceau de la commission que j'ai reçue pour la vente du Titien. Ce qui rend encore plus difficile la prolongation de mon séjour à Rome.

— Tu pourrais le faire enterrer ici. »

Il poussa un soupir. Il n'en revenait pas d'avoir de tels scrupules.

« J'y ai bien pensé... Mais Hector hanterait ma conscience à jamais... Bien. Dis-moi, crois-tu que je puisse réquisitionner cette caisse-là ? (Il désignait une caisse d'une très grande taille.) Elle est vide. »

Flavia y jeta un coup d'œil.

« On ne peut pas transporter un cadavre dans une caisse d'emballage, fit-elle, un peu choquée.

— Ce n'est pas pour Hector mais pour ses sculptures. Le musée a décidé qu'il n'en voulait pas. Thanet dit que Langton n'aurait jamais dû les acheter. C'est de la camelote, à son avis. »

Il brandit un morceau de bras pour le lui montrer.

« Franchement, il a raison. Je suis étonné qu'on ait même songé à les acquérir.

— Moi aussi. C'est comme ton Titien.

— Lui, il est bon ! s'écria-t-il, sur la défensive.

— Sauf que c'est la seule peinture de l'école vénitienne dans le musée. Ça ne s'accorde pas avec le reste de la collection. »

Il marmonna entre ses dents qu'il s'agissait d'un tableau de grande qualité, etc., puis changea de sujet.

« Alors tu en penses quoi, de cette caisse ?

— Je ne vois pas pourquoi tu ne pourrais pas l'utiliser. Sauf si elle est déjà prévue pour autre chose. »

Flavia se pencha et examina un morceau de papier glissé dans une poche de plastique agrafée sur le côté.

« C'est la caisse dans laquelle a voyagé le Bernini, observa-t-elle. Tu ne peux pas la prendre comme ça. Il va falloir vérifier auprès de la police pour s'assurer qu'elle n'en pas besoin. »

Le jeune homme promena son regard alentour à la recherche de quelque chose qui puisse faire l'affaire, mais, à part quelques minables cartons inutilisables, le local était pratiquement vide.

« Encore un jour sans ! fit-il, avant de s'approcher de la caisse et de jeter un nouveau coup d'œil à l'intérieur. Elle serait vraiment idéale : la bonne capacité, solide comme un roc et avec déjà pas mal de copeaux d'emballage dedans. »

Il fit un pas en arrière.

« Je ne vois pas pourquoi on ne pourrait pas s'en servir. S'il s'agissait d'une pièce à conviction la police l'aurait déjà saisie, non ? » Puis il prit sa décision. « Allez ! Donne-moi un coup de main ! »

Il agrippa le haut de la caisse et tira dessus.

« Dieu du ciel ! qu'est-ce que c'est lourd. Pousse ! Plus fort… »

S'appuyant sur les trois jambes dont ils disposaient à eux deux, ils parvinrent à déplacer d'environ trois mètres la caisse en bois sur le sol cimenté en direction des statues de De Suza. Argyll pensa que, s'il avait été totalement valide, il aurait pu se débrouiller tout seul. Mais la caisse était quand même exagérément renforcée, même selon les critères du musée Moresby. Suant et soufflant, ils s'affalèrent dessus pour reprendre haleine.

« Es-tu sûr que c'est une bonne idée ? demanda Flavia d'un ton inquiet. Ça va coûter une petite fortune rien que pour renvoyer la caisse en Italie. Elle est ridiculement lourde.

— Ils sont comme ça ici. Ils ne veulent pas prendre de risques. Tout est placé sous simple, double, voire triple emballage. Tu aurais dû voir la lourde caisse dans laquelle ils ont mis mon petit Titien à l'aéroport. Il vaut mieux enlever l'étiquette du Bernini pour que ça ne prête pas à confusion. »

Il se baissa, arracha l'ancienne étiquette de transport et en fit une boulette qu'il lança dans un coin.

Flavia fit quelques pas pour ramasser le morceau de papier si négligemment jeté, puis le défroissa avec soin.

« Jonathan ?

— Quoi ?

— Combien crois-tu que ça pèse ?

— Je donne ma langue au chat ! Environ cinq tonnes ?

— Sois sérieux !

— Sais pas. Plus de cinquante kilos. Dans ces eaux-là.

— Et combien pèse le buste ? »

Il eut un haussement d'épaules.

« Soixante kilos ? Davantage peut-être.

— Mais l'étiquette indique que la caisse pèse cinquante-cinq kilos. Donc, quelles conclusions tires-tu du fait qu'elle pèse autant maintenant que lorsqu'elle a passé la douane, alors qu'à ce moment-là elle contenait le Bernini ?

— Hum !...

— Ça veut dire que le buste n'a pas du tout été dérobé dans le bureau de Thanet. Ce qui naturellement signifie que...

— Que quoi ?

— Qu'il va falloir que tu trouves une autre caisse pour renvoyer les statues de De Suza. Et que M. Langton va devoir s'expliquer. »

La dernière personne qu'il lui restait à voir était David Barclay. Elle le dénicha dans son bureau situé en plein ciel et dominant toute la ville. C'était un endroit hyper-élégant, doté d'une épaisse moquette, bourré de secrétaires et de matériel de haute technologie. Tout était blanc, là aussi... Étrange, à quel point la population du cru ne semblait pas aimer les couleurs pour la décoration de ses bureaux.

Flavia s'efforça de se rappeler que l'antipathie personnelle ne constituait pas en droit un motif d'inculpation. Mais Barclay n'était pas son genre d'homme. La coiffure de l'avocat – reflet sans nul doute de la manière dont ses opinions et sa personnalité avaient été, elles aussi, soigneusement lissées au cours des ans au point d'avoir presque cessé d'exister – le lui rendait antipathique. Cette fadeur – le désir d'être aussi neutre que son canapé blanc – était destinée à ne déplaire à personne.

Non pas que dépenser une fortune en vêtements, en

chaussures, en séances chez le coiffeur, en babioles en or lui déplût. Après tout, elle était italienne. Mais les hommes de son pays ne faisaient pas mystère de leur coquetterie invétérée ; en fait, ils en tiraient une grande jouissance. Ils s'habillaient pour se plaire à eux-mêmes, y parvenaient souvent, se fichant pas mal de ce que pensaient les autres. Or, s'il y avait le moindre narcissisme chez Barclay, il s'agissait d'un produit dérivé : l'homme construisait son image pour séduire les autres ; aucun trait personnel ne devait transparaître.

Il ne fut pas facile à interroger. La meilleure manière de l'obliger à se laisser aller eût été de l'informer que, tout bien pesé, il avait de la chance de ne pas être déjà sous les verrous. Mais cet aspect de l'affaire n'étant pas de son ressort, à proprement parler, elle craignait de faire une gaffe. Les lois des autres nations sont parfois difficiles à comprendre. C'est pourquoi elle commença par des généralités et lui demanda son point de vue sur le crime.

« Je ne peux rien pour vous... Même abstraitement je n'imagine pas une seule raison de tuer Moresby. »

Étrange comme on peut s'aveugler sur son propre intérêt, se dit-elle. Anne Moresby héritant de milliards, Barclay aurait pu en avoir sa part ; Langton lorgnait le boulot de Thanet ; Thanet cherchait à avoir la peau de Streeter ; Moresby fils enrageait d'être sans le sou... Ils étaient tous obsédés par ce que le vieux était sur le point de faire avec son argent, et l'avocat n'avait pas la moindre idée de la cause des événements passés. Incroyable !

« Quant au buste, tout ce que je sais c'est que pour

régler la facture j'ai autorisé le transfert des fonds sur un compte en Suisse.

— Vous n'avez pris aucune part au processus d'achat ?

— En dehors de ça, non. J'en ai entendu parler pour la première fois quand j'ai reçu un coup de fil de Moresby afin que je rassemble les fonds. L'achat des œuvres d'art n'entre pas dans mes attributions. Je suis seulement chargé de régler l'addition. Je devrais d'ailleurs parler au passé.

— Et il n'y a rien eu d'inhabituel dans la transaction. Rien qui vous ait paru bizarre dans le processus d'acquisition ?

— Pas le moins du monde.

— Par conséquent, vous avez opéré un virement de deux millions de dollars le jour où le buste a été volé ? Ou est-ce quatre ? Assez bizarrement personne ne semble connaître la somme précise. »

Il hésita. Flavia perçut le changement d'attitude et chercha à en deviner la raison. Après tout, ce n'était qu'une question de routine ; on ne pouvait guère dire qu'elle venait de trancher dans le vif. Il s'agissait d'une question posée au hasard, uniquement destinée à lui faire gagner du temps pendant qu'elle réfléchissait à la suite de l'interrogatoire. C'est pourquoi elle ne pouvait se glorifier du résultat. À savoir que, venant à un moment où Barclay se sentait plus qu'un peu inquiet au sujet de son avenir, cette question lui fit franchir le pas et se confier à propos d'une petite affaire qui, estimait-il, pourrait faire très mauvaise impression s'il était jamais traduit en justice. Il était beaucoup plus prudent de le signaler, de lancer un ballon d'essai devant quelqu'un qui n'appartenait pas à la police afin de voir l'effet produit.

« Je me demandais à quel moment vous vous en apercevriez, dit-il.

— Hum !..., fit-elle, incapable de trouver une meilleure réplique.

— C'était les deux, évidemment.

— Pardon ?

— Les deux. »

Cette précision ne possédait aucun sens pour Flavia, mais la mine grave de Barclay, qui semblait livrer là une confidence, indiquait clairement qu'il considérait avoir fourni là un élément assez conséquent. Alors elle eut le hochement de tête qui signifie que cette anomalie est justement le petit détail révélateur tant attendu.

« Je vois, dit-elle, je vois. »

Barclay fut rassuré de constater qu'elle prenait la confidence avec flegme. Appuyé au dossier de son fauteuil et les yeux au plafond, l'avocat ajouta d'autres précisions, tandis que Flavia tentait de deviner de quoi il pouvait bien retourner.

« Ça fait des années que ça dure, expliqua-t-il. Je n'aurais jamais dû accepter, mais Moresby n'était pas le genre d'homme à qui on pouvait dire non. Maintenant je m'attends qu'on ouvre les registres d'un jour à l'autre, qu'on additionne les chiffres et qu'on lise mon nom au bas de chaque autorisation. Et celui de Thanet, bien sûr.

— Celui de Thanet ?

— Naturellement ! Le système n'aurait pas pu fonctionner sans lui. C'est lui qui devait fournir les évaluations, confirmer que les objets valaient la somme que Moresby voulait déduire de ses impôts. Au début, je crois qu'il lui faisait confiance, comme moi-même. Moresby affirmait avoir déboursé une certaine somme, alors Thanet déclarait que Moresby avait fait don au musée d'un objet valant vraiment ce montant. Je ne pense pas que l'idée lui ait jamais traversé l'esprit que ce n'était pas légitime. Pas plus qu'à moi. Je n'ai fait qu'obéir aux ordres.

» Évidemment, Thanet jugeait que le patron payait beaucoup trop, mais c'était son droit. Puis il m'a signalé que ces Européens malhonnêtes le menaient en bateau, et j'ai jeté un coup d'œil. Mais il était déjà trop tard. Il était si facile d'imaginer un inspecteur des impôts en train de nous dire : "Ça fait des lustres que M. Moresby fraude le fisc en racontant qu'il débourse deux ou trois fois plus qu'en réalité et vous voulez nous faire croire que vous n'en saviez rien ?"

» Bien sûr le fisc ne nous aurait jamais crus. Nous étions tous les deux naïfs, et puis nous étions trop désireux de garder notre boulot. C'est pourquoi j'ai effectué des transferts de fonds, en en planquant un peu partout, et Thanet a continué à présenter de fausses évaluations au percepteur. »

Flavia avait fini par comprendre. Cependant, juste pour s'en assurer elle lui dit : « Donc vous avez transféré quatre millions en Europe et deux millions de cette somme ont servi à payer le buste lui-même, les deux autres se trouvant toujours quelque part dans un compte Moresby ? »

Il opina du chef.

« C'est exact. À partir de là le processus aurait été le même. Moresby aurait présenté une facture indiquant que le buste coûtait quatre millions, Thanet aurait prétendu qu'il valait ce prix, et j'aurais rempli la déclaration d'impôts en ce sens, en demandant une déduction fiscale. Résultat, il aurait eu le buste pour presque rien.

— Mais où sont passés les deux millions qui ont payé le buste ?

— Ils ont fait l'objet d'un virement automatique au profit du propriétaire à partir du compte suisse Moresby.

— D'accord, mais à l'ordre de qui a-t-on viré ces fonds ? Dites-moi, serait-il possible que l'argent ait été déposé sur le compte de Langton ? »

Il secoua la tête en souriant benoîtement.

« Oh non ! En tout cas, il y a quelque chose de sûr à propos de M. Moresby : il n'était pas homme à faire facilement confiance. Pas en ce qui concerne le milieu de l'art. Il surveillait de près tous ses employés. J'ai vérifié : l'argent n'a pas été versé à Langton. Et la police me dit que de Suza n'en a pas été le bénéficiaire. »

Et personne d'autre non plus, autant que Flavia pouvait le déterminer. Bizarre…

« Dites donc, tout ça était un peu illégal, non ? »

Barclay acquiesça.

« On peut dire ça.

— Et quelle est la somme totale qu'il a ainsi économisée ?

— J'ai fait les calculs ce matin. Il a dépensé environ quarante-neuf millions de dollars en tout, et a prétendu que la somme s'élevait à quatre-vingt-sept millions. C'est difficile d'évaluer l'économie avec précision, mais je dirais qu'il a, en gros, économisé quinze millions de dollars d'impôts.

— Et ça correspond à quoi ? Aux cinq dernières années à peu près ? »

Il la regarda avec une certaine surprise.

« Oh non ! Aux dix-huit derniers mois. Évidemment, les débours sont montés en flèche dès qu'il s'est laissé séduire par l'idée du Grand Musée. »

Même en ne considérant que les sommes réellement dépensées, c'était assez impressionnant et cela dépassait sans conteste de beaucoup les sommes qu'un musée italien eût jamais reçues de l'État. Cependant Barclay était plus intéressé par d'autres sujets.

« Rouler le fisc... Ses agents sont impitoyables, dirons-nous. Personnellement, je préférerais avoir maille à partir avec la Mafia. Il faut être une véritable brute pour être inspecteur des impôts. »

Il eut un tressaillement involontaire. Flavia réfléchit à ce qu'il venait de dire.

« Qui était au courant de tout ceci ? C'était sans nul doute le genre de chose qu'on se gardait bien d'ébruiter ? »

Il acquiesça.

« Pour sûr ! Mais j'imagine que beaucoup s'en doutaient. Anne Moresby devinait le manège : elle m'a même prié de lui communiquer des documents afin d'incriminer Thanet. J'ai évidemment refusé, parce que je me serais incriminé moi-même, mais il semble qu'elle ait réussi tout de même à mettre la main sur certains papiers. Par quel biais ? Ça, mystère. Langton devait avoir une vague idée de ce qui se passsait. Mais je pense que seuls Thanet, Moresby et moi-même savions avec précision comment fonctionnait le système. C'est pourquoi l'affaire Collins a pris de telles proportions.

— Qui ?

— C'était un conservateur recruté par Langton. Il a signalé qu'il avait quelques doutes sur un Hals acheté par Moresby. On craignait qu'il n'y ait une enquête et que la vraie valeur – et le vrai prix – du tableau ne soit révélée. Alors il n'a pas fait long feu, le Collins en question. Thanet a inventé une raison pour l'accuser d'incompétence et il a dû plier bagage. Il y a eu une sacrée bagarre au musée et ça a révélé au grand jour, avec un peu trop d'éclat, la vieille inimitié entre Thanet et Langton. »

Flavia approuva d'un signe de tête. Une autre complication. Moresby au centre de l'affaire, comme une sorte de béance en plein milieu. Elle se rendit compte qu'elle ne connaissait absolument rien de l'homme. Beaucoup d'opinions, toutes défavorables, mais aucune idée précise sur sa vraie personnalité. Par exemple, pourquoi lorsqu'on possède une telle fortune déployer autant d'efforts pour rouler le percepteur de si peu ? Toutes choses étant relatives, par ailleurs.

Barclay, somme toute moins superficiel qu'elle ne l'avait d'abord pensé, se gratta le menton et essaya de trouver une explication :

« C'était juste sa manière d'être, je suppose. C'était un avare. Pas à la manière du stéréotype qui vit dans un taudis et cache son magot sous le matelas, mais un avare au sens psychologique du terme : il connaissait la valeur de l'argent et aurait fait n'importe quoi pour garder ce qu'il considérait comme son bien. Une véritable religion. Il aurait fait autant d'efforts pour économiser un dollar qu'un million. Ou qu'un milliard. La somme n'avait aucune importance ; seul le principe comptait. Il avait des principes. Quiconque prenait son argent était un ennemi et il ne reculerait devant rien pour l'en empêcher. Y compris tous les percepteurs du monde.

» Ça ne signifie pas qu'il était mesquin. En fait, il ne l'était pas. Quand il le désirait il pouvait se montrer très généreux. Du moment que c'était lui qui décidait. Et personne d'autre. Ça vous semble convaincant ? »

Elle le supposait. Mais n'ayant jamais connu une personne de ce genre elle était obligée de faire confiance à l'avocat.

« Était-il vindicatif ?

— En quel sens ?

— Si, à ses yeux, quelqu'un lui avait porté tort, par exemple… Est-ce qu'il lui en gardait rancune ? »

Barclay rejeta la tête en arrière et éclata de rire.

« "Est-ce qu'il lui en gardait rancune ?" Ha oui ! je pense qu'on pourrait dire ça. Vraiment. Si quelqu'un lui avait marché sur les pieds il l'aurait suivi jusqu'au bout du monde pour assouvir sa vengeance.

— Pendant quarante ans ?

— Dans l'autre monde et même dans celui d'après si nécessaire.

— Donc, fit-elle, en se préparant à porter l'estocade, il se pourrait que quelqu'un qui entretient une liaison avec sa femme le tue en premier si Moresby s'en est aperçu. Histoire de prendre les devants. »

Barclay fut estomaqué. Sa bouche s'ouvrit tout grand et se referma. Puis il poussa un petit sifflement : « Eh bien, je veux bien être... »

Et il se tut. Au risque de perdre l'avantage psychologique, Flavia ne put se retenir. Elle leva la main.

« Vous voulez bien être quoi ? demanda-t-elle.

— Je vous demande pardon ?

— Vous avez dit : "Je veux bien être..." et puis vous vous êtes tu. »

Barclay fronça les sourcils et finit par saisir le sens de ses paroles. Il s'ensuivit un bref intermède, où il expliqua dans quelles circonstances on emploie l'expression « vouloir bien être pendu ». Flavia la nota dans son calepin.

Puis elle décida qu'il était temps de prendre congé. Il ne lui restait plus qu'à livrer son petit message. Elle espérait seulement qu'elle le dirait d'un ton assez convaincant.

« Heureusement, le dossier est presque bouclé ! Je vais donc pouvoir rentrer chez moi dans un jour ou deux. Même si l'endroit est fort agréable, il me tarde de rentrer en Italie », annonça-t-elle d'un ton badin, espérait-elle.

Barclay la dévisagea d'un air méfiant.

« Que voulez-vous dire ?

— Le crime. Tout a été enregistré.

— Je croyais que toutes les caméras étaient en panne ?

— En effet. Mais Streeter avait également installé un micro dans le bureau de Thanet. Lui aussi soupçonnait quelque chose de louche dans les finances du musée. Il pense que le micro a probablement enregistré toute la chose. Vous savez, quelqu'un qui s'écrie : "Meurs, Moresby !" avant qu'un bruit sourd se fasse entendre. Il va remettre ce soir la bande à la police, chez lui. »

13

S'étant légèrement froissé un muscle de sa seule jambe valide, Argyll avait renoncé à accompagner Flavia dans son petit voyage jusqu'au bureau de Barclay. Il était resté à l'hôtel afin de ménager son plâtre en regardant la télévision. Regarder la télé le matin était presque un péché, ce qui ne lui déplaisait pas, même si les programmes n'offraient qu'un maigre choix.

Si maigre, en fait, qu'il finit par se rabattre sur un long sermon psalmodié par une sorte de prédicateur fondamentaliste sur le thème du rapport entre péché et argent et dont le sens général était qu'on pouvait racheter celui-là en lui donnant celui-ci. C'était passionnant ! N'ayant jamais assisté à un tel spectacle, il fut presque agacé qu'on ose le déranger en frappant à la porte.

« Entrez ! lança-t-il. Ah ! salut ! enchaîna-t-il quand Jack Moresby passa la tête dans l'entrebâillement. Ravi de vous revoir. »

Jack Moresby sourit d'un air penaud en entrant dans la chambre.

« Comment va ? demanda-t-il. J'ai appris que vous aviez ramassé une bûche. »

Il fixa la jambe d'Argyll et y donna de petits coups.

« Une seule ? Une sacrée veine si j'en crois la rumeur.

— On fera mieux la prochaine fois, je suppose.

— Qu'est-ce que vous voulez dire ?

— Hein ? Rien de particulier. J'ai eu de la chance. Je ne peux pas dire que je sois aux anges, cependant. »

Jack Moresby opina du bonnet.

« Hum ! L'important c'est que vous soyez toujours parmi nous. J'ai juste voulu m'en assurer.

— Je vous en remercie. Servez-vous à boire si vous voulez.

— Et où en est la grande enquête ? »

Il attrapa une bière et s'assit.

« Pour retrouver le buste ?

— Je m'intéresse davantage à l'assassin de mon père.

— Ah oui ! C'est bien normal. Pourtant, dans les deux cas la réponse est la même : on approche du but.

— Et qui est en tête de liste ?

— Votre belle-mère et Barclay. Ça ne vous surprend pas, j'imagine. »

Jack Moresby digéra ces propos en même temps que sa bière, puis hocha doctement la tête.

« Je me suis posé la question. Je dois l'avouer. Mais ç'aurait été un pari terriblement risqué.

— Il y a beaucoup d'argent à la clé. On a déjà pris de plus grands risques pour moins.

— Mais elle aurait été si riche même s'il avait mis en œuvre le projet du Grand Musée.

— Pas si son mari avait divorcé pour motif d'adultère. Et il est probable que vous ayez à témoigner à ce sujet.

— On l'a interrogée là-dessus ? »

Argyll acquiesça d'un signe de tête.

« Elle nie. Mais l'équipe de Morelli n'a pas perdu son temps. Ils ont dégoté pas mal de preuves montrant qu'elle a une liaison. La petite escouade de détectives de l'inspecteur a mis au jour ses escapades du week-end et découvert qu'elle descendait à l'hôtel avec quelqu'un sous des noms d'emprunt. Mais vous, comment vous en êtes-vous rendu compte ?

— Ça n'a pas été difficile. C'est le genre et c'était clair qu'elle avait un petit copain. En plus, le domestique qui s'occupe de la maison du bord de mer l'a insinué. Et on m'a dit qu'elle connaissait très bien le fonctionnement du musée. Comme le paternel ne lui disait jamais rien, ça ne pouvait venir que de Barclay. Tout ça, mis bout à bout…

— Ah ! je vois.

— Et ce sera pas juste ma parole contre la sienne ?

— Apparemment pas.

— Ça sent pas bon pour elle, alors ?

— Non. Je crois comprendre qu'il n'y a rien d'assez solide. Je ne connais pas les lois du pays, mais Morelli semble vouloir des preuves en béton. Il dit qu'il les aura bientôt d'ailleurs. »

L'œil de Jack Moresby s'éclaira.

« Ah ! Et comment donc ?

— Streeter raconte à tout le monde qu'il vient de

récupérer une bande correspondant à un micro caché dans le bureau de Thanet.

— Ah ouais ? Et c'est la vérité ? »

Argyll fit un sourire significatif.

« D'accord… C'est peut-être pas très convaincant. Mais on pense que ça pourra aider à débusquer l'assassin, si vous voyez ce que je veux dire.

— La bande ou la rumeur qu'il en existe une ?

— Va y avoir une petite réunion *chez** Streeter, ce soir. À neuf heures, dit Argyll sans répondre à la question. Pour écouter la bande qui s'y trouve. »

La mine grave, Moresby opina du bonnet et se leva.

« Dites donc ! fit-il tranquillement. Je vous ai apporté un petit cadeau. »

Argyll avait un faible pour les cadeaux. Depuis toujours. Ça valait presque la peine de tomber malade pour en recevoir. Il gardait d'excellents souvenirs de la rougeole, des oreillons et de toutes ses maladies infantiles. Il était en train de remercier son visiteur quand on frappa de nouveau à la porte.

« Oh ! la barbe ! fit-il. Entrez donc ! »

Un petit homme à l'apparence timide et aux cheveux gris entra dans la chambre en hochant nerveusement la tête.

« Monsieur Argyll. Peut-être ne vous souvenez-vous pas de moi ? »

Il se dirigea vers le lit en tendant une carte.

« Bon. Il vaut mieux que je vous quitte, dit Jack Moresby, l'air contrarié, avant d'avaler ce qui restait de sa bière en une longue gorgée.

— Vous n'êtes pas obligé de partir. Restez encore un moment.

— Non. Ne vous en faites pas ! À plus ! »

Et il s'en alla assez brusquement. Argyll, quelque peu agacé, se tourna vers le nouveau venu qui attendait, debout devant lui. Moresby avait oublié de lui donner le cadeau.

« Je m'appelle Ansty, monsieur, annonça l'homme en s'asseyant. Nous avons fait connaissance à l'hôpital. »

Argyll le dévisagea sans le reconnaître puis jeta un coup d'œil à la carte. Josiah Ansty, avocat. Alors il se souvint.

« Ah oui ! Vous êtes la personne qui s'est battue avec le loueur de voitures. »

Ansty opina du chef.

« Le porc ! fit-il. Le sauvage ! Il m'a attaqué.

— Bon, d'accord. Et que puis-je faire pour vous ?

— Il s'agit plutôt de ce que moi, je peux faire pour vous. J'ai cru comprendre que vous aviez plusieurs procès en perspective...

— Absolument pas !

— Oh si ! Vous ne pouvez pas y échapper...

— Oh non ! Et, le cas échéant, je grimperai dans le premier avion. Direction l'Italie ! Si on veut me faire un procès, il faudra d'abord me rattraper. »

Cette attitude cavalière vis-à-vis de la justice ne laissa pas d'indigner Ansty. Comment pouvait-on gagner sa vie avec des gens de cet acabit ?

« De quelle façon m'avez-vous trouvé ? reprit Argyll. Je ne vous ai pas contacté.

— Eh bien, j'écoutais par hasard la fréquence de la police quand on a annoncé votre accident. Et l'hôpital m'a donné votre adresse. Alors je me suis dit...

— Vous êtes une sorte de vampire, non ? C'est de cette manière que vous dégotez tous vos clients ?

— Un certain nombre d'entre eux. De nos jours, il ne sert à rien d'attendre que l'on vienne à vous. Il faut se rendre sur le terrain. Il y a tant de gens qui pourraient intenter des actions en justice, mais qui n'y pensent même pas.

— Eh bien moi j'y ai pensé, et ça ne m'intéresse toujours pas. Allez-vous-en !

— Mais sûrement...

— Non !

— Mais l'entretien de la voiture...

— L'entretien de la voiture n'était pas en cause. Quelqu'un a desserré le câble du frein. Il s'agit d'une tentative de meurtre. Pas d'un accident. »

Ansty parut chagriné de constater qu'une affaire lucrative allait définitivement lui filer entre les doigts.

« Malgré tout, reprit-il en désespoir de cause, vous pourriez toujours réclamer des dommages et intérêts, indépendamment de l'aspect criminel de l'affaire.

— Personne n'a encore été arrêté, fit remarquer Argyll. Qui suis-je censé poursuivre ? De plus, l'agence de location a déclaré que l'assurance suffirait amplement. Et je n'ai pas l'intention de faire un procès à quiconque. Pas même à Anne Moresby, dans l'hypothèse où elle serait l'instigatrice.

— C'est ce que pense la police ?

— C'est leur théorie actuelle, en effet.

— Dans ce cas, monsieur, en tant que spécialiste, je me dois de vous conseiller de monter sans plus attendre un dossier contre elle. Autrement, l'occasion sera perdue.

— De quoi donc parlez-vous ?

— Si j'ai bonne mémoire, Mme Moresby n'a aucune fortune personnelle. Je me rappelle les articles de journaux au moment de leur mariage. Elle est issue d'une famille modeste. Tout l'argent dont elle pourra disposer viendra de la succession de son mari. »

Il leva les yeux vers Argyll qui le fixait d'un air excédé, incapable apparemment de voir où l'autre voulait en venir. Voilà justement pourquoi, se dit Ansty, les gens ont besoin d'avocats. Tôt ou tard, la compétence professionnelle apparaît indispensable. Et on en avait là un parfait exemple.

« N'est-ce pas la vérité, monsieur ? »

Argyll secoua la tête.

« Probablement. C'est fort possible. Et alors ?

— Dans ce cas, vous avez peu de chance d'obtenir des dommages et intérêts… sauf si vous intentez un procès avant qu'elle soit inculpée.

— Je ne vous suis pas. »

L'avocat détailla la procédure logique, étape par étape, comme s'il l'expliquait à un gamin, où, disons, à un étudiant de première année de droit.

« Le procureur va argumenter qu'elle a tué Moresby, je suppose…

— Ce n'est pas elle qui a commis le crime. Elle en a été

la complice ou quelque chose du genre. Mais continuons…

— … ou qu'elle est impliquée dans le meurtre du sieur Moresby afin de s'approprier sa fortune, continua-t-il d'un ton pédant. Si elle est reconnue coupable elle sera automatiquement empêchée d'hériter de ses biens, puisque la loi interdit aux criminels de profiter de leurs crimes. Je peux vous citer…

— N'en faites rien, je vous en prie ! l'interrompit Argyll. Je n'ai toujours aucune intention de faire un procès à qui que ce soit. »

Cependant, il se cala sur son oreiller pour réfléchir à toute l'affaire. Et soudain il eut une idée atroce. Si effroyable, en fait, que la seule pensée lui donna des sueurs froides. Si une chose qu'il était censé savoir mettait en péril un héritage véritablement colossal, il comprenait pourquoi on devait l'éliminer sans tarder. Cela ne l'aidait guère à deviner ce qu'il avait vu ou entendu, mais…

« Un moment…, dit-il. Au fait, vous êtes occupé aujourd'hui ? »

Ansty se disposait à partir. Il lui jeta un regard triste et, dans un accès de franchise, avoua que cela faisait des semaines qu'il se tournait les pouces. Pas le plus petit dossier, pas le moindre client à ce moment précis.

« Parfait ! dit Argyll. Je veux que vous demeuriez ici. Restez quelques heures avec moi, si vous le voulez bien. On peut se faire monter le déjeuner, si ça vous dit. »

Ansty se rassit.

« C'est très aimable à vous. J'en serais ravi. »

« Je n'ai jamais vu personne manger autant ! se plaignit Argyll quatre heures plus tard, lorsque Flavia revint enfin en compagnie de Morelli. L'homme est un mixeur vivant. Même toi, tu ne dévores pas autant. »

L'humeur du jeune Anglais était quelque peu altérée. Supporter l'avocat avait été un vrai supplice et la certitude que sa présence était indispensable n'avait pas du tout adouci l'épreuve. S'il avait pu deviner que Flavia allait être absente aussi longtemps ou qu'Ansty jouissait d'un tel appétit, il aurait peut-être pris le risque de rester seul.

Mais, n'ayant pas révélé à l'avocat pourquoi il avait soudain souhaité sa présence, il ne pouvait pas vraiment se plaindre. Et la seconde partie de la visite n'avait pas été si déplaisante que ça : il existe des façons moins agréables de passer le temps qu'être assis sur son lit en buvant de la bière pendant qu'on vous explique les règles du baseball. Il ne s'était jamais rendu compte de la complexité du jeu. Tout à fait fascinant... Par contre, il ne saisissait pas pourquoi les joueurs restaient en sous-vêtements, Ansty fut incapable de l'éclairer à ce sujet.

Lorsque Flavia et Morelli arrivèrent, ils trouvèrent donc Argyll et cet homme mûr en costume gris installés sur le lit et effondrés de rire après une « balle mouillée » lancée au mauvais moment (quand on lui posa la question Argyll dut avouer qu'il ne se rappelait plus ce qu'était une « balle mouillée [1] » et qu'il était absolument incapable d'indiquer quel était le bon moment pour lancer ce genre de balle), la chambre étant jonchée d'assiettes et de boîtes de bière vides et les rideaux hermétiquement fermés.

« Blague à part, conclut-il, j'ai eu une journée absolument affreuse. L'ennui, c'est que je n'ai pas réussi à décider s'il s'agissait ou non d'une simple paranoïa. Mais, avec des assassins en liberté, j'ai eu le sentiment d'être une proie facile, dans l'éventualité où quelqu'un m'aurait choisi pour cible. Je ne vois toujours pas pourquoi, pourtant tout concourt à faire supposer que c'est le cas. Bien sûr, si j'avais su que tu étais avec Barclay pendant tout ce temps j'aurais eu moins peur qu'il surgisse dans la chambre, l'arme au poing.

— Oui, on n'est jamais trop prudent.

— Et dorénavant, nous allons nous occuper de tout, déclara Morelli, la mine un rien anxieuse. Le problème, c'est que ça ne fait pas progresser notre enquête d'un iota. Une preuve est une preuve ; pour le moment on n'en a pas une seule.

— Par conséquent, vous allez devoir fonder tous vos espoirs sur cette réunion, pas vrai ? Avez-vous vu tout le monde ? »

Morelli hocha la tête.

« On les a tous prévenus, le plus délicatement

1. *Spitball* : au base-ball, balle lancée après avoir été illégalement mouillée avec de la salive ou de la sueur afin qu'elle ne suive pas un tracé régulier. *(N.d.T.)*

possible. Streeter rentrera tard du travail et ne sera chez lui qu'un peu avant neuf heures. On a raconté que la bande se trouvait chez lui. C'est fort tentant… »

Argyll fit un large sourire.

« Très bien. Je suppose que vous devriez avaler un morceau avant qu'on y aille. Je commande d'autres sandwichs ? Ensuite, on pourra laisser en paix le buste fantôme. »

Morelli semblait perplexe.

« Que voulez-vous dire ?

— Tu ne lui en as pas parlé ? »

Flavia prit un air contrit.

« Désolée, j'ai oublié. Nous avons tout tiré au clair, voyez-vous ? J'espère que cela ne vous ennuie pas. »

Morelli parut très ennuyé, au contraire. Il leur fit comprendre que, vu qu'on était à Los Angeles, qu'il faisait partie de la police de Los Angeles et qu'eux étaient de simples touristes tolérés, ils auraient pu avoir l'amabilité de le tenir mieux informé.

« J'avais vraiment l'intention de vous mettre au courant. Mais je n'ai placé les toutes dernières pièces du puzzle qu'après mon entretien avec Barclay…

— Et ? souffla Morelli.

— Langton…, poursuivit-elle d'une voix ferme. C'est évident. À cause de la caisse, voyez-vous. Elle était vide.

— Vide ? fit Morelli tout en se disant qu'il posait bien trop de questions d'un seul mot.

— Vide. Elle se trouve dans le sous-sol du musée. Elle pèse cinquante-cinq kilos. Or c'est le poids indiqué par l'étiquette de fret lorsque cette même caisse contenait le buste. Conclusion : elle a toujours été vide. Il n'y a eu aucun vol dans le bureau de Thanet. Aucun buste n'est sorti d'Italie en contrebande et quels qu'aient été les objets volés chez Alberghi à Bracciano, aucun buste de Pie V par le Cavalier Bernin ne se trouvait parmi eux. En fait, je commence à me demander s'il a jamais appartenu à Alberghi.

— Alors, Dieu du ciel ! à quoi tout ça rime-t-il ? C'était juste pour nous égarer ? Si c'est le cas, ça a marché à merveille.

— Pour avoir la réponse, il va falloir poser la question à Langton. À mon sens, il s'est agi d'une mystification complète, que Langton est le seul à avoir pu mettre en œuvre. Vous voulez entendre mon raisonnement ? »

Un autre plateau chargé de sandwichs et de bières fit son apparition, ce qui retarda de quelques minutes le moment où Flavia allait satisfaire leur curiosité. Ensuite, après que le petit livreur fut reparti et qu'elle eut ingéré un sandwich au pastrami, elle reprit la parole.

« Moresby possédait trois traits de caractère qui faisaient de lui une cible idéale. Primo, c'était un collectomane, si c'est le mot juste ; deusio, il n'aimait pas se faire avoir et, tertio, il avait horreur de payer des impôts.

— Tout le monde déteste payer des impôts ! interrompit Morelli en un cri du cœur.

— Quoi qu'il en soit, en 1951, il a acheté un buste à Hector de Suza sur le marché noir italien. Il a versé un acompte, en pure perte. Le buste n'a jamais été livré. On sait que la sculpture a été saisie et il est possible d'ailleurs que de Suza le lui ait dit, même si je doute que Moresby l'ait cru. Après tout, on n'en a plus entendu parler. Si le buste avait été inclus dans la collection Borghèse il aurait été facile de savoir où il était passé. Mais Moresby ne pouvait rien faire sans révéler à tout le monde qu'il était complice d'une tentative d'exportation illégale d'objets d'art. C'est pourquoi il a dû se tenir coi.

» Après ça, Moresby s'est un peu méfié des négociants en œuvres d'art, ce qui est bien compréhensible. Bon. Ensuite, il y eut l'affaire Frans Hals. »

Morelli fronça les sourcils. Ça ne lui disait rien. En tout cas, il ne se rappelait pas avoir interrogé le dénommé Hals.

« Si tout le monde savait que quelque chose clochait à propos de ce tableau, une seule personne, Collins, un conservateur débutant dans la carrière, a eu le cran de le signaler. Il a suggéré qu'on fasse une enquête plus approfondie et a sous-entendu que le prix payé était bien trop élevé. Scandale ! Le conservateur a été éjecté.

» Lorsqu'on y réfléchit, la chose est très étrange. D'ordinaire – le Moresby est peut-être une exception, mais j'en doute –, les musées n'aiment pas posséder des faux. Si quelqu'un peut prouver qu'une acquisition est un peu hasardeuse, il devrait être félicité. Le conservateur en question était un spécialiste de la peinture hollandaise du XVIIe. Et, naturellement, c'était un protégé de Langton.

» Que le tableau ait été un faux, je n'en doute pas un seul instant. Que toute l'histoire ait constitué une première tentative pour couler Thanet semble tout aussi probable. »

Morelli qui, les yeux fixés au plafond, l'air absent, n'avait cessé de hocher la tête tout en se demandant si Flavia allait enfin présenter une preuve, rompit son silence :

« Comment parvenez-vous à cette conclusion ? demanda-t-il en se penchant pour contempler les sandwichs et prendre une autre bière.

— Langton n'ayant pas acheté le tableau en personne, révéler que c'était un faux ne lui aurait fait aucun tort. À Thanet, qui avait avalisé l'achat, à Barclay, qui avait réglé la facture, si. Et ça aurait pu finalement aboutir à une enquête sur Moresby lui-même. Une enquête en bonne et due forme aurait montré que le tableau n'avait coûté que deux cent mille dollars – Moresby avait déclaré au fisc qu'il en avait payé trois millions deux. Barclay m'a fourni les chiffres. Une enquête encore plus approfondie aurait sans conteste indiqué qu'au cours des ans des millions de dollars d'impôts avaient ainsi été économisés. Moresby se serait retrouvé dans un sacré pétrin et n'aurait pu s'en tirer qu'en rejetant la faute sur Thanet et Barclay. Des serviteurs trop zélés... Vous connaissez la chanson.

— Mais ça n'a pas marché, fit remarquer Morelli.

— Non. Thanet a agi avec plus de détermination que prévu en vidant le jeune conservateur séance tenante. Alors Langton repasse à l'attaque. Collins se retrouve stagiaire au Borghèse et découvre le document sur le Bernini. La machine se met en branle. Langton a entendu mille fois le récit de la façon dont Moresby s'est fait délester d'un Bernini. Ça ne doit pas être très difficile pour lui de deviner que son patron serait sans doute fort content de remettre la main dessus.

» Il y a certaines difficultés, cependant, la principale étant justement de mettre la main dessus et de le faire sortir du pays. On décide que de Suza sera le pauvre type chargé d'endosser la culpabilité, afin que le musée garde les mains propres au cas où la contrebande viendrait à être découverte. Ça permet à Moresby d'assouvir sa vengeance et attise son désir de s'emparer du buste.

» C'est pourquoi Langton se rend à Bracciano pour se renseigner, mais il est mis à la porte. Collins lui ayant appris que le vieux Alberghi vient de mourir, il téléphone au colonel Alberghi et découvre que personne n'a la moindre idée de ce qu'il y a dans la maison. Donc Langton sait que, si un Bernini s'y trouve, il est la seule personne à être au courant. C'est pourquoi on effectue un cambriolage pour s'en saisir, mais c'est un fiasco. Manque de chance ! Aucun Bernini en vue.

» Mais ce n'est pas un petit détail comme ça qui va décourager Langton. Il comprend que, si lui est parvenu à la conclusion qu'un Bernini se trouve dans cette maison, alors tout le monde fera de même. Langton appâte de Suza en lui achetant certaines de ses antiquités et en le payant pour effectuer le transport de la caisse de l'autre côté de l'Atlantique. On transfère l'argent selon le processus normal, et deux millions de dollars, à mon avis, font une halte non prévue au programme sur le compte en banque de Collins en attendant de pouvoir être escamotés discrètement.

» Langton est sur le point non seulement de priver

Moresby d'une énorme somme d'argent, mais également d'être félicité par lui et de se débarrasser de Thanet par-dessus le marché. La difficulté consiste à éviter que quelqu'un jette un coup d'œil dans la caisse. Ayant par le passé acheté des objets pour le musée, Langton est quasiment certain que les douaniers ne vont pas gaspiller trop de temps à fouiller la caisse. Par mesure de précaution, il ne va pas la chercher tout de suite, jusqu'au moment où il apprend que Moresby vient rendre une visite impromptue au musée. Après tout, c'est lui qui a fait déposer la caisse, en partie ouverte, dans le bureau de Thanet et qui a suggéré qu'on n'avait pas le temps de l'examiner. Alors il lui reste juste à coller un sandwich sur l'objectif de la caméra en attendant que tout un chacun tire des conclusions hâtives. »

Pas tout à fait convaincu, Morelli fronça le nez.

« Il ne s'attendait pas à ce qu'on croie à cette histoire, si ?

— C'est pourtant ce qui s'est passé. Le truc c'était de faire croire à tout le monde que le buste était authentique, une fois qu'il avait théoriquement disparu du bureau de Thanet. Et, pour ça, il avait besoin de la collaboration active de la police italienne, complice à son insu. En ma personne, le salaud ! Il sait bien que nous allons faire une enquête sur le cambriolage de Bracciano et qu'il suffit que nous liions ce vol-là et le Bernini. Et ce lien, c'est Jonathan Argyll qui l'a fourni en me téléphonant tout de suite pour me débiter des histoires de contrebande avec une telle force de persuasion que nous étions obligés de lancer une enquête. C'est pourquoi je me suis rendue au musée Borghèse et il aurait fallu être une demeurée pour ne pas saisir le rapport. »

À ces mots, Argyll leva les yeux, un peu surpris d'être décrit comme pratiquement complice d'une escroquerie de grande envergure.

« Langton a acheté le Titien très tardivement, après avoir pris de Suza au piège. Puis il a insisté pour qu'Argyll vienne à Los Angeles. Le Titien en question n'était guère à sa place au milieu de la collection du musée. Il poussait un juron contre...

— Il jurait avec...

— Il jurait avec les autres tableaux du musée. Si l'on considère que le musée avait une politique d'achat cohérente, celui-ci n'avait aucun sens. Pas plus que n'était logique l'acquisition de la sculpture de De Suza.

» Le Titien n'a été acheté que pour s'assurer la présence d'Argyll au moment où allait surgir la question de l'exportation illégale. Après tout, son amitié avec moi et la brigade chargée du patrimoine n'était un secret pour personne dans le milieu des négociants en œuvres d'art. Dès qu'on s'est aperçu de la disparition du buste, Argyll m'a passé un coup de fil et je me suis engagée sur la piste qu'on avait si aimablement ouverte à mon intention. »

Encore une tirade bourrée de formules idiomatiques ! Flavia avait bien dû faire une erreur quelque part. Elle se tut et jeta un regard interrogateur à Argyll. Lequel hocha la tête en signe d'approbation.

« Le plan de Langton, minutieusement préparé, créait l'illusion que le buste possédait un pedigree plausible.

Une enquête approfondie remonterait jusqu'à Alberghi, de Suza et la vente de 1951. Ajoutée au compte rendu enthousiaste d'Alberghi en 1951, tout semblait fort convaincant.

» Résultat : deux jours plus tard, la police italienne envoyait un message reconnaissant l'importance nationale du buste, son incontestable authenticité et réclamant d'urgence son rapatriement.

» Y avait-il une façon plus éclatante de persuader tout un chacun de la réalité du vol et de l'authenticité du buste que de s'arranger pour que des mandats de recherche sillonnent le monde entier ? Dès le début, la police a été manipulée afin de convaincre tout le monde qu'il s'agissait d'un chef-d'œuvre perdu.

» L'ennui ce n'est pas que de Suza se soit mis à rouspéter, mais qu'il ait obtenu si vite un entretien avec Moresby. Il a dit à Jonathan qu'il pouvait prouver qu'il n'avait pas exporté le buste en contrebande et c'est probablement ce qu'il a dit à Moresby. Alors il faut agir de toute urgence. Le reste coule de source. »

Elle les regarda d'un air satisfait, sûre qu'il ne manquait plus que l'arrestation du coupable. Morelli ne paraissait pas aussi admiratif qu'elle l'avait imaginé. Il attendait toujours une preuve tangible et le lui signala.

« Oh ça ! fit-elle avec désinvolture. Simple comme bonjour ! Il assistera forcément à la réunion chez Streeter. On n'aura qu'à lui mettre la main au collet. De plus, j'ai téléphoné à Bottando et il va se rendre au musée Borghèse pour forcer Collins à rendre gorge, coûte que coûte.

— En parlant de M. Langton, dit Argyll, je pensais à ces coups de fil qu'il a passés après le crime.

— Rien de louche là-dedans, rétorqua Morelli. Ses deux interlocuteurs les ont confirmés et le système patenté d'écoutes téléphoniques mis en place par Streeter a également confirmé l'heure et les numéros appelés. »

Argyll semblant déçu, Morelli décida de prévenir de nouvelles arguties européennes.

« Voici, fit-il en ouvrant sa sacoche et en en sortant une liasse de listings d'ordinateur. Vérifiez vous-même, si vous ne me croyez pas. »

Argyll prit le feuillet que lui tendait l'inspecteur. Celui-ci était intitulé : *Utilisation externe PABX*. En d'autres termes, cela indiquait qui avait utilisé le téléphone. Mais ça ne fournissait que peu de renseignements sur ces messages téléphoniques : 22 h 10, coup de téléphone passé à un abonné identifié comme Jack Moresby ; 22 h 21, autre appel à partir du même poste, cette fois à Anne Moresby. Hélas ! rien que de très plausible là-dedans... Il soupira.

« Ah, bon ! C'était juste une idée. Et ça, dites-moi, de quoi s'agit-il ? »

Du doigt Argyll montrait à la ligne précédente un appel reçu sur ce même poste à 21 h 58.

« Ça, c'est l'appel du vieux Moresby, expliqua Morelli après y avoir jeté un bref coup d'œil. Lorsqu'il a convoqué Barclay. Tout est normal. »

Argyll se gratta la tête, puis il étudia de nouveau le feuillet.

« Une seconde ! s'écria-t-il. Vous en êtes sûr ?

— Oh oui ! On l'a sur la vidéo.

— Je le sais bien. Mais, si je ne me trompe, cet appel venait de l'extérieur.

— Et alors ?

— Un appel extérieur. »

Morelli le regarda d'un air interrogateur.

« Tous les téléphones du musée ne sont-ils pas reliés à un réseau interne ? Je veux dire, un endroit comme celui-là, à la pointe du progrès, bourré de haute technologie… »

Morelli semblait vraiment troublé.

« Bien sûr qu'ils le sont, dit-il, songeur. Les bureaux également. Le bureau de Thanet aussi. Et celui-ci était un appel venant de l'extérieur. Sacré nom… »

Argyll sourit.

« Raison de plus pour aller chez Streeter. Alors allons-y ! »

14

La maison de Robert Streeter était malheureusement trop ouverte, trop lumineuse et aérée. Les qualités qui mettent en joie les agents immobiliers et les futurs acheteurs peuvent constituer un véritable handicap pour des policiers cherchant à effectuer leur travail le plus discrètement possible. En la découvrant pour la première fois, Joe Morelli ne cacha pas sa très grande déception.

« Vous n'auriez pas pu choisir un meilleur endroit ? » demanda-t-il, agacé, en massant sa gencive.

L'état de cette dernière s'aggravait. Ça allait vraiment de mal en pis. Demain il prendrait une décision.

« C'est un véritable cauchemar. Bien trop exposé. Je ne peux même pas garer ma voiture dans la rue sans risquer d'être repéré. »

Il gonfla ses joues et expira lentement tout en réfléchissant à la meilleure façon d'agir.

« Écoutez... Je vais aller me garer dans la rue suivante. Allez attendre à l'intérieur de la maison. Je vous rejoins dans quelques minutes. Les troupes de renfort vont devoir s'éparpiller elles aussi. Quelle barbe ! »

Il regagna sa voiture.

« C'est stupéfiant à quel point la présence d'un policier peut être réconfortante, dit Argyll un instant plus tard, au moment où ils s'installaient dans la cuisine. Sans lui, je ne suis pas du tout rassuré. »

Flavia acquiesça. Elle non plus ne se sentait pas très rassurée. Après tout, l'entreprise pouvait se révéler fort périlleuse. Même si c'était à l'évidence la bonne manière de procéder, elle était depuis assez longtemps rattachée à la police pour savoir que rien ne se passe jamais comme prévu. Il n'y avait aucune raison de penser que cette première règle de base de la police italienne ne jouait pas en Californie. Morelli pouvait – et il ne s'en était pas privé – mobiliser des ressources bien supérieures à celles que son service à elle avait la faculté de mettre en œuvre. Même si, autant qu'elle pouvait en juger, il avait le pouvoir de faire appel à tout un armement – de l'hélicoptère d'attaque au missile antichar, en cas de besoin –, elle avait malgré tout la peur au ventre.

« Tu penses que ça va marcher ? demanda Argyll.

— Théoriquement…

— Il va être dupe de cette histoire de bande ? À sa place, je n'y croirais pas. Ça manque de finesse.

— C'est toi qui en as eu l'idée.

— Je sais. Et c'est pas pour ça que je pense qu'elle est bonne. »

Morelli revint. Il ne faisait pas très bonne figure lui non plus d'ailleurs. Plutôt surprenant, vu qu'il était censé être habitué à cette sorte d'exercice. Pourtant, pâle comme un linge, il transpirait à grosses gouttes. Et il tremblait comme une feuille.

« Ça va ? » lui demanda Flavia, le front plissé, soudain très inquiète.

Un premier élément de la règle de base paraissait sur le point d'entrer en jeu.

Morelli hocha la tête.

« Très bien. Tout à fait bien, marmonna-t-il. Donnez-moi juste un petit moment. »

Il commença à s'asseoir à la table en chancelant et en prenant appui sur le rebord.

« Ça n'a pas l'air d'aller très fort », dit Argyll.

Morelli leva les yeux vers Argyll, poussa un cri aigu et tomba à genoux. Les deux Européens le fixèrent, médusés. Flavia se pencha vers lui.

« Je pense que c'est sa dent, dit-elle après avoir tenté de comprendre un balbutiement incohérent.

— Ça fait mal, c'est ça ? »

Il balbutia de nouveau, plus longuement cette fois.

« Il dit qu'il n'a jamais eu aussi mal de sa vie.

— Un violent élancement, comme si on vous enfonçait une aiguille chauffée à blanc ? »

Morelli fit comprendre que la description était assez juste. Argyll hocha la tête.

« Un abcès, affirma-t-il. C'est très désagréable. Ça arrive que ça explose de la sorte. J'en ai eu un jadis moi-même. Dans les cas graves, on a beaucoup de mal à le résorber. Savez-vous que parfois on ne peut même pas vous faire une piqûre ? On est obligé d'extraire le nerf à vif. On utilise un petit fil métallique muni de crochets. »

Morelli poussa un cri de terreur et se balança d'avant en arrière. Flavia suggéra à Argyll de leur épargner les détails… Et, en attendant, qu'allaient-ils faire ?

« Je crois qu'il lui faut un dentiste.

— Mais nous cherchons à arrêter un assassin. On ne peut pas tout laisser en plan pour se rendre chez un foutu dentiste !

— Alors il faut des analgésiques. Puissants et à forte dose. Ça peut calmer la douleur. Évidemment, il ne sera pas en superforme… »

Morelli grommela vaguement. À eux deux, les jeunes gens comprirent qu'il gardait une trousse à pharmacie dans sa voiture. L'une de celles distribuées par la police et qui contenait des analgésiques.

« Parfait alors ! dit Flavia, je vais les chercher.

— Tu ne vas pas sortir dans la rue toute seule.

— On ne peut pas le laisser ici. Et il ne peut pas aller les chercher lui-même.

— Alors, emmène-le avec toi.

— Et te laisser seul ? C'est hors de question.

— Impossible d'y aller tous les trois. On était censés monter un guet-apens discret – c'était bien le terme employé, n'est-ce pas ? – et non organiser un défilé du 1er Mai. »

Flavia eut l'air d'hésiter.

« Écoute, c'est très simple, dit Argyll d'un ton ferme. Sors par derrière, accompagne-le jusqu'à la voiture, laisse-le là-bas et reviens. Je vais rester ici et s'il y a un pépin, je me précipite dehors aussi vite que mes béquilles me le permettront. Et, crois-moi, je suis devenu très agile avec ces machins. Ça ne me prendra que quelques minutes. »

Flavia n'était guère convaincue mais elle ne voyait pas de meilleure solution. La rage de dents avait transformé cet homme d'habitude solide et compétent en une pauvre créature gémissante et tremblante, plus animale qu'humaine. En outre, il faisait un bruit épouvantable.

« Bon, d'accord ! Mais je t'en prie, ne fais pas le malin !

— Ne dis pas de bêtises ! Allez ! Allez-y ! On ne va pas passer toute la soirée à palabrer. »

À eux deux, ils soulevèrent Morelli et le menèrent jusqu'à la porte de derrière. Il paraissait aller un peu mieux. C'était le premier assaut de la douleur qui l'avait ébranlé ; maintenant qu'elle s'était transformée en une souffrance lancinante il était capable de la supporter. Du moment qu'on ne lui demandait pas de faire quoi que ce soit.

« N'ouvre pas la porte pendant mon absence, lui enjoignit Flavia tandis que Morelli et elle franchissaient le seuil cahin-caha.

— Promis ! » répondit Argyll.

C'est très louable d'être courageux, se dit-il quelques minutes plus tard en réfléchissant à sa situation, mais est-ce bien raisonnable ? S'il se montrait franc avec lui-même, il devait s'avouer qu'il restait là uniquement pour impressionner Flavia. Mais ne fallait-il pas faire une distinction entre la bravoure et la pure inconscience ? Si, par exemple, Morelli avait pensé à laisser son pistolet, c'eût été différent. Non pas qu'Argyll eût su s'en servir, mais, le cas échéant, il supposait qu'il aurait été capable de tirer comme un fou.

Mais le problème, estima-t-il, c'est que justement Morelli n'avait pas laissé son arme. Et Argyll ne servirait pas à grand-chose s'il y avait un pépin. Surtout avec une seule jambe valide.

Conclusion, pensa-t-il en se dirigeant vers la porte et en tendant la main vers la poignée, se trouver là tout seul revient à chercher les ennuis.

La porte s'ouvrit facilement ; en fait, elle s'ouvrit plus vite qu'il ne s'y attendait. Et cela parce qu'au moment où il atteignait la poignée quelqu'un d'autre faisait de même de l'autre côté ; comme il tournait le bouton de la porte, quelqu'un d'autre effectuait le même geste ; et comme lui tirait la porte de l'intérieur, quelqu'un d'autre la poussait de l'extérieur.

Ils furent aussi surpris l'un que l'autre quand, la manœuvre terminée, ils se reconnurent mutuellement.

Dans le cas d'Argyll, ses réflexes prirent le relais. Depuis sa plus tendre enfance on lui avait inculqué les vertus de la politesse et de l'hospitalité.

« Ça alors ! Salut ! Quelle surprise ! Entrez, je vous en prie ! Installez-vous donc ! »

Que dire d'autre à son assassin ? Je vous le demande...

En dépit de la première règle de base du travail policier, tout aurait pu quand même fonctionner comme prévu, si Morelli n'avait pas été obligé de laisser sa voiture dans une autre rue. Le plan de la petite zone résidentielle ressemblait à une grille et un grand nombre d'habitants possédaient plus de voitures qu'il n'y avait d'espace pour les garer. Le problème est général : Rome a le même, en plus grave peut-être. Morelli n'ayant pu trouver une place pour son énorme auto qu'à quelques rues de là, ils mirent plusieurs minutes pour l'atteindre. Lorsqu'ils y parvinrent, il s'affala sur le siège avant, tandis que Flavia commençait à fouiller dans la trousse de premiers secours.

« Ça m'ennuie beaucoup d'avoir laissé Jonathan tout seul, vous savez, dit-elle en jetant par terre un paquet de sparadrap. Il est bien capable de s'électrocuter en faisant du thé. Il a le don de se fourrer dans des situations impossibles. Et ça, ça irait ? »

Elle montra un tube. Morelli le regarda et secoua la tête. Autant utiliser une sarbacane sur un destroyer.

Elle reprit sa fouille.

« Pensez donc un peu ! Des accidents, une tentative d'assassinat. Il ne peut même pas traverser la rue sans se faire renverser par un fourgon mauve. Et ça ? demanda-t-elle.

— Ça servirait à rien, bredouilla Morelli. Un fourgon mauve ? Qui a parlé d'un fourgon mauve ?

— Il vous en a bien parlé, n'est-ce pas ? Alors il faudra se rabattre sur ceci, poursuivit-elle en brandissant une petite seringue, une étincelle de sadisme dans l'œil. C'est un peu fort, mais il ne reste rien d'autre. Allez ! Ouvrez la bouche…

— Pas la couleur, dit Morelli. Personne n'a mentionné la couleur. Jamais. Pas à moi, en tout cas.

— Eh bien ! et alors ?

— Alors, répondit-il en faisant un grand effort pour bien articuler chaque mot, quand on est venus ici on a été suivis un bon moment par un fourgon mauve. Ça ne m'a pas semblé important ; il est garé à une rue d'ici. »

Elle le fixa du regard, la seringue à la main.

« Dieu du ciel ! s'écria-t-elle.

— Si vous relevez le numéro d'immatriculation et si vous me donnez le dossier qui se trouve sur le siège arrière, je pense pouvoir vous dire à qui il appartient... »

Mais Flavia n'attendit pas la suite. Elle planta la seringue dans la paume de Morelli, passa la main sous la veste de l'inspecteur et s'empara de son arme. Puis elle glissa prestement sur le siège et sortit.

« Attendez-moi ! cria-t-il.

— Pas le temps ! »

Et elle courut comme si on en voulait à sa vie. Ce n'était pas le cas, mais celle d'Argyll était menacée. Elle tourna le coin de la rue en filant comme une folle, sauta par-dessus les haies, manqua se prendre les pieds dans des tuyaux d'arrosage, piétinant les parterres de fleurs, faisant tout pour gagner une seconde, voire une fraction de seconde, sur le temps nécessaire pour regagner la maison de Streeter.

Que pouvait faire Argyll pour se défendre ? Il n'avait aucune chance de s'en tirer. Sans arme, avec une jambe dans le plâtre et, à dire vrai, la violence n'était pas son fort.

Ni le sien, non plus, mais c'était le cadet de ses soucis. Ses seuls atouts seraient la surprise et le pistolet. Il faudrait s'en contenter. Que lui avait-on appris dans ce cours sur l'autodéfense que Bottando l'avait forcée à suivre ? Pas moyen de s'en souvenir. Preuve de l'inutilité de ce genre de chose…

Un spécialiste aurait probablement recommandé une approche en douceur. Une « opération de reconnaissance », comme disent les militaires. Il aurait fallu se glisser subrepticement jusqu'à la fenêtre, évaluer la situation, localiser la cible, élaborer une stratégie d'attaque. Un instant de réflexion sereine peut épargner bien des vies.

Mais c'est l'instinct qui guidait Flavia. Elle aurait sans doute passé outre aux conseils des experts même si elle s'en était souvenue. Loin d'agir avec prudence, elle se précipita dans la petite allée, contourna la maison, courant aussi vite que possible. Au lieu de repérer calmement le terrain, elle se rua de toutes ses forces contre la porte de derrière et y donna un coup d'épaule avec une violence telle qu'elle s'ouvrit immédiatement.

Et, au lieu d'effectuer avec calme une évaluation de la situation et de procéder au repérage de la cible, elle se laissa tomber sur les genoux, et brandit le pistolet des deux mains en le pointant sur la silhouette qui se dressait au-dessus de la forme inerte gisant près de la porte du living.

« Éloignez-vous de lui ! » hurla-t-elle de toutes ses forces.

Et elle appuya sur la détente.

« Tout ce que je peux dire, commenta gravement Argyll une fois remis de sa frayeur, c'est : heureusement que les crans de sûreté existent... Même si c'est de peur que tu as bien failli me faire mourir ! »

Au moment où Flavia avait fait son entrée, il se sentait très content de lui. Mais la soudaine irruption et le pistolet – surtout le pistolet, vu sa longueur et le fait qu'il était pointé sur lui – portèrent un coup à son sentiment d'autosatisfaction. Il se jeta sur le côté, se heurtant le coude sur une console par la même occasion. Juste à l'endroit où le « petit juif » est particulièrement sensible. Les larmes lui montèrent aux yeux.

Il demeurait couché là, la main sur le coude, tandis que Flavia, à bout de souffle après son sprint, s'affalait sur le canapé en haletant, l'épaule horriblement endolorie à cause du choc contre la porte, muette de terreur en constatant qu'elle avait failli faire sauter la cervelle d'Argyll. Elle se rappelait que c'était justement l'autre consigne donnée durant le cours : ne pas oublier de retirer le cran de sûreté. Quelle chance qu'elle n'ait pas été une élève très attentive !

« Alors, qu'est-ce qui s'est passé ? » parvint-elle à demander finalement.

Il réfléchit quelques instants, tentant de choisir entre la voie de la franchise et celle de la dissimulation. Vu les circonstances, l'idée de quelques petits embellissements lui parut acceptable. C'est pourquoi il coupa la séquence le représentant sur le point de courir après eux parce qu'il avait trop peur de rester tout seul.

« Je me trouvais dans la cuisine lorsque j'ai entendu quelqu'un de l'autre côté de la porte. Je me suis caché derrière : je pensais que c'était sans doute toi, mais je n'en étais pas sûr. Quoi qu'il en soit, il est entré, m'a vu et a sorti son arme.

— Et ensuite ?

— Alors je lui ai flanqué un coup de pied. La meilleure défense... tu connais la formule. Ça n'aurait probablement pas été très efficace sans le plâtre. Ça a dû produire le même effet que s'il avait été heurté par un train. Il s'est effondré, mais il s'est mis à ramper sur le sol pour ramasser le pistolet. Je l'ai poursuivi à cloche-pied et lui ai assené un bon coup sur la tête avec ma béquille. J'avais un peu peur qu'il retrouve ses esprits pendant que je cherchais quelque chose pour l'attacher et je n'avais pas envie de le laisser tout seul. C'est pourquoi j'étais simplement en train de me demander ce que j'allais faire quand tu es entrée et as failli me tuer.

— Désolée...

— Y a pas de mal. C'est la pensée qui compte.

— Juste un petit détail...

— Oui ? »

Elle désigna la forme allongée.

« Qui est-ce ?

— Oh lui ! Excuse-moi ! »

Il retourna le corps pour qu'elle puisse voir le visage.

« J'avais oublié que vous ne vous connaissez pas. Flavia, je te présente Jack Moresby. »

15

Lorsque le dernier invité arriva, l'ambiance dans la salle de séjour de Streeter était presque joyeuse. Enfin, ce n'est pas tout à fait exact. Anne Moresby, dont l'absurde limousine avait mis le quartier en émoi, ne se montrait guère plus charmante que d'habitude. Samuel Thanet n'avait plus de poches sous les yeux mais de vraies valises. James Langton semblait se préparer au combat et la situation paraissait même inquiéter David Barclay.

Morelli, qui était revenu seulement quelques minutes après l'irruption de Flavia, faisait de son mieux pour apporter son concours. Quel homme admirable, réellement ! Il avait saisi la seringue pleine d'analgésique et s'était injecté toute la dose dans la gencive. Tout seul ! La seule idée faisait frémir Argyll. C'est déjà assez pénible quand l'opération est effectuée par un dentiste. Ensuite, l'inspecteur avait attrapé son fusil d'ordonnance et emboîté le pas à Flavia. Sa course dans la rue fut observée par une voiture de secours qui le suivit. Une autre voiture ayant appelé des renforts, la rue devant la maison prit l'aspect d'un champ de bataille : des hommes au visage fermé et en tenue de camouflage parlaient dans des micros et, armés de mitraillettes, arpentaient la chaussée. Le grand jeu... Bien sûr, ce déploiement de forces attira les vautours et une demi-heure plus tard les journalistes débarquèrent eux aussi en bataillons serrés. À l'évidence, cette invasion ne plaisait guère aux résidants du lieu. Le comité de surveillance de quartier allait devoir rouspéter haut et fort à ce sujet lors de la prochaine réunion annuelle.

Ils arrivèrent tous un peu trop tard, en fait. Lorsqu'ils apparurent sur les lieux la fièvre était déjà retombée. Mais, comme l'annonça Morelli, ça ferait un beau spectacle pour le journal télévisé – il devait penser à sa promotion.

Non que l'inspecteur fût très bavard... Ayant pris, dans sa précipitation, une trop forte dose d'analgésique, il avait l'impression que la partie inférieure de sa tête était un gros bloc de glace. S'il n'avait plus mal aux dents, ses qualités d'élocution s'en trouvaient de beaucoup diminuées.

Lorsqu'on lui demanda des explications, il ne put que bredouiller des paroles incompréhensibles et se résoudre finalement à indiquer, grâce à la langue des signes, que Flavia lui servait de porte-parole. Il lui semblait préférable de réserver ses forces pour les reporters qui attendaient dehors.

« C'est fort simple, vraiment, quand on y réfléchit », commença-t-elle.

En réalité, elle aurait préféré rentrer à l'hôtel pour tirer les chose au clair tout à loisir. Il y avait peu de temps, après tout, que son exposé précis expliquant les événements s'était révélé un tantinet erroné. Elle se concentrait de toutes ses forces pour tenter de découvrir pourquoi.

« Il y avait deux affaires séparées se déroulant en parallèle. Une fois qu'on a compris ça, tout s'éclaire. Le problème, c'est que nous avons eu tendance à prendre pour hypothèse que les deux aspects – le vol du buste et le meurtre – étaient liés. Commençons par le meurtre de Moresby. Comme vous le savez, nous venons d'arrêter son fils : nous avions tendu un piège en faisant courir le faux bruit qu'il existait une bande. Il ne s'y est pas laissé prendre, hélas ! mais il savait que Jonathan Argyll serait ici. Il nous a suivis, nous a vus, moi et l'inspecteur Morelli, partir chercher des analgésiques, et a saisi sa chance de surprendre Jonathan pendant qu'il se trouvait seul. Il lui fallait coûte que coûte le tuer, mais heureusement qu'il voulait tout autant rester lui-même en vie !

» Pourquoi devait-il tuer Argyll ? Rien de plus simple à expliquer. Après avoir quitté la soirée du musée, Jonathan est allé dîner, puis est rentré à son hôtel à pied. Il a dû ressortir du restaurant environ quarante minutes après le crime et, à peu près dix minutes plus tard, la tête dans les nuages, comme toujours, il a failli se faire renverser en traversant une rue.

» Vivant à Rome, où, de toute façon, il a constamment l'habitude de frôler la mort de cette manière, il n'y a pas pris garde. Ce n'était qu'un banal incident, mais il en a parlé à Jack Moresby qu'il avait trouvé sympathique pendant la réception. Ça lui ressemblait bien, dit-il, d'être renversé par un fourgon. Mauve de surcroît.

» Je découvre que Moresby possède un fourgon mauve... Or, son alibi pour l'heure du meurtre c'est qu'il est rentré chez lui et qu'il n'est pas ressorti. Et cet alibi serait fortement mis à mal si quelqu'un pouvait affirmer que Moresby avait été vu dans les parages du musée cinquante minutes environ après son départ. Que faisait-il à cet endroit ? Une vraie bombe à retardement... La moindre allusion pouvait suggérer une relation de cause à effet et susciter des soupçons. Le danger était faible, mais pas question de courir le moindre risque. C'est pourquoi il a desserré le frein pendant qu'Argyll dînait au restaurant à Venice. J'ai toujours eu du mal à imaginer Anne Moresby couchée sous une voiture, une clé à molette dans la main. Disons que ce n'est pas son style... Bon, ça s'est terminé par une jambe cassée. Et Jonathan peut s'estimer heureux de ne pas s'être rompu le cou. »

Argyll lança un regard indigné à Moresby, lequel se contenta de hausser les épaules.

« Prouvez-le ! fit-il simplement.

— Mais revenons à nos moutons... Comment le fils a-t-il tué son père et pourquoi ? Nous avons considéré qu'il n'aurait rien eu à gagner si son père décédait. En revanche, les choses auraient été différentes si sa belle-mère était reconnue coupable du crime...

» Les criminels ne peuvent pas tirer profit de leur crime. Si Barclay et Anne Moresby étaient jugés coupables d'avoir prémédité le meurtre du vieil homme dans le but de faire main basse sur son argent, alors elle ne pourrait recevoir l'héritage. L'argent irait au parent le plus proche, c'est-à-dire Jack Moresby. Le testament ne disait pas expressément qu'il ne devait pas hériter, simplement son nom n'était pas cité. Comme il était évident que son père ne changerait jamais d'avis, c'était la seule manière pour lui d'hériter.

» Le meurtre d'Arthur Moresby a à l'évidence été décidé, et certains aspects déjà préparés. Le jour J arrive plus vite que prévu parce que Jack apprend que son père est sur le point d'établir le fidéicommis pour le Grand Musée. Il vient à la soirée donnée au musée – le genre de réception que d'ordinaire il fuit comme la peste – afin de découvrir ce qui se trame. Il se rend compte, grâce à Argyll et à quelques autres, que son père s'apprête à mettre très bientôt un point final à la procédure... Moresby fils est forcé d'agir le soir même, autrement il lui faudra dire adieu à plusieurs milliards de dollars.

» Il se met immédiatement en devoir de poser les premiers jalons. Par exemple, il fait part à Argyll de la liaison que sa mère entretient avec Barclay et affirme que son père est au courant...

— Mais c'est un mensonge ! interrompit Barclay.

— C'est ce que vous dites, répliqua Morelli.

— Mais écoutez... »

Flavia éleva la voix, de crainte de perdre sa maîtrise incertaine sur le déroulement des événements :

« Jack Moresby..., reprit-elle (puis elle attendit d'avoir l'attention de tous), en entendant de Suza annoncer qu'il souhaite qu'Arthur Moresby examine le buste qui se trouve dans le bureau de Thanet, voit là sa chance.

» Il s'en va donc en prenant soin de dire au revoir afin que tout le monde s'aperçoive bien qu'il quitte les lieux. Il retourne à son fourgon, saisit son arme et attend. Quand de Suza part il gravit l'escalier qui mène au bureau, tue son père puis remonte en voiture et rentre chez lui.

— Une minute ! s'écria Thanet, en levant une main hésitante pour protester. Tout ça est passionnant mais ça ne colle pas, à mon avis.

— Et pourquoi donc ! demanda Flavia, un peu agacée d'être interrompue en plein exposé.

— À cause de la caméra. Si vous suggérez que Jack a décidé de tuer son père dans mon bureau environ une demi-heure avant qu'il ne passe à l'action, comment se fait-il que la caméra ait été mise hors d'usage deux heures auparavant ? Ça suggère que la décision avait été prise bien avant.

— Pas le moins du monde. Je vais aborder ce sujet tout à l'heure. Vous comprendrez. Quelqu'un d'autre aurait-il besoin d'éclaircissements ? »

Silence général.

« Bon. Où en étais-je ?

— Tu viens de tuer Moresby, souffla Argyll.

— En effet. En tout cas, tout le reste s'est passé comme les divers témoignages l'ont indiqué. Convoqué par un coup de téléphone d'Arthur Moresby, Barclay se dirige vers le bâtiment administratif, découvre le corps, revient précipitamment pour appeler la police et tout le monde attend qu'elle arrive, sauf Langton qui, en homme altruiste et attentionné, donne ses coups de téléphone. »

Il s'agissait du point faible de sa démonstration. Flavia le savait, ainsi que Jack Moresby.

« Ouais, mais que faites-vous de mon alibi ? s'écria-t-il. Langton m'a appelé et j'étais chez moi. Dix minutes après la découverte du corps... Et le crime ne peut avoir été commis que quelques minutes auparavant. À cause du coup de fil que mon père a passé à Barclay. »

Flavia le fixa en fronçant les sourcils. Argyll fit de même.

« Bien sûr, acquiesça ce dernier. Si votre père avait réellement donné ce coup de fil, vous n'auriez, en effet, pas pu le tuer, parce qu'il vous aurait été impossible de rentrer chez vous à temps pour recevoir l'appel de Langton. Mais il était déjà mort. C'est vous qui avez téléphoné. Rien de plus simple. Il n'est pas difficile pour les enfants de se faire passer pour leurs parents : ils ont souvent le même accent, les mêmes maniérismes, la même intonation. Vous avez tué votre père, puis vous êtes rentré chez vous et vous avez téléphoné. Les relevés le prouvent : l'appel convoquant Barclay venait de l'extérieur. Par conséquent, il n'aurait pas pu provenir du bureau de Thanet. Donc il ne pouvait pas émaner de votre père. »

Flavia lui jeta un regard reconnaissant. C'était là une explication concise et bien menée...

« À partir de ce moment-là, les policiers passent à

l'action, continua Flavia d'un ton calme, comme si cet aspect du dossier ne lui avait jamais posé de problème. Ils apprennent que le contrat concernant le fidéicommis n'est pas encore signé ; qu'Anne Moresby a une liaison amoureuse ; que Moresby a été mis au courant ; qu'il est vindicatif ; qu'il ne doit pas être du tout content ; et, finalement, ils trouvent l'arme et l'identifient.

» Une préparation minutieuse a fourni à Anne Moresby et à Barclay le mobile, les moyens et l'occasion de tuer Moresby. Jack Moresby n'avait apparemment rien de tout ça.

» L'ennui, c'est que l'affaire a tout de suite mal tourné à cause de la disparition du buste. Lorsque les policiers arrivent sur les lieux, la première chose qu'ils découvrent c'est la caisse vide. Assez logiquement ils considèrent qu'il y a quelque rapport entre le crime et le vol, et on perd énormément de temps à tenter de préciser ce rapport. La caméra a été mise hors d'usage trop tôt, comme M. Thanet l'a noté, et le buste a disparu. Question : Où se trouve Hector de Suza ? »

Son récit fut à nouveau interrompu par un grognement de mépris de Moresby qui, appuyé contre le dossier de son siège, faisait plutôt bien semblant de trouver ça fort amusant. Il avait l'air très sûr de lui ; assez pour désarçonner Flavia. Elle aurait préféré qu'il tremble de tous ses membres et offre de passer aux aveux. Il était clairement d'une autre trempe.

« Vous pensez que quelqu'un va croire ces balivernes ? Vous avez l'intention de présenter ces idioties devant un jury ? »

Après lui avoir lancé un regard aussi méchant que possible, elle essaya de reprendre le fil de son récit. Mais elle était ébranlée : jusqu'à présent il ne s'agissait que d'élucubrations élaborées dans l'espoir qu'entre-temps quelque chose surviendrait qui leur permît de ne pas libérer Moresby. Comme tout le monde, elle était bien consciente que pour le moment ses arguments n'étaient guère probants. Même en Italie, les preuves avancées ne tiendraient pas... Alors en Amérique... Le pire c'est que Moresby en était conscient lui aussi.

« Pour des raisons sur lesquelles il n'est pas nécessaire de revenir ici, il a déjà été établi que le buste n'a pas été volé et qu'une simulation de vol faisait partie d'un plan élaboré par Langton pour faire mettre Thanet à la porte, tout en s'enrichissant par la même occasion. »

À ces mots, Langton, à l'instar de Jack Moresby, se mit à froncer les sourcils d'un air féroce et à pousser des grognements de mépris.

« Langton n'a eu aucun mal à deviner ce qui se passait. Il était patent que Jack Moresby voulait que l'attention de la police se concentre sur sa belle-mère, mais il était tout aussi clair qu'Hector de Suza allait être le suspect numéro un.

— C'est très flatteur, commenta Langton sèchement, bien que j'avoue ne pas comprendre comment je peux être aussi malin, alors que, même en joignant leurs efforts, deux polices ont éprouvé autant de difficultés.

— Primo, rétorqua Flavia d'un ton acide, vous saviez que le vol du buste n'était que du vent. Deusio, vous vous trouviez devant le musée, comme la caméra l'a montré, au moment où Moresby père s'est rendu dans le bureau et sans doute lorsque Jack est reparti. C'est sur ce même bloc de marbre que Jonathan s'installait, lui aussi, pour fumer sa cigarette. S'il était capable de voir parfaitement toutes les allées et venues dans le bâtiment administratif, vous aussi.

— Prouvez-le ! » fit-il.

Jack Moresby lui décocha un sourire complice.

« Langton a vu Jack Moresby quitter le bâtiment administratif et est assez malin pour s'être rendu compte de ce qui se passait, poursuivit-elle sans se laisser démonter. Il savait également que l'existence d'Hector de Suza allait tout faire capoter. Et ce parce que l'Espagnol allait devenir le principal suspect. Il venait aussi de commencer à comprendre que de Suza en savait davantage sur ce buste qu'il ne l'avait cru.

» Et Hector ? Il sait que ce qu'il y a dans cette caisse, quoi que ce soit, ne peut être le buste lui ayant appartenu en 1951. Le vieux Moresby, j'imagine, lui enjoint de retourner à Rome pour aller chercher la preuve de ce qu'il avance. Il ne porte pas de Suza dans son cœur, mais cette escroquerie semble l'œuvre d'un proche associé. Hector se précipite à son hôtel et se prépare à partir. Il réserve une place sur le vol de deux heures du matin.

» Langton et Jack Moresby ont tous les deux grand intérêt à se débarrasser de De Suza. Si on tue Hector, il ne pourra révéler ce qu'il sait sur le buste et, d'autre part, Anne Moresby et Barclay redeviendront les principaux suspects. »

Il ne s'agissait, là encore, que d'hypothèses. N'importe quel avocat en ferait de la chair à pâté.

« Je pense que la teneur du coup de téléphone de Langton à Moresby est celle-ci : ou bien c'est vous qui êtes arrêté ou c'est de Suza ; mais si vous n'agissez pas en toute hâte les soupçons ne se porteront ni sur Mme Moresby ni sur Barclay. Auriez-vous l'amabilité de confirmer cette interprétation, monsieur Langton ?

— Non ! » fit-il, d'un ton décisif.

Lui et Moresby échangèrent des sourires amicaux. Flavia poursuivit sans broncher.

« Pendant ce temps, ignorant le décès de Moresby, de Suza fait ses valises à toute vitesse – laissant sa chambre dans un désordre inhabituel – et s'apprête à partir. Alerté par Langton, Jack Moresby appelle de Suza et, apprenant qu'il est sur le point de quitter le pays, lui propose de l'emmener à l'aéroport. Il est ravi de rendre un service à un ami de son père. Surtout vu les circonstances. Il conduit comme un fou pour arriver avant la police et dans sa hâte il manque de renverser Argyll près de l'hôtel. Il est probable que moins d'une heure plus tard de Suza n'est plus en vie et que, moins d'une heure après sa mort, il est enterré dans le terrain vague.

» Le problème pour Moresby, c'est qu'après la disparition de De Suza la police est encore plus persuadée que l'Espagnol est leur homme. Il faut un indice clair et net. Moresby dépose donc l'arme près du corps et téléphone à la police pour indiquer le lieu où se trouve le cadavre.

» Ça saute aux yeux… Qui a jamais entendu parler d'un meurtrier sensé qui laisserait une arme facilement identifiable près du corps de sa victime ? Mais, finalement, après pas mal d'encouragements, la police saisit l'allusion.

» Tout marche comme sur des roulettes. Moresby est mort, de Suza est transformé en preuve à charge contre Anne Moresby, le buste s'est envolé sans espoir de retour, tandis que chaque jour la police italienne revoit son estimation à la hausse. Et j'imagine qu'entre le meurtrier et le témoin un accord tacite prévoit que, pour acheter le silence de celui-ci, Jack Moresby continuera à financer le musée dont la direction sera confiée à Langton. Ou il ne s'agit peut-être que de l'octroi d'une somme d'argent.

» Alors, par simple mesure de précaution, Langton s'empresse de regagner l'Italie, au cas où Moresby déciderait de se débarrasser d'un second témoin gênant. Tant que Langton est invulnérable, Moresby devra honorer ses engagements.

» Tout va bien, donc... Mais les choses se gâtent peu à peu. Comment ? D'abord parce que la tentative de meurtre sur Jonathan échoue et que mon arrivée signifie qu'il va rester sur place, au lieu de prendre le premier avion en partance pour l'Italie, comme est censée le faire n'importe quelle victime d'accident menacée d'un procès. »

Pendant toute cette tirade Moresby était resté muet et ne paraissait pas très affecté.

« C'est un traquenard, dit-il enfin. Ça ne vous mènera pas très loin si vous n'avez pas d'autres preuves. Et, à mon avis, vous n'avez pas grand-chose d'autre. Si j'ai volé le pistolet, il faudra le prouver. Si j'ai failli écraser Argyll, il faudra aussi le prouver. J'ai peut-être imité la voix de mon père, mais quelqu'un d'autre a pu en faire autant. À Los Angeles on trouve des tas de fourgons de toutes les couleurs. J'ai peut-être essayé de tuer Argyll mais le câble a pu se desserrer tout seul. J'ai peut-être tué mon père, mais ce n'est pas certain. Tout ça est un peu léger.

— Et ce soir ?

— J'ai été invité et suis arrivé en avance. Dès que je suis entré j'ai reçu un coup de pied dans le ventre.

— Une arme à la main ?

— À Los Angeles, il y a pas mal de gens qui sont armés. »

Si Morelli fronçait les sourcils ce n'était plus désormais uniquement à cause de son mal de dents. Le regard inquiet qu'il fixait sur Flavia indiquait sa crainte que le dossier ne soit en train de s'effondrer. Il était persuadé que Jack Moresby avait tenté de tuer Argyll et qu'Argyll avait agi en état de légitime défense ; mais c'était un mauvais point pour eux. Une tentative de meurtre en bonne et due forme aurait été bien plus satisfaisante, même si ç'avait été éprouvant pour Argyll.

« Bon, je crois que maintenant je vais regagner mes pénates, reprit Moresby d'une voix sereine. Ayez la gentillesse de m'ôter ces menottes. Et ne vous avisez pas de continuer à m'importuner. Il existe des lois à ce sujet, et je pense que dès demain matin mon avocat vous les rappellera. »

Si ça n'avait pas été trop risqué, Morelli aurait serré les

dents de rage. Moresby avait raison : tôt ou tard, il serait forcé de le relâcher. La mort dans l'âme, il commença même à fouiller dans sa poche pour prendre les clés.

« Vous avez vu l'état dans lequel vous avez fichu ma maison ? » lança une voix outrée depuis le seuil de la porte. Ils levèrent les yeux et découvrirent Streeter qui, le visage cramoisi et la bouche grande ouverte, contemplait le désastre. Il est vrai que tout était sens dessus dessous : la pelouse avait été labourée par les roues des voitures et piétinée par les grosses chaussures des policiers ; une grande partie de la vaisselle avait été brisée par les exercices d'autodéfense d'Argyll ; les portes ne tenaient plus du tout aussi solidement à leurs gonds qu'auparavant ; le mobilier avait été déplacé ; des livres et divers objets étaient éparpillés partout.

Avant même qu'il ait eu le temps de garer sa voiture un voisin s'était rué sur lui pour protester.

« Monsieur Streeter, dit Morelli, ravi de la diversion, vous êtes en retard.

— Évidemment que je suis en retard ! Vous auriez pu le prévoir vous-même, n'est-ce pas ? Il est clair que je ne pouvais pas arriver avant Thanet. »

L'effort produit par Morelli pour comprendre le sens des paroles de Streeter le faisait loucher.

« Qu'est-ce que vous racontez ?

— J'ai bien dû attendre qu'il ait quitté son bureau. Je ne pouvais pas entrer et m'en emparer tant qu'il était dedans !

— Vous emparer de quoi ?

— De la bande.

— De quelle bande ?

— Celle qui se trouvait dans le bureau de Thanet et que vous m'avez demandé d'apporter. »

Il y eut un long silence durant lequel Morelli, Flavia et Argyll secouaient la tête d'un air incrédule.

« Vous voulez dire que vous avez vraiment placé un micro dans son bureau ?

— Bien sûr ! Je ne sais pas comment vous l'avez appris. Je l'ai posé il y a plusieurs mois... Je suis extrêmement préoccupé par certaines questions financières...

— Mais pourquoi ne pas en avoir parlé plus tôt ?

— Eh bien ! parce que c'est illégal, dit Streeter, assez gêné et sans grande conviction.

— Je n'en crois pas mes oreilles ! bredouilla Morelli, la langue empâtée par les analgésiques, êtes-vous à ce point... ? Après tout, quelle importance ? Et alors qu'est-ce qu'il y a sur cette bande ? »

Streeter lui remit celle-ci avec une certaine suffisance.

« Je dois dire..., commença-t-il, mais d'un signe de la main Morelli lui intima l'ordre de se taire.

— Bouclez-la, Streeter ! » fit-il en empruntant un baladeur à un policier. Il plaça l'appareil sur ses oreilles et écouta. Le silence parut interminable et les réactions de Morelli ne soulagèrent en rien la tension : tour à tour, il ricana, sourit, fronça le front et jeta à certains employés du musée un regard soupçonneux, réprobateur, ou empreint d'une hostilité teintée de mépris. Il s'agissait, à l'évidence, d'un enregistrement intéressant. Il finit par l'arrêter, enleva les écouteurs et contempla la compagnie d'un air de profonde satisfaction.

« Très bien ! lança-t-il d'un ton enjoué à l'intention de deux policiers qui se tenaient dans un coin. Embarquez-le et inculpez-le du meurtre de son père. Ça suffira pour le moment. On ajoutera de Suza comme victime un peu plus tard. Et lui – il désigna Langton –, vous pouvez l'arrêter pour escroquerie et complicité d'assassinat. »

Extirper Moresby de la maison et le faire entrer dans une voiture de police prit plus longtemps que prévu. Il ne voulait rien savoir, et il était costaud. Pour vaincre sa résistance les policiers durent le bousculer, le tirer et le pousser de toutes leurs forces, mais il était évident qu'ils adoraient ce genre d'exercice. Finalement, Moresby fut traîné dans la rue, poursuivi par une équipe de télévision.

« Pourquoi m'accusez-vous de meurtre ? demanda Langton avec une inquiétude compréhensible lorsque l'attention finit par se reporter sur lui. Je n'ai rien fait à personne.

— C'est la loi. Elle est ainsi faite.

— C'est ridicule ! Vous ne pouvez rien prouver !

— Si vous escroquiez Moresby à propos du buste, tout le reste s'ensuit nécessairement.

— "Si"... Mais je ne change rien à ma version des faits. Je l'ai acheté à de Suza, et selon moi de Suza l'a volé. Vous ne pouvez pas prouver que la caisse était vide. »

Flavia lui décocha un charmant sourire.

« Oh si !

— Et comment ? demanda-t-il d'un ton rogue.

— Parce que nous savons où se trouve le buste.

— Vraiment ?

— Il est toujours en Italie. Et il va sans dire que nous avons arrêté Collins.

— Mais en échange d'une attitude coopérative... », commença Morelli.

Il faut battre le fer pendant qu'il est chaud.

Langton réfléchit à la proposition.

« Pouvez-vous m'accorder un petit entretien en privé, inspecteur ? »

Langton et Morelli passèrent dans la cuisine pour discuter. En dépit de la situation plutôt tendue, Langton se mit tout de suite dans l'ambiance. Un négociant reste un négociant en toutes circonstances, c'est comme une seconde nature. Et celui-ci considérait que, une fois prise, une décision devait être mise en pratique sans tarder. Pendant le marchandage, il y eut des éclats de voix, des mouvements d'humeur, des déclarations de principe, des concessions de part et d'autre.

Et un résultat : Langton allait témoigner avoir vu Jack Moresby sortir du bâtiment administratif, il donnerait tous les détails sur le coup de téléphone qui avait entraîné la mort de De Suza et il rembourserait les deux millions de dollars étourdiment virés sur un compte en Suisse.

En échange, Morelli ferait de son mieux pour que la justice soit clémente à son égard, vu ses remords et son repentir sincères, n'insistant pas trop sur le fait que Langton avait incité Moresby à tuer de Suza. Il écoperait d'une peine de prison, mais elle serait légère. Tout le monde était satisfait.

Pendant cet entretien, dans un autre coin de la maison,

face à la fenêtre, Thanet et Barclay se livraient, eux aussi, à une négociation ardue. Ils avaient soudain beaucoup de sujets de discussion.

« Je suis ravi d'avoir des nouvelles de ce Bernini, dit Thanet en retraversant la pièce, la mine réjouie. Cela nous épargne la gêne d'avoir à le réexpédier.

— En effet. Mais vous pourriez peut-être réexpédier de Suza, répliqua Argyll. C'est le moins que vous puissiez faire en l'occurrence.

— Vous avez sans doute raison. Je suis sûr que Barclay fournira les fonds. Pour le moment nous n'avons pas un sou. Pas tant que toute cette affaire n'est pas réglée.

— Vous n'aurez pas un sou, de toute façon, que l'affaire soit réglée ou non, s'interposa Anne Moresby depuis son poste solitaire sur le divan, j'ai toujours l'intention de fermer la boutique. »

Même si, bien qu'elle n'y fût pour rien, elle venait d'échapper à une très longue peine de prison, l'expérience ne semblait pas l'avoir beaucoup radoucie.

Étrangement, cette déclaration ne produisit pas l'effet habituel sur Thanet. Il la regarda avec attention avant de lancer un coup d'œil à Barclay.

« Je ne pense pas que ce soit une sage décision, madame Moresby, dit Barclay.

— Et pourquoi donc ?

— À cause de la situation présente. Si vous intentez un procès à ce sujet, le musée va se défendre. Et il a toutes les chances de gagner.

— Il ne possède aucun atout.

— Si l'on apprenait au tribunal que vous avez persuadé votre amant de placer un micro dans le bureau de M. Thanet afin d'obtenir des preuves en vue d'un chantage... »

Morelli et Flavia échangèrent un regard. *Streeter ?* Eh bien ! pourquoi pas ? Elle entretenait bien une liaison, ils avaient jadis été étudiants à la même université, elle lui avait fourni un travail, il était utile comme espion dans la place. Pas étonnant qu'il ait eu l'air si bouleversé quand la question avait été évoquée l'autre jour. Une erreur de plus, pensèrent-ils au même moment. Anne Moresby sembla furieuse, et Streeter, penaud, eut presque l'air d'un enfant pris en flagrant délit.

« Je vous écoute ! fit-elle.

— M. Thanet a suggéré que...

— Que quoi ?

— Un milliard de dollars pour le musée et vous pouvez garder le reste. Même vous, vous devriez pouvoir vous débrouiller avec ça. Et vous abandonnez votre siège comme membre du conseil d'administration. »

Cette proposition fut accueillie par un silence.

« Vous laisseriez tomber l'idée du Grand Musée ? » demanda-t-elle enfin.

Thanet hocha tristement la tête.

« On n'a pas vraiment le choix. De nos jours, un milliard de dollars ça ne va pas très loin.

— Bien... En tout cas, voilà une sage décision. »

Elle réfléchit posément, évaluant les risques, les coûts et les options. Puis elle acquiesça d'un signe de tête.

« Bon. Adjugé ! »

C'était, elle aussi, quelqu'un de décidé.

Thanet sourit. Barclay également. Bien résolus tous les deux à ce que leur rôle dans les fausses déclarations d'impôts reste sous le boisseau, ils se disaient que c'était là la meilleure façon de procéder. Ils étaient conscients que la protection de leur propre carrière venait de coûter à Anne Moresby une fortune qu'autrement elle aurait sans nul doute recueillie, mais à notre époque on n'a rien pour rien.

« Réglez tout ça le plus vite possible ! reprit-elle. Vivement que je n'entende plus parler de toute cette baraque !

— Ça prendra un certain temps, bien sûr, prévint Barclay qui pensait à ses honoraires.

— C'est justement ce que je dois encore préciser, ajouta Thanet d'un ton d'excuse et la mine de nouveau inquiète.

— De quoi voulez-vous parler ? demanda Argyll, car c'est à lui que le directeur paraissait s'adresser.

— De l'argent. Tout est gelé, voyez-vous.

— Je vous demande pardon ?

— Tant que la succession n'est pas réglée, ce sont les administrateurs qui le détiennent. On ne peut pas y avoir facilement accès.

— Et alors ?

— Eh bien ! désolé, mais nous n'allons pas pouvoir acheter votre Titien. Nous n'avons pas les moyens de vous le payer. Je crains que nous ne soyons contraints d'annuler la transaction.

— Quoi ?

— Nous laissons tomber. Nous n'en voulons pas. Ou plutôt nous aimerions bien l'acheter, évidemment, mais ça dépasse nos possibilités financières. Pour le moment, à tout le moins.

— Vous ne voulez plus de mon Titien ? » s'écria Argyll dont la stupéfaction croissait au fur et à mesure qu'il se rendait compte de ce qui lui arrivait.

Thanet opina du bonnet d'un air contrit tout en espérant ne pas recevoir un coup de poing dans la figure.

« Je sais que ça va gêner votre carrière... »

Argyll hocha la tête.

« Ça, c'est couru.

— Et je sais que votre employeur ne va pas être content du tout...

— En effet. Il sera furieux même.

— Nous allons, bien sûr, vous payer un dédit, comme le prévoit le contrat. Dès que nous recevrons à nouveau un peu d'argent.

— C'est très aimable à vous, dit Argyll, bizarrement ragaillardi.

— Et je me ferai un devoir d'expliquer les choses à sir Edward Byrnes et au propriétaire, afin qu'il ne subsiste aucun malen...

— Surtout pas ! l'interrompit vivement Argyll. Gardez-vous-en bien ! N'expliquez rien ! Laissez-moi me charger de ça ! »

Puis, au comble de l'émotion, il s'empara de la main de Thanet et la secoua de haut en bas. Comme c'est agréable de ne pas avoir à prendre soi-même les décisions ! C'est tellement plus facile de devoir accepter l'inévitable, sans hésitation ni regret...

« Merci ! lança-t-il au directeur médusé. Vous m'avez ôté un grand poids de l'esprit.

— Vraiment ? fit Thanet prudemment.

— Oui, vraiment. Bien sûr, j'ai fait un beau gâchis de toute cette affaire...

— Ce n'est pas votre faute..., dit Thanet pour essayer de le consoler.

— Oh si ! Un effroyable gâchis. Quelle perte de temps !

— Je n'irais pas si loin, réellement...

— Mais si. Et Byrnes va penser : "Est-ce que je veux vraiment confier ma galerie à ce genre d'individu ? J'ai plutôt intérêt à choisir ce type de Vienne. Il est peut-être barbant, mais au moins, on peut compter sur lui." Ce n'est pas votre avis ? »

Ayant cessé de chercher à le suivre, Thanet se contentait de dévisager le jeune homme.

« Par conséquent, je vais être forcé de m'étioler à Rome. Sans emploi, sans logis, sans ressources, et le marché qui se trouve en plein marasme... C'est affreux ! » conclut-il, rayonnant de joie.

Flavia avait contemplé la scène avec beaucoup d'intérêt. Il est rare qu'un homme assiste à l'écroulement de sa carrière avec une telle jubilation. Et, devinant la raison du bonheur d'Argyll, elle éprouvait une drôle de sensation. C'est beau d'être sentimental, mais cela semblait un lourd prix à payer pour jouir de sa compagnie. Même si c'était très flatteur. Le point faible d'Argyll résidait dans son manque d'esprit d'à-propos. Il ratait souvent une belle sortie, parce qu'au fond il était beaucoup trop gentil pour pousser son avantage jusqu'au bout. C'est pourquoi elle résolut d'ajouter elle-même la cerise sur le gâteau. Comme marque d'affection.

« Il est possible, bien sûr, que dans six mois vous changiez d'avis et ayez finalement à nouveau envie d'acquérir ce Titien, dit-elle d'une voix douce. Pour une somme un peu plus conséquente que celle que vous avez offerte cette fois-ci, vu le temps et la peine qu'a déjà gaspillés Jonathan. Qui plus est, il a mis en péril et sa santé et sa vie pour sauver votre musée... »

Thanet reconnut que ce n'était pas impossible, mais en son for intérieur il en doutait. Six mois, c'est long. C'est fou ce qu'on peut oublier après un tel laps de temps ! Ce n'était pas comme s'il avait jamais eu envie de ce tableau.

« Mais, cette fois-ci, sans magouilles, reprit-elle, presque comme si elle réfléchissait à haute voix. Pas de jeu de passe-passe avec le service des impôts, veux-je dire. Mon ami Jonathan doit songer à sa réputation auprès de sir Edward. Savez-vous qu'on dit que Byrnes est le seul galeriste honnête ? Il déteste les trucs louches. S'il avait vent de ces errements... Eh bien ! c'est le genre de personne qui pourrait avertir le fisc, rien que pour sauvegarder sa bonne réputation. On parle bien du "fisc", n'est-ce pas ? »

Thanet opina du chef d'un air grave. Le terme était tout à fait juste... Il n'avait surtout pas besoin que les polyvalents des services fiscaux lui remontent les bretelles. La seule pensée de ces tueurs à gages au regard d'acier en train de passer ses registres au peigne fin lui faisait froid dans le dos. Et ça pourrait donner des idées à Anne Moresby. C'est pourquoi, ayant reconnu tout de suite un exemple de faux frais incompressibles, il acquiesça d'un signe de tête.

« Dix pour cent du prix convenu ?

— Quinze, corrigea Flavia, la mine grave.

— D'accord, quinze.

— En plus des dix pour cent de dédit payés directement à Jonathan. »

Thanet fit une courbette pour conclure le marché.

« Sans compter les intérêts, il va sans dire. »

Thanet ouvrit la bouche pour protester puis décida que ça n'en valait pas la peine. Même si Flavia lui faisait un sourire charmeur, il voyait luire dans ses yeux le mélange particulièrement délétère de délectation et de détermination. Elle était, conclut-il, tout à fait capable de rendre visite au percepteur avant de quitter le pays.

« Fort bien. Je crois que nous sommes sur la même longueur d'onde. Cela vous semble un accord satisfaisant, monsieur Argyll ? »

Ce dernier, qui trouvait que ce soir-là l'infinie variété de la vie était bien trop kaléidoscopique, ne sut qu'indiquer que l'accord lui paraissait plutôt convenable.

« Au fait, poursuivit Flavia d'un air détaché, qui va désormais surveiller pour vous le marché européen ? Maintenant que Langton ne semble guère être en position d'en prendre le pouls, pour ainsi dire ? »

Ayant dorénavant compris à quel genre de personne

il avait à faire, Thanet voyait fort bien où voulait en venir l'Italienne. Résigné, il fit front et attendit l'assaut.

« Vous avez réellement besoin d'un agent, ne serait-ce que pour vous tenir informé. Pas d'un représentant permanent travaillant à plein temps, juste quelqu'un qui soit votre œil et votre oreille sur le continent européen. Une sorte de chargé de mission. Qu'en pensez-vous ? »

Le directeur opina du bonnet en soupirant.

« En effet, dit-il, faisant contre mauvaise fortune bon cœur, et j'espérais que M. Argyll...

— Hein ? Oh oui ! répondit celui-ci. Avec plaisir. Avec grand plaisir. Tout pour rendre service. »

« On boit un coup ? » proposa Morelli, une fois que tout le monde fut enfin parti. Il les avait fait sortir en catimini par la porte de derrière, et pour regagner la voiture, afin d'éviter les journalistes à l'affût, leur avait fait enjamber la clôture et traverser le jardin du voisin. Dommage pour ses plantations de cactus ! Streeter mettrait des années à obtenir le pardon des habitants du quartier. Mais, de toute façon, il n'allait probablement pas s'éterniser dans les parages...

« Vous devriez vous abstenir ! Avec toutes ces drogues que vous avez dans le corps !

— Je sais. Mais j'ai besoin d'un verre. Et je vous en dois bien un. »

C'était un bar crado, plein de gens encore plus crado. Très chouette.

« À la vôtre ! dit-il, en portant une bière à ses lèvres.

— *Salute !* répondit-elle, en levant son verre. C'est bizarre quand même que Streeter ait effectivement placé un micro dans le bureau. Quelle sale petite fouine !

— Oui, c'est intéressant. Autre exemple de manœuvres politiciennes à l'intérieur du musée.

— Comment ça ?

— Eh bien ! expliqua l'inspecteur, comme vous l'avez entendu, il était l'amant d'Anne Moresby. Il était bien placé pour savoir que les Moresby ne formaient pas un couple très aimant et il soupçonnait Anne d'être plus ou moins l'instigatrice du crime. Évidemment, voulant éviter qu'elle soit arrêtée, il a tout fait pour occulter ce qu'il croyait être une preuve à charge.

» L'ennui, c'est que nous nous sommes quand même intéressés à elle, et ensuite on a commencé à évoquer la possibilité que l'amant soit complice. Comme il ne se trouvait pas dans le champ de la caméra au moment du meurtre et vu qu'Anne Moresby possédait un alibi sans faille, il s'est mis à penser qu'on lui tendait un piège.

» D'où son changement de camp. Au lieu d'essayer de la protéger, il a décidé de l'incriminer avant qu'elle le jette en pâture. Il a perdu tout scrupule lorsque Argyll a suggéré qu'il remette sa bande. Il a cru qu'Argyll avait découvert l'existence d'un enregistrement. Je ne sais pas qui a été le plus obtus dans cette affaire, lui ou nous.

— Quand on y pense, aucun d'entre eux n'est vraiment un parangon de vertu, hein ? dit Argyll. Fraude fiscale, assassinat, escroquerie, adultère, vol, tentative de faire endosser le crime par quelqu'un d'autre, pratique des écoutes, mise à la porte d'employés. Ils se sont tous bien trouvés, si vous voulez mon avis. »

Il y eut un long silence pendant qu'ils méditaient ce verdict. Puis Morelli sourit et leva une seconde fois son verre.

« Mille mercis. Je ne sais pas si sans votre aide on aurait fini par l'arrêter. C'est possible. Mais votre remarque sur le buste a incité Langton à passer aux aveux. Comment avez-vous découvert où il se trouve ? »

Flavia haussa les épaules.

« Je ne sais toujours pas où il est. Je n'en ai pas la moindre idée.

— Vraiment ?

— Absolument aucune. J'ai raconté un bobard. Je voulais le mettre en rogne.

— Alors ça a été un coup de chance...

— Pas réellement. Après tout, ça n'a pas apporté grand-chose. Vous pouviez inculper Moresby avec la seule bande. »

Morelli secoua la tête.

« Peut-être. Mais les petits ruisseaux font les grandes rivières.

— Au fait, qu'est-ce qu'il y avait sur la bande qui vous faisait ricaner ? »

L'Américain gloussa de plaisir.

« Je vous avais dit qu'on pensait que Thanet avait une liaison avec sa secrétaire ? »

Flavia hocha la tête.

« Eh bien ! on avait raison. Ça se passait dans son bureau. Une liaison torride. Je me disais que j'allais beaucoup m'amuser lorsque pendant le procès la bande serait écoutée en plein tribunal. »

Argyll regarda les deux autres avec un sourire contrit.

« L'affaire n'a guère été menée de main de maître, n'est-ce pas ?

— Que voulez-vous dire ?

— On s'est trois fois trompé d'assassin. On a mal identifié l'amant d'Anne Moresby. Quelqu'un a tenté de me tuer et je ne m'en suis même pas aperçu. J'ai cru que Jack Moresby était le seul type à peu près bien du lot. On a inventé un vol qui n'a jamais eu lieu et, finalement, on a une chance d'obtenir une condamnation uniquement parce que Streeter m'a compris tout de travers et que Flavia a raconté un énorme bobard à Langton. Et on ne sait toujours pas ce qui est arrivé au buste. »

Morelli opina du chef, l'air ravi.

« Un parfait cas d'école », conclut-il.

16

Hector de Suza fut enterré deux fois : une fois après une messe de requiem, avec chœur complet et des flopées de vêtements sacerdotaux brodés d'or, célébrée à Santa Maria sopra Minerva devant une assemblée de plusieurs dizaines de personnes – y compris un cardinal-évêque, le genre de dignitaire pour qui l'Espagnol avait toujours eu un faible. Vinrent en force amis, collègues et ennemis dans leurs plus beaux atours, et on brûla de l'encens comme s'il y en avait à revendre. Hector aurait adoré ! La marche vers le cimetière fut dûment solennelle, la sépulture très bien fleurie et fort délicieux le repas de funérailles. Aucune stèle funéraire pour le moment. Extrêmement coûteux, une stèle funéraire...

Il fut enterré une seconde fois dans les comptes du musée Moresby. Argyll envoya une seule facture pour le coût du transport du corps d'Hector et de ses antiquités, et il n'entendit plus jamais parler de cette affaire. Le cercueil en bois de hêtre avec garnitures de laiton disparut sous la rubrique « frais de port et d'emballage pour marchandises refusées » et la messe figura parmi les frais généraux. C'était vrai, en un sens, mais pas très poétique.

Si par le passé son fonctionnement avait manqué de transparence, le choc produit par les événements récents sembla avoir pour effet une réforme des usages du musée. Le départ de Langton et la décision de Streeter de consacrer le plus clair de son temps à son travail de consultant soulagèrent tellement Thanet qu'il en devint presque obligeant. Dans le cas d'Argyll, à tout le moins, le directeur tint sa promesse : il reçut un chèque du montant du dédit et, moins de quinze jours plus tard, un contrat postdaté concernant le Titien. Argyll et Byrnes parvinrent à un accord sur les futures commissions, et c'est avec joie que le jeune Anglais écarta toute idée d'un retour au pays. Trois mois plus tard les chèques rémunérant ses activités de chargé de mission commencèrent à arriver avec une appréciable régularité. Il ne s'agissait pas de gros chèques, selon les critères du milieu des négociants en objets d'art, mais leur montant était largement suffisant pour couvrir ses dépenses, lui permettant même de faire des économies.

Se posait, bien sûr, la question de l'appartement. À Rome il y a une pénurie chronique de logements depuis l'époque des papes de la Renaissance, et aucun signe de changement n'est envisageable en ce domaine avant la fin du prochain millénaire. Finalement, jusqu'à ce qu'il s'organise Argyll habita chez Flavia. Mais ils manquaient tous les deux de sincérité en invoquant des raisons pratiques ; en fait, ils voulaient voir ce qui allait se passer. Ils furent l'un et l'autre stupéfaits de découvrir que leur cohabitation fonctionnait à merveille, si bien que le jeune homme cessa même de faire semblant de chercher un logis. Du point de vue ménager, Flavia était une vraie souillon, ne s'étant jamais souciée de développer la moindre qualité de femme au foyer, ce qui ne gênait pas Argyll qui n'était pas non plus du genre à bichonner son intérieur.

Une fois réglés les problèmes domestiques, Flavia se remit au travail avec ardeur, décontraction et bonne humeur. Soulagé de constater ce changement, Bottando se félicita d'avoir correctement diagnostiqué sa mauvaise humeur de jadis. En plus du traintrain quotidien, elle alla interroger Collins au musée Borghèse, recueillit sa déposition à propos de sa complicité avec Langton, l'amena à avouer qu'il avait cambriolé Alberghi, ramassa les divers objets qu'il avait dérobés chez celui-ci, les renvoya à leur propriétaire légitime – avec la ferme recommandation de mieux les surveiller désormais – et expédia le jeune nigaud en Californie afin qu'il ait un petit entretien avec l'inspecteur Morelli. Elle persuada personnellement Bottando de ne pas déposer plainte contre lui. Inutile de se montrer rancunier : ça éviterait la paperasse et elle doutait qu'il recommence. Pas en Italie, en tout cas. Pas avec une telle mention sur son passeport.

Et puis vint la saison des truffes, l'un des grands moments de l'année pour toute personne sérieuse. Des noires, des blanches, des tachetées. Coupées finement et saupoudrées, aussi généreusement que vos moyens vous le permettent, sur des pâtes fraîches. Pour les déguster quand elles viennent d'être cueillies, ça vaut la peine de faire plusieurs centaines de kilomètres et de se rendre notamment dans un restaurant de si grande qualité qu'il n'apparaît dans aucun guide ou gazette et qu'il n'est guère connu en dehors de la petite ville de montagne d'Ombrie où depuis une génération entière il séduit les papilles gustatives de ses clients.

Flavia hésitait même à en révéler l'adresse à Argyll, mais, ayant réussi à la lui extorquer, le jeune homme décida qu'il était grand temps de célébrer son retour à une totale mobilité en l'invitant à déjeuner. Sur le chemin du restaurant elle eut une illumination à propos du cadeau d'anniversaire qu'elle allait lui offrir. Il avait trente et un ans et commençait à ne plus se sentir tout jeune. C'est l'âge où même les plus optimistes aperçoivent pour la première fois à l'horizon les signes de la déchéance sénile.

Cependant, le délicieux déjeuner de truffes et de champignons, arrosé de frascati, contribua quelque peu à son acceptation de la vallée de larmes qu'il était en train de traverser à grande allure ; il se sentait déjà bien mieux dans sa peau lorsqu'il s'installa sur le siège du passager et que la voiture de Flavia s'élança sur la route en zigzaguant.

Mettant en pratique sa décision californienne, non seulement il s'abstint de critiquer la vitesse à laquelle elle conduisait, mais il réussit même à éviter de faire la grimace chaque fois qu'elle doublait. Bien que ce fût censé être une surprise, il pensa qu'il n'était pas absolument interdit de demander où ils allaient.

Elle sourit sans cesser de rouler. Ce n'est qu'au moment où ils enfilèrent la route de Gubbio qu'il commença à avoir une petite idée, mais même alors Argyll ne pipa mot. Il eût été dommage de gâcher le plaisir de Flavia en révélant qu'il avait deviné.

Il avait raison, cependant. Elle se gara près de la place principale, mena la marche le long d'une série de ruelles avoisinantes et frappa à une porte. La signora Borunna vint ouvrir. Elle leur sourit tandis que Flavia s'excusait de les déranger.

Le sourire n'était pas aussi serein que la dernière fois ; il était empreint d'une tristesse qui troubla Flavia. Ils furent priés d'entrer et la jeune femme expliqua qu'elle était venue pour accepter l'offre d'une sculpture. Elle voulait l'acheter, bien entendu.

« Je suis persuadé qu'Alceo serait très honoré, ma chère enfant, dit l'épouse d'une voix douce. Je vais aller tout de suite le chercher. Il est au café un peu plus haut. »

Elle se dirigea vers la porte, puis hésita :

« Signorina, s'il vous plaît, reprit-elle en se retournant vers eux. Il faut que je vous demande quelque chose.

— Mais je vous en prie, répondit Flavia, un peu décontenancée par l'attitude de la femme.

— C'est au sujet d'Alceo, voyez-vous. Il n'est plus le même… depuis qu'il a appris la nouvelle à propos du malheureux Hector. Il se sent, disons, un peu coupable.

— Pourquoi diable se sentirait-il coupable ? demanda Flavia, de plus en plus intriguée.

— C'est bien ça la question, vous voyez. Je me demandais si vous auriez la gentillesse de l'écouter.

Dites-lui qu'il n'a rien fait de mal. C'était impardonnable, je le sais bien, mais il a agi avec les meilleures intentions du monde…

— Signora, je ne comprends pas un mot de ce que vous dites.

— Je sais. Mais ce serait bien si Alceo pouvait soulager sa conscience. Et si vous pouviez avoir la bonté de lui pardonner…

— Je ne vois vraiment pas ce qu'il y aurait à pardonner, néanmoins je suis toute disposée à l'écouter. »

Apparemment rassurée, Mme Borunna fit un signe de tête et partit chercher son mari. Pendant son absence, Argyll passa lentement d'un objet à l'autre, étudiant les différentes œuvres du sculpteur. Elles étaient magnifiques, estima-t-il. Même s'il ne s'agissait pas d'objets anciens, il adorerait en acquérir un. Et ce serait un cadeau merveilleux, ajouta-t-il en serrant Flavia affectueusement contre lui.

« J'aimerais savoir ce qui arrive à la signora Borunna, dit-elle, tandis qu'Argyll soulevait une vierge en indiquant que sa vie serait parfaite si on la lui donnait. Elle paraissait si joyeuse pendant ma dernière visite.

— On va bientôt l'apprendre », répondit-il, car la porte se rouvrait.

Le couple entra dans la pièce, la femme précédant le sculpteur qui traînait les pieds.

Borunna avait terriblement changé : les cheveux tout gris, le visage émacié, il paraissait avoir vieilli de dix ans en deux mois. Il faisait maintenant vraiment son âge et ne semblait pas heureux. L'air serein s'était enfui.

Ayant appris dès l'enfance qu'il n'était pas gentil de dire aux septuagénaires qu'ils ont une mine atroce, Flavia se contenta de le saluer brièvement et de présenter Argyll. Elle évita d'évoquer la statue de la Vierge : ça devrait attendre un peu. Mais qu'était-elle censée lui dire ?

Heureusement, Borunna lui facilita la tâche. Les yeux baissés, il s'affala dans un fauteuil défoncé, prit une profonde inspiration et commença à se confier :

« Je suppose que vous souhaitez des aveux complets », fit-il d'un ton rauque.

Les deux jeunes gens étaient totalement déconcertés. C'est pourquoi Flavia prit un siège et décida qu'il valait mieux ne rien répondre.

Considérant son silence comme un acquiescement, il poursuivit :

« Bon, je suis soulagé. Surtout à présent. J'ai passé de si mauvais moments depuis que j'ai appris qu'Hector avait été assassiné. J'aurais dû tout vous dire la première fois. Mais je souhaitais le protéger, voyez-vous. Quand je pense que j'aurais pu le sauver…

— Peut-être devriez-vous commencer par le début ? souffla Flavia, en espérant ainsi pouvoir comprendre ce qu'il racontait.

— J'étais animé des meilleures intentions, continua-t-il. Je savais qu'Hector allait perdre le buste, mais, en comparaison d'une peine de prison ou de l'expulsion du pays, ça paraissait un moindre mal. J'ai pensé qu'il aurait approuvé, vous comprenez ? Et c'est ce qu'il aurait fait, si je m'y étais mieux pris. J'ai provoqué cet homme, vous voyez ? C'est mon mauvais caractère qui a causé cette affreuse tragédie.

— Que s'est-il passé, exactement ? D'après vous, en tout cas », demanda-t-elle en regardant la signora Borunna pour trouver l'inspiration.

Il poussa un profond soupir, se frotta les yeux, réfléchit mûrement avant de se forcer à reprendre le fil de son récit.

« Hector est venu chez nous après son retour de la frontière suisse. Il était dans tous ses états. Saisi de panique. C'était la fin, affirmait-il. Le buste avait été confisqué, il avait déjà dépensé les arrhes qu'on lui avait versées et on allait lui faire un procès pour contrebande.

— Ça se passait en 1951, n'est-ce pas ?

— Naturellement.

— Je voulais juste m'en assurer. Mais continuez, je vous prie !

— Il avait peur que ses ennuis ne fassent que commencer. Et si on en recherchait l'origine ? Je lui ai rappelé qu'il avait affirmé l'avoir acheté à une vente. Ce qui était la vérité, selon lui. Mais il ne savait pas comment le buste s'était retrouvé à cette vente. Et s'il avait été volé ? Il n'en savait rien, mais ce qu'il savait pertinemment c'est qu'il allait devoir rendre des comptes.

» On a mis toute une soirée pour le calmer. Il était aux abois. Jamais, nous répétait-il, il ne referait une telle bêtise.

» Apparemment, il n'allait pas s'en tirer facilement.

Environ une semaine plus tard il a reçu deux lettres. L'une émanait du musée Borghèse et annonçait que leur étude du buste était terminée, que leurs experts étaient convaincus de l'authenticité de la sculpture et qu'on aimerait le rencontrer pour en discuter avec lui. Une autre provenait de la police et déclarait que des documents le concernant avaient été envoyés au bureau du procureur, lequel l'informerait le moment venu de la suite éventuelle donnée à cette affaire. Ce qui signifiait, comme vous vous en doutez, qu'on n'en resterait pas là.

» Hector était fou d'angoisse. Et sincèrement il nous rendait fous, nous aussi. Ce n'était pas un méchant homme, voyez-vous. S'il avait été un véritable escroc, il aurait mieux supporté le choc. Il était négligent et s'était fait pincer, un point c'est tout.

» Je le plaignais. On le plaignait tous les deux, ma femme et moi. Elle voulait à tout prix qu'on essaye de l'aider. Ils étaient de si bons et de si vieux amis. C'est alors qu'une idée m'est venue à l'esprit... »

Sur ce, le sculpteur s'abîma à nouveau dans une méditation morne et silencieuse. Flavia ne broncha pas, attendant qu'il en réémerge et qu'il reprenne le cours de son récit.

C'est ce qu'il finit par faire en la regardant bien en face et presque d'un air de défi.

« C'était une bonne idée ! Je suis allé à la bibliothèque municipale où j'ai trouvé une photo de l'exemplaire en bronze du buste qui se trouve à Copenhague...

— Ah ! c'est pour ça que vous connaissiez son

existence, fit-elle, l'interrompant quasiment pour la première fois.

— Oui. En effet. Et je l'ai étudiée avec soin. J'en ai fait des dessins. Des dizaines... Puis je suis allé dans mon atelier du Vatican.

» Je n'avais pas beaucoup de temps. C'est pourquoi je n'ai pas pu vraiment m'appliquer, mais ça pouvait passer. J'ai utilisé de vieux fragments de marbre qui restaient après la réparation des dommages causés par une bombe. En trois jours j'en avais assez fait pour donner le change. J'ai pris rendez-vous au Borghèse et je m'y suis rendu avec mon carnet et mes fragments.

» On m'a fait entrer dans le bureau d'un petit homme. Je dois avouer que je l'ai trouvé antipathique : l'un de ces hommes arrogants, froids et snobs. Le genre qui chante les beautés de la sculpture mais méprise les sculpteurs. Comme j'étais communiste à l'époque, il se peut que j'aie été plus sensible à ces choses. Ça m'a encore raffermi dans ma décision, surtout quand il est apparu que c'était lui qui avait expertisé le Bernini d'Hector.

» Alors je lui demande : "Vous avez terminé ?" Il me répond : "Oh oui ! en effet." "Et qu'en pensez-vous ?" "Je ne vois pas en quoi cela vous regarde, mais si la chose vous intéresse, c'est une belle pièce. Une des plus belles œuvres du début de la carrière du maître. C'eût été scandaleux qu'elle fût perdue pour le pays." "Je suis sûr qu'Hector n'avait pas l'intention de..." "M. de Suza est un vaurien et un escroc, dit-il d'un ton aigre. Et j'ai l'intention de m'assurer personnellement qu'il sera puni comme il le mérite. J'ai parlé au procureur pas plus tard que ce matin et il est entièrement d'accord avec moi. Il faut en finir avec cette sorte de comportement. Un châtiment exemplaire sera dissuasif."

» Donc, vous voyez que l'avenir d'Hector était loin d'être brillant. Ce type voulait sa peau. Je l'ai haï, je dois l'avouer. Il était là, tout pimpant et tiré à quatre épingles… Il n'avait pas besoin de chercher sa nourriture en se demandant s'il allait trouver quelque chose à se mettre sous la dent. Côté travail, grâce à sa famille, ses relations et son argent, il n'avait guère de souci à se faire. Et il était si imbu de lui-même, si moralisateur…

» "Donc, vous êtes impressionné par le buste ?" je lui demande. "Oui, répond-il. J'ai consacré ma vie au Cavalier Bernin et je n'ai jamais vu une si belle sculpture." Alors je lui dis : "Eh bien ! je suis flatté. Merci. Je dois dire que, sans me vanter, je n'en suis pas mécontent moi-même." "Que voulez-vous dire ?" "Que croyez-vous que je veuille dire ? C'est moi qui ai sculpté ce buste. Moi-même. Dans mon atelier. Ce n'est pas du tout un Bernini."

» Ça, ça l'a complètement ébranlé ! Mais il refusait de me croire. "Vous ? s'est-il exclamé en ricanant méchamment. Vous, un simple ouvrier ? Vous voulez me faire avaler cette histoire à dormir debout ?" "Je ne suis peut-être qu'un simple ouvrier, je lui rétorque, hors de moi, mais je suis un sculpteur exceptionnel, si je puis me permettre. Assez compétent pour ridiculiser un homme qui a passé sa vie à étudier le maître, comme vous dites."

» Vous voyez, mademoiselle, à ce moment-là j'avais presque oublié Hector. Je n'ai pas apprécié que cet homme m'appelle un simple ouvrier. Au début, je voulais seulement le forcer à ficher la paix à Hector. Mais maintenant j'étais résolu à l'humilier. Comme il refusait toujours de me croire, j'ai sorti mes dessins pour les lui montrer. Puis je sors mes petits fragments. Un nez, une oreille, un menton. Vous savez de quoi je parle. J'appelle ça des essais. Pour que le marbre fini soit impeccable.

» On voyait qu'il commençait à vaciller et que toute son arrogance s'évaporait. Il a regardé les esquisses – je suis un bon dessinateur –, puis les morceaux de marbre que j'avais sculptés, et on se rendait bien compte qu'il se faisait du souci. C'est possible, se disait-il. Ce n'est pas impossible... Il faut se rappeler les soubresauts qui agitaient alors le monde de l'art. L'affaire Van Meegeren en Hollande était toute récente : les plus grands experts avaient authentifié des faux absolument horribles. Tout le monde s'était bien moqué d'eux. Et cet Alberghi n'avait pas le sens de l'humour...

» J'ai donc continué mon histoire. J'ai fait de mon mieux pour le convaincre que j'avais fabriqué le buste pour qu'Hector le vende à un imbécile de collectionneur en Suisse qui avait cru faire une excellente affaire... Rien d'illégal là-dedans : on n'avait pas besoin d'une autorisation pour exporter des œuvres modernes. Et puis ne voilà-t-il pas que le Borghèse l'authentifie ! Merci beaucoup ! “Le buste a pris beaucoup de valeur, je lui dis. Hector sera ravi.”

» C'est là où j'ai été trop loin en voulant lui faire mordre la poussière. Il a brusquement redressé la tête et a dit : “Quoi ?” Je lui réponds : “Dans la lettre que vous lui avez écrite, vous déclarez que le buste est authentique. Par conséquent, une sculpture authentifiée par vous...” “Vous ne pouvez pas utiliser cette lettre !...” s'exclame-t-il avec fureur. Je lui ris au nez et lui réplique : “Essayez donc de nous en empêcher !” Ce à quoi il répond : “C'est ce que je vais faire !”

» Alors il a appelé un gardien du musée et ils sont passés dans la pièce d'à côté. Celle où se trouvait le Bernini. C'était la première fois que je le voyais et il était magnifique. Tout ce qu'Alberghi et Hector en avaient dit était vrai. Il n'y avait aucun doute qu'il était authentique. Ça sautait aux yeux. Quelle belle pièce ! De la belle ouvrage... »

Le sculpteur s'arrêta de nouveau avant de reprendre son récit, s'arrachant littéralement les mots de la bouche :

« Bon. Alberghi désigne le buste et dit au gardien de s'en saisir. Celui-ci s'exécute malgré le poids et Alberghi ouvre la marche vers la sortie. Ils traversent tout le musée, se dirigent vers la porte de derrière, sortent dans une petite cour où des maçons sont au travail... Le gardien dépose le buste sur le sol. Je leur avais emboîté le pas, voyez-vous. Alors Alberghi s'approche d'un ouvrier et lui enlève des mains une lourde masse de carrier. Je n'ai pas eu le temps de l'en empêcher, voyez-vous...

— Et qu'est-ce qui s'est passé ?

— Que croyez-vous ? Il lui a assené un seul coup, avec une force extraordinaire. En pleine tête. L'onde de choc s'est propagée dans tout le marbre et le buste est tombé en morceaux. Une dizaine peut-être et des centaines d'éclats. C'était irréparable. J'ai contemplé le désastre... Puis Alberghi a jeté la masse par terre et s'est approché de moi. "Eh bien ! monsieur le sculpteur, m'a-t-il dit, en reprenant son ton mauvais, l'affaire est réglée. Voilà ce qui arrive quand on veut jouer au plus fin avec moi. Et maintenant ramassez votre chef-d'œuvre et fichez le camp !" Et il a essuyé la poussière de ses mains avant de tourner les talons.

» Si je ne l'avais pas poussé à bout, il n'aurait peut-être jamais songé à détruire le buste. Je ne sais pas ce qui m'a pris... Alors j'ai ramassé quelques fragments, les parties les moins abîmées, mais on ne pouvait rien en faire. »

Il y eut un long silence. Borunna n'avait plus envie de parler et Flavia ne trouvait rien à dire.

« Comme c'est malheureux ! » s'exclama Argyll avec une certaine maladresse.

Borunna lui lança un coup d'œil.

« Malheureux ? Oui. Mais l'ennui, c'est que...

— Oui ?

— Je ne sais pas comment vous le dire. Vous allez me prendre pour un monstre...

— Dites toujours...

— Je me suis senti heureux.

— Heureux ?

— Oui. Quand cette masse de carrier s'est abattue et que cette œuvre magnifique a été réduite en morceaux, j'ai éprouvé une grande jouissance. Une sensation de triomphe. Je ne peux pas expliquer pourquoi. Depuis ce jour-là j'ai mauvaise conscience. »

Il regarda Flavia comme si elle pouvait l'absoudre de ce péché. Ce dont elle se sentait incapable.

« Et Hector n'a pas été poursuivi en justice ?

— Oh non ! Il n'a pas été inculpé. Alberghi s'est sans doute dit que la défense ferait valoir que le buste était une copie, ce qui aurait pu le ridiculiser. Hector possédait toujours la lettre. On a seulement indiqué à Hector que le buste avait été saisi. Un point c'est tout.

— Et vous ne lui avez jamais dit la vérité ?

— Comment aurais-je pu ? Ça lui aurait brisé le cœur. Moi-même je ne m'en suis jamais remis. Et Maria m'a conseillé de tout oublier. Alors j'ai oublié, jusqu'à votre venue. J'aurais dû tout vous avouer à ce moment-là. Mais comme je savais que le buste qui se trouvait en Amérique ne pouvait pas être authentique, j'ai pensé qu'Hector avait recommencé à écouler des faux. Mais si j'avais dit quelque chose, au moins il serait toujours en vie.

— Est-ce que c'est ce qui vous tracasse le plus ? »

Il hocha la tête.

« Eh bien ! sur ce point vous pouvez vous tranquilliser, dit Flavia gentiment. Lorsque je suis venue vous voir il était déjà mort.

— Je crois qu'il était au courant, ajouta Argyll. C'est pourquoi il voulait examiner le buste. Et aussi pourquoi il a été tué, en fait. S'il n'avait pas été au courant, il n'aurait jamais insisté pour parler à Moresby en tête à tête et il n'aurait pas été gênant. Il allait revenir en Italie pour vous prier de corroborer ce qui s'était passé.

— Mais comment aurait-il pu être au courant ? »

Flavia leva les yeux et aperçut la femme de Borunna

qui se tenait derrière lui, dans l'encadrement de la porte. Elle se rappela tout ce qu'elle avait entendu dire sur la réputation de coureur de jupons de De Suza ; comment la jeune femme restait seule avec lui pendant que le mari plus âgé était au travail ; comment Borunna avait connu de Suza par l'intermédiaire de sa femme ; comment lorsque le sculpteur rentrait au logis il les trouvait souvent ensemble ; à quel point ils étaient intimes, et comment l'épouse avait insisté pour qu'ils aident Hector à se tirer d'ennui. Alors Flavia comprit parfaitement pourquoi Borunna avait été si heureux de voir la masse faire voler en éclats la tête d'Hector. Rien de plus normal.

Et elle vit aussi l'effroi se peindre sur le visage de la vieille dame à la pensée qu'on pourrait tout remettre sur le tapis. Flavia se souvint de l'expression de tristesse et d'amour lorsque Maria lui avait fait part de son inquiétude à propos de la dépression d'Alceo.

« Il avait dû l'apprendre grâce à ses contacts au musée Borghèse, s'empressa-t-elle d'ajouter. Je ne sais pas quand, mais autant que je puisse en juger il avait assez bien encaissé le coup. En tout cas, il ne semblait pas du tout vous en vouloir.

— Par conséquent, vous pensez que mon silence n'a rien changé ?

— Absolument ! s'écria Flavia avec vigueur. Si c'est ce qui vous tracasse, tranquillisez-vous… Le peu que vous m'avez dit a été extrêmement important et le reste n'aurait pas fait la moindre différence. Je reconnais que c'est un choc de découvrir ce qui est arrivé au buste, mais c'est de l'histoire ancienne. Et que sont devenus les fragments ? »

Encouragé par ces paroles rassurantes, Borunna sortait peu à peu et avec difficulté de son abattement. Pour un rétablissement complet il aurait besoin de temps et des soins d'une épouse dévouée. Mais au moins le processus de retour à la normalité était désormais entamé. Il expliqua que les fragments se trouvaient à l'intérieur d'un coffre dans son atelier près de la cathédrale. S'ils souhaitaient les voir, il allait les leur montrer. Mais seulement une fois qu'ils auraient accepté de choisir l'une de ses sculptures.

« De notre part à tous les deux, ajouta son épouse. Avec nos remerciements. »

Étant donné qu'Argyll avait déjà choisi et que Flavia jugeait le choix excellent, cela ne posa aucun problème. C'est pourquoi, portant la vierge enveloppée dans un vieux journal, les deux jeunes gens avancèrent lentement le long des rues étroites sur le chemin de l'atelier, marchant derrière le couple âgé qui se tenait par la main comme deux adolescents.

Le coffre était recouvert de dessins, d'outils et d'une épaisse couche de poussière ; le couvercle en était extraordinairement lourd et le contenu dissimulé sous de vieux draps. Là se trouvait la source de tous leurs récents problèmes. Un par un, Borunna sortit les morceaux de marbre et les posa sur un établi, les organisant pour reconstituer la forme du buste.

Le visage était presque complet, mais le sculpteur avait raison de dire que c'était irréparable. Il manquait environ la moitié du buste et la majeure partie de ce qui en restait était très abîmée.

Tous les quatre ils contemplèrent la sculpture en silence.

« Quel dommage ! » soupira Flavia.

La constatation allait tellement de soi que les autres ne virent rien à ajouter.

« L'ennui c'est que je n'ai jamais su qu'en faire. Ce serait criminel de jeter ces fragments, mais je ne sais pas comment les utiliser. »

Ils continuèrent un moment à fixer les restes de la statue. Puis une idée se fit jour dans l'esprit d'Argyll… Correctement serti dans une plaque de marbre verticale, le visage semblerait presque intact. S'il était restauré par un expert. Avec une jolie inscription…

« Voulez-vous toujours vous racheter auprès d'Hector ? » demanda-t-il.

Borunna haussa les épaules.

« C'est un peu tard aujourd'hui, dit-il, mais oui, bien sûr. Mais comment ? »

Argyll souleva le visage de la statue qui rayonna dans la lumière d'automne.

« Vous ne croyez pas que ça pourrait devenir une merveilleuse stèle funéraire ? »

Imprimé en France sur Presse Offset par

BRODARD & TAUPIN

GROUPE CPI

La Flèche (Sarthe), 15512